The seven husbands
of Evelyn Hugo

De zeven echtgenoten
van Evelyn Hugo

Van Taylor Jenkins Reid verscheen eveneens
bij Ambo|Anthos uitgevers

Supernova
In een ander leven
Daisy Jones & The Six
Het feest van de eeuw
Het bewijs van de affaire
(als e- en audiobook)
Carrie Soto is back

Meld je aan voor onze nieuwsbrief om op de hoogte te blijven van
de nieuwste boeken van Ambo|Anthos *uitgevers* via
www.amboanthos.nl/nieuwsbrief.

Taylor Jenkins Reid

The seven husbands
of Evelyn Hugo

De zeven echtgenoten
van Evelyn Hugo

Vertaald uit het Engels
door Lette Vos

Ambo|Anthos
Amsterdam

Eerste druk 2020
Dertiende druk 2023

ISBN 978 90 263 6328 3
© 2017 Rabbit Reid, Inc.
© 2020 Nederlandse vertaling Ambo|Anthos uitgevers,
Amsterdam en Lette Vos
Oorspronkelijke titel *The Seven Husbands of Evelyn Hugo*
Oorspronkelijke uitgever Atria Books,
an imprint of Simon & Schuster, Inc.
Omslagontwerp Margo Togni
Omslagillustratie © Great Bowery Inc./Gallery Stock
Foto auteur © Deborah Feingold

Verspreiding voor België:
Veen Bosch & Keuning uitgevers nv, Antwerpen

Voor Lilah
Gooi het patriarchaat maar
lekker omver, lieverd

NEW YORK TRIBUNE
2-3-2017

Door Priya Amrit

Evelyn Hugo kondigt veiling galajurken aan

Filmlegende en voormalige it-girl Evelyn Hugo heeft zojuist aangekondigd dat ze twaalf van haar meest iconische galajurken via Christie's zal veilen om geld in te zamelen voor borstkankeronderzoek.

Hugo, inmiddels 79, gold jarenlang als het toonbeeld van glamour en elegantie. Ze wordt geroemd om haar kledingstijl, die sensueel en ingetogen tegelijk is, en haar beroemdste outfits worden binnen de mode- en Hollywoodgeschiedenis als bepalend beschouwd.

Wie een stukje van Hugo's leven wil bemachtigen, zal niet alleen geïntrigeerd zijn door de jurken zelf, maar ook door de context waarin ze gedragen werden. De veiling van Evelyn Hugo's galajurken omvat onder andere de smaragdgroene Miranda La Conda die Hugo droeg op de Oscaruitreiking van 1959, de paarsblauwe luchtige jurk van mousseline met diepe ronde hals die ze aanhad bij de première van *Anna Karenina* in

1962 en de marineblauwe zijden Michael Maddax waarin ze in 1982 haar Oscar voor *All for Us* in ontvangst mocht nemen.

Hugo heeft de nodige schandalen op haar naam staan, niet in de laatste plaats haar zeven huwelijken, waaronder een van tientallen jaren met filmproducent Harry Cameron. De Hollywoodcoryfeeën kregen samen een dochter, Connor Cameron, die ongetwijfeld de inspiratie is geweest voor de veiling. Ms Cameron overleed vorig jaar aan borstkanker, niet lang na haar 41ste verjaardag.

Onder de naam Evelyn Elena Herrera werd Hugo in 1938 in New York geboren als dochter van Cubaanse immigranten, waarna ze opgroeide in de wijk Hell's Kitchen. In 1955 had ze zich in Hollywood weten te vestigen, haar haar blond geverfd en haar naam veranderd in Evelyn Hugo. Bijna van de ene op de andere dag behoorde Hugo tot de Hollywood-elite. Ze zou nog ruim dertig jaar in de schijnwerpers staan voor ze eind jaren tachtig afscheid nam van het witte doek en trouwde met geldmagnaat Robert Jamison, de oudere broer van drievoudig Oscarwinnares Celia St. James. Sinds de dood van haar zevende echtgenoot woont Hugo alleen in Manhattan.

Door Hugo's bovenaardse schoonheid, enorme sexappeal en glamour zijn filmfans van over de hele wereld al een halve eeuw in haar ban. Naar verwachting zal met de veiling ruim twee miljoen dollar worden opgehaald.

'WIL JE EVEN NAAR MIJN KANTOOR KOMEN?'

Ik kijk om me heen naar de bureaus naast het mijne en kijk dan weer naar Frankie omdat het me niet helemaal duidelijk is tegen wie ze het heeft. Ik wijs naar mezelf. 'Heb je het tegen mij?'

Frankie is erg ongeduldig. 'Ja, jij, Monique. Daarom vroeg ik ook: "Monique, wil je even naar mijn kantoor komen?"'

'Sorry, ik hoorde alleen het laatste stukje.'

Frankie draait zich om. Ik pak mijn blocnote en loop achter haar aan.

Frankie heeft een heel opvallend uiterlijk. Ik weet niet zeker of ik haar mooi zou noemen in de conventionele zin van het woord – ze heeft scherpe gelaatstrekken met ogen die nogal ver uit elkaar staan – maar ze is hoe dan ook iemand waar je blik onwillekeurig naartoe getrokken wordt. Met haar slanke lichaam van één meter tachtig, haar korte afro en haar voorliefde voor felle kleuren en robuuste sieraden kijkt iedereen altijd op als Frankie binnenkomt.

Zij was een van de redenen dat ik deze baan aannam. Tijdens mijn studie journalistiek had ik al grote bewondering voor haar en las ik al haar artikelen in het tijdschrift waarvan ze tegenwoordig hoofdredacteur is en waar ik voor werk. En ik vind het ook enorm inspirerend om een zwarte vrouw als baas te hebben, eigenlijk. Aangezien ik zelf een vrouw van gemengd ras ben – met een zwarte vader en een witte moeder – durf ik door Frankie te geloven dat ik in de toekomst misschien ook wel een leidende functie kan bekleden.

'Ga maar even zitten,' zegt Frankie terwijl ze plaatsneemt achter haar bureau, en ze gebaart naar een oranje stoel tegenover haar.

Ik ga rustig zitten en sla mijn benen over elkaar. Ik wacht tot zij het woord neemt.

'Dus... we hebben nogal een vreemd verzoek gekregen,' zegt ze terwijl ze naar haar computerscherm kijkt. 'Het management van Evelyn Hugo heeft gevraagd of we een stuk over haar willen schrijven. Een exclusief interview.'

Normaal gesproken zou mijn eerste reactie zijn: *Holy shit*, en vervolgens: *Wat heb ik daarmee te maken?* Maar ik hou me in en vraag: 'Waarover precies?'

'Ik gok dat het te maken heeft met de jurkenveiling die ze organiseert,' zegt Frankie. 'Ik heb begrepen dat ze zo veel mogelijk geld wil ophalen voor de American Breast Cancer Foundation.'

'Maar dat hebben ze niet bevestigd?'

Frankie schudt haar hoofd. 'Het enige wat ik weet is dat Evelyn Hugo iets te vertellen heeft.'

Evelyn Hugo is een van de grootste filmsterren ooit. Zelfs als ze niks boeiends te melden heeft, wil iedereen het toch horen.

'Dat kan een fantastisch nummer opleveren, toch? Ik bedoel, ze is een levende legende. Was ze niet iets van acht keer getrouwd?'

'Zeven keer,' zegt Frankie. 'En ja, dit kan potentieel een topartikel worden. Daarom hoop ik ook dat je goed luistert naar wat ik verder te zeggen heb.'

'Hoe bedoel je?'

Frankie haalt diep adem en trekt een gezicht waardoor ik begin te vermoeden dat ze op het punt staat me te ontslaan. Dan zegt ze: 'Evelyn heeft specifiek om jou gevraagd.'

'Om *mij*?' Dit is al de tweede keer binnen vijf minuten dat ik volkomen overdonderd ben door het feit dat iemand met mij wil praten. Ik moet echt aan mijn zelfvertrouwen gaan werken. Laat ik het zo zeggen:

het heeft de laatste tijd nogal te lijden gehad. Niet dat ik ooit heb geblaakt van zelfvertrouwen...

'Als ik heel eerlijk ben, reageerde ik precies zo,' zegt Frankie.

Als ik dan op mijn beurt heel eerlijk ben, ben ik toch een beetje beledigd. Al begrijp ik natuurlijk volkomen waarom ze dat zegt. Ik werk nog geen jaar bij Vivant en schrijf voornamelijk advertorials. Hiervoor blogde ik voor Discourse, een website over culturele evenementen die zichzelf een nieuwsblad noemt, maar in feite een veredelde blog met pakkende koppen is. Mijn werk bestond grotendeels uit het schrijven van opiniestukken over de nieuwste trends voor de rubriek 'Modern Life'.

Na jaren freelancen kwam de vaste aanstelling bij Discourse als geroepen. Maar toen ik een baan kreeg aangeboden bij Vivant, greep ik die toch met beide handen aan. Ik kon de kans om voor zo'n instituut te werken, te midden van allerlei grote namen, niet laten liggen.

Op mijn eerste werkdag liep ik langs muren vol iconische, cultuurbepalende covers – die met vrouwenactiviste Debbie Palmer die naakt op een wolkenkrabber is gepositioneerd en uitkijkt over Manhattan in 1984; die uit 1991 waarop schilder Robert Turner werkt aan een doek, met als bijschrift dat hij aids heeft. Het voelde onwerkelijk om me in Vivant-kringen te mogen ophouden. Ik droom er al heel lang van om mijn naam op het glimmende papier te zien staan.

Helaas heb ik aan de afgelopen twaalf nummers nog niets anders bijgedragen dan suffe interviewtjes met rijkeluiskinderen, terwijl mijn voormalige collega's bij Discourse zich inzetten om de wereld te veranderen met artikelen die de hele wereld over gaan. Kortom: ik ben niet bepaald trots op mezelf.

'Luister, ik bedoel niet dat we niet blij met je zijn, want dat zijn we wel,' zegt Frankie. 'We geloven allemaal dat jou een mooie toekomst bij Vivant te wachten staat, maar ik had eigenlijk gehoopt dat ik een van onze ervaren interviewers op dit stuk kon zetten, iemand die hier al een tijdje meedraait. Dus ik wil bij voorbaat duidelijk maken dat wij jouw naam niet bij Evelyns team hebben neergelegd. We hebben vijf topjournalisten gepitcht, en dit was hun tegenvoorstel.'

Frankie draait haar computerscherm naar me om en laat me een e-mail lezen van ene Thomas Welch, vermoedelijk Evelyn Hugo's publiciteitsagent.

Van: Thomas Welch
Aan: Troupe, Frankie
Cc: Stamey, Jason; Powers, Ryan

Monique Grant moet het doen, anders doet Evelyn niet mee.

Verbouwereerd kijk ik Frankie weer aan. Maar eerlijk gezegd ben ik ook door het dolle heen dat een beroemdheid als Evelyn Hugo iets met mij te maken wil hebben.

'Ken je Evelyn Hugo? Is dat de reden?' vraagt Frankie terwijl ze het scherm weer haar kant op draait.

'Nee,' antwoord ik, vol verbazing dat ze me dat überhaupt vraagt. 'Ik heb een paar van haar films gezien, maar ze is een beetje van voor mijn tijd.'

'Je hebt geen persoonlijke link met haar?'

Ik schud mijn hoofd. 'Absoluut niet.'

'Je komt toch uit Los Angeles?'

'Ja, maar de enige connectie die ik kan bedenken is als mijn vader ooit op een van haar filmsets heeft gewerkt. Hij was setfotograaf. Ik zou het eens aan mijn moeder kunnen vragen.'

'Goed idee. Graag.' Frankie kijkt me afwachtend aan.

'Nu meteen, bedoel je?'

'Als dat kan.'

Ik haal mijn telefoon uit mijn broekzak en stuur mijn moeder een appje: *Heeft papa ooit bij een film gewerkt waar Evelyn Hugo in speelde?*

Ik zie drie stipjes verschijnen. Als ik opkijk, betrap ik Frankie erop dat ze probeert mee te lezen op mijn scherm, waarna ze lijkt te beseffen dat dit een schending van mijn privacy is en achteroverleunt op haar stoel.

Mijn telefoon klingelt.

Mijn moeder appt: *Misschien wel? Het waren er zoveel dat ik het nauwelijks bij kon houden. Hoezo?*

Lang verhaal, app ik terug, *maar ik probeer te achterhalen of ik op de een of andere manier een link heb met Evelyn Hugo. Denk je dat papa haar kende?*

Mama stuurt terug: *Haha! Nee joh. Je vader had nooit rechtstreeks contact met bekende mensen. Hoe hard ik hem ook pushte om met filmsterren aan te pappen.*

Ik grinnik. 'Zo te horen heb ik inderdaad geen link met Evelyn Hugo.'

Frankie knikt. 'Oké, mooi, nou ja, de andere theorie is dat ze iemand met een mindere staat van dienst hebben uitgekozen omdat ze denken je te kunnen manipuleren, zodat zij kunnen bepalen wat je wel en niet opschrijft.'

Ik voel mijn telefoon weer trillen. Over papa gesproken: *ik was al van plan om je een doos met wat van zijn vroegere werk te sturen. Er zitten prachtige dingen bij. Ik vind het leuk om te hebben, maar volgens mij zou jij er nog meer plezier van hebben. Ik zal hem deze week opsturen.*

'Je denkt dat ze voor een makkelijke prooi zijn gegaan,' zeg ik tegen Frankie.

Frankie glimlacht aarzelend. 'Zoiets, ja.'

'Dus Evelyns manager slaat ons colofon erop na, ziet mijn naam staan bij de lager geplaatste auteurs en schat in dat ze mij wel voor hun karretje kunnen spannen. Is dat het idee?'

'Ik vrees van wel.'

'En je vertelt me dit allemaal omdat...'

Frankie kiest haar woorden zorgvuldig. 'Omdat ik denk dat je dat niet zou laten gebeuren. Volgens mij onderschatten ze je. En ik wil dit interview heel graag in ons blad. Ik wil er de voorpagina's mee halen.'

'Wat wil je daarmee zeggen?' vraag ik en ik verschuif een stukje op mijn stoel.

Frankie slaat haar handen ineen en legt ze op het bureau, waarna ze dichter naar me toe buigt. 'Ik wil weten of je opgewassen denkt te zijn tegen Evelyn Hugo.'

Van alle vragen die ik vandaag had zien aankomen, stond deze waarschijnlijk ergens op de negen miljoenste plek. Denk ik dat? Ik zou het niet weten.

'Ja,' zeg ik na een poosje.

'Is dat alles? Alleen maar ja?'

Ik wil deze kans. Ik wil dit verhaal schrijven. Ik ben het zat om helemaal onderaan in de pikorde te staan. En ik kan verdorie weleens een opsteker gebruiken. 'Absoluut?'

Frankie knikt en denkt hier even over na. 'Dat is al beter, maar ik ben nog niet helemaal overtuigd.'

Ik ben vijfendertig. Ik werk al meer dan tien jaar in de journalistiek. Ooit hoop ik een boek te schrijven. Ik wil zelf bepalen wat ik schrijf. Ooit wil ik de eerste zijn die gebeld wordt als iemand als Evelyn Hugo een interview wil geven. En hier bij *Vivant* word ik te weinig uitgedaagd. Als ik mijn doel wil bereiken, moet er iets veranderen. Iemand moet me de ruimte gunnen. En het moet gauw gebeuren ook, want mijn flutcarrière is alles wat ik heb. Als ik wil dat er iets verandert, moet ik de dingen heel anders gaan aanpakken. Drastisch anders.

'Evelyn wil mij,' zeg ik. 'Jij wilt Evelyn. Het lijkt me dat ik jou niet hoef te overtuigen, Frankie, maar jij mij.'

Frankie zwijgt als het graf en kijkt me over haar gevouwen handen heen diep in de ogen. Ik probeerde kordaat te klinken. Misschien heb ik het iets te zwaar aangezet.

Ik voel me precies zoals toen ik voor het eerst met gewichten ging trainen en meteen met vijfentwintig kilo begon. Als je te snel te veel hooi op je vork neemt, val je meteen door de mand.

Ik moet me gigantisch inhouden om mijn opmerking niet terug te nemen, om niet hartgrondig mijn excuses te maken. Mijn moeder heeft me altijd geleerd om beleefd en bescheiden te zijn. Ik heb lang in de veronderstelling verkeerd dat beleefdheid hetzelfde is als onderdanigheid. Maar met dat soort vriendelijkheid kom je niet ver. De wereld heeft respect voor mensen die geloven dat ze de baas zouden moeten zijn. Ik heb nooit begrepen waarom, maar ik ga me er niet langer tegen verzetten. Ik ben hier omdat ik ooit wil zijn waar Frankie is, of misschien nog wel hogerop. Ik wil belangrijk werk doen waar ik trots op kan zijn. Iets van betekenis achterlaten. En op dat punt ben ik nog lang niet.

De stilte duurt zo lang dat ik vrees dat ik toch ga bezwijken onder de toenemende druk. Maar Frankie geeft het eerder op.

'Goed dan,' zegt ze, en ze staat op en steekt me haar hand toe.

Als ik hem vastpak schiet er een vlaag van zowel paniek als trots door me heen. Ik zorg dat ik Frankie een stevige hand geef; die van haar lijkt wel een bankschroef.

'Maak er een topartikel van, Monique. Voor ons en voor jezelf.'

'Daar ga ik voor zorgen.'

We laten elkaars hand los, en ik loop naar de deur. 'Misschien heeft ze je artikel over euthanasie voor *Discourse* wel gelezen,' zegt Frankie vlak voor ik haar kantoor uit stap.

'Wat?'

'Dat was ontzettend goed. Misschien heeft ze haar oog daarom op jou laten vallen. Zo zijn wij ook bij je terechtgekomen. Niet alleen omdat het zo vaak gelezen werd, maar ook vanwege jouw schrijfprestatie; het was echt een mooi stuk.'

Het was een van de eerste werkelijk relevante stukken die ik op eigen initiatief schreef. Ik pitchte het nadat ik de opdracht had gekregen om iets te schrijven over de toenemende populariteit van microgroenten, met name binnen de restaurantscene in Brooklyn. Ik was naar de markt in Park Slope gegaan om een lokale boer te interviewen, maar toen ik toegaf dat het water me niet bepaald in de mond liep van mosterdkool of postelein zei hij dat zijn zus precies hetzelfde had gezegd. Die was tot een jaar daarvoor een fervent vleeseter geweest, maar in de strijd tegen een hersentumor overgestapt op een volledig biologisch, veganistisch dieet.

Later in ons gesprek vertelde hij over een euthanasiepraatgroep waar zijn zus en hij zich bij hadden aangesloten, voor mensen die afscheid wilden nemen van het leven en hun dierbaren. Veel leden van de groep vochten voor het recht op een waardige dood. Gezonde voeding zou zijn zus niet genezen, en ze wilden geen van beiden dat ze onnodig lang moest lijden.

Ik voelde een enorme drang om de mensen uit die praatgroep een stem te geven. Ik meldde me weer bij de redactie van Discourse en pitchte het verhaal. Ik had verwacht dat ze het zouden afwijzen, aangezien ik in de maanden daarvoor enkel artikelen had geschreven over hipstertrends en reportages over beroemdheden. Maar tot mijn verbazing kreeg ik groen licht.

Ik stortte me volledig op het artikel; ik ging naar bijeenkomsten in verstopte kerkzaaltjes, interviewde de leden en schreef en herschreef het stuk net zolang tot ik ervan overtuigd was dat het onderwerp euthanasie, een einde maken aan het leven van mensen die ondraaglijk lijden, in al zijn complexiteit belicht werd – als ethisch dilemma én als zegen.

Het is het artikel waar ik het allertrotst op ben. Bij thuiskomst na een dag op de redactie van Vivant heb ik het er al meerdere keren bij gepakt, om mezelf eraan te herinneren wat ik in mijn mars heb, om mezelf te herinneren aan de voldoening die ik haal uit het delen van de waarheid, hoe moeilijk die soms ook te verteren is.

'Dank je wel,' zeg ik tegen Frankie.

'Ik bedoel maar te zeggen dat je talent hebt. Misschien heb je het daaraan te danken.'

'Dat lijkt me sterk.'

'Mij ook,' antwoordt ze. 'Maar als je wat ze te vertellen heeft tot een mooi stuk weet te breien, dan is dat de volgende keer wel het geval.'

THESPILL.COM

4-3-2017

Door Julia Santos

Evelyn Hugo gaat met de billen bloot

Het gerucht gaat dat vamp-van-de-eeuw/levende legende/mooiste-blondine-ter-wereld Evelyn Hugo haar jurken gaat veilen en ook nog eens heeft toegezegd om voor het eerst in decennia een interview te geven!

Ik hoop echt zó dat ze eindelijk een boekje gaat opendoen over al die echtgenoten die ze versleten heeft (bij vier of vijf kan ik me nog iets voorstellen, zes gaat al wat ver, maar zeven?! Zeven echtgenoten? En dan tellen we haar niet zo geheime affaire met Congreslid Jack Easton begin jaren tachtig nog niet eens mee. Lekker bezig, dame!).

Als ze niets over haar vele huwelijken kwijt wil, laten we dan op z'n minst hopen dat ze vertelt hoe ze aan die wenkbrauwen komt. Ik bedoel: wat is je geheim, Evelyn?!

Als je foto's van vroeger van haar ziet, met haar koperblonde haar,

haar donkere, kaarsrechte wenkbrauwen, haar prachtig gebruinde huid en goudbruine ogen, dan móést je haar wel nastaren.

En dan heb ik het nog niet eens over haar lichaam.

Geen kont, geen heupen – maar wel enorme tieten en een superslanke taille.

Ik werk me al mijn hele volwassen leven in het zweet om zo'n lijf te krijgen (NB: dat is nog verre van gelukt. Komt misschien door de *bucatini* waar ik afgelopen week elke dag mee heb geluncht...).

Het enige waar ik nogal pissig om ben: Evelyn had hier iedereen voor kunnen vragen (ahum, mij bijvoorbeeld?), maar ze kiest iemand van *Vivant* die net om de hoek komt kijken in journalistenland... Ze had iedereen kunnen krijgen (ahum, mij bijvoorbeeld?). Waarom in vredesnaam die Monique Grant (en ik niet)?

Oké, genoeg gezeurd. Ik vind het gewoon superzuur dat ze mij niet hebben gevraagd.

Ik moet echt bij *Vivant* gaan werken. Daar krijgen ze alle leuke klussen.

REACTIES

Hihello565 schrijft: Zelfs medewerkers van *Vivant* willen niet meer voor *Vivant* werken. Het is een stelletje geldwolven en ze geven alleen nog bagger en verkapte reclame uit.

Pppppppppps reactie op Hihello565: Zal allemaal best, maar als het meest gerenommeerde, smaakvolle tijdschrift van het hele land jou een baan aanbiedt, zeg je daar volgens mij echt geen nee op.

EChristine999 schrijft: Is Evelyns dochter niet recent aan kanker overleden? Volgens mij heb ik dat ergens gelezen. Superzielig. BTW, die foto van Evelyn bij het graf van Harry Cameron? Daar ben ik zo'n beetje maanden kapot van geweest. Zo'n mooi gezin. Echt zo sneu dat ze ze allebei kwijt is geraakt.

MrsJeanineGrambs schrijft: EVELYN HUGO INTERESSEERT ME ECHT

GEEN ZAK. BESTEED TOCH NIET ZOVEEL AANDACHT AAN DIT SOORT MEN-SEN. Al die huwelijken, affaires en de meeste van haar films bewijzen maar één ding: dat ze een slet is. *Three A.M.* was een belediging voor alle vrouwen. Besteed liever aandacht aan mensen die het waard zijn.

SexyLexi89 schrijft: Evelyn Hugo is misschien wel de mooiste vrouw ever. Die scène in *Boute-en-train* waar ze naakt uit het water komt lopen en het beeld vlak voordat je haar tepels ziet op zwart gaat? Bril-jant.

PennyDriverklm schrijft: Hoera voor Evelyn Hugo, die ervoor zorgde dat blond haar met donkere wenkbrauwen hip werd. Hulde!

YuppiePigs3 schrijft: Te mager! Niet mijn type.

EvelynHugoWasASaint schrijft: Deze vrouw heeft MILJOENEN ge-schonken aan goede doelen die slachtoffers van huiselijk geweld onder-steunen en aan belangenorganisaties voor lhbt+. Nu veilt ze jurken voor onderzoek naar borstkanker, en jij hebt het alleen maar over haar per-fecte wenkbrauwen? Grapje, zeker?

JuliaSantos@TheSpill reactie op EvelynHugoWasASaint: Daar heb je wel een punt. SORRY! Maar laten we wel wezen, ze heeft die miljoenen verdiend door in de jaren zestig de keiharde zakenbitch uit te hangen. En daar was ze nooit mee weggekomen als ze niet zo getalenteerd en mooi was geweest, en ze heeft haar schoonheid dan weer voor een groot deel aan die wenkbrauwen te danken. Maar goed, je hebt een punt.

EvelynHugoWasASaint reactie op JuliaSantos@TheSpill: Argh, sorry dat ik zo bitchy reageerde. Ik had niet geluncht. Mea culpa. Het is mis-schien een schrale troost, maar *Vivant* gaat er nooit zo'n goed stuk van maken als jij. Evelyn had jou moeten vragen.

JuliaSantos@TheSpill reactie op EvelynHugoWasASaint: Ja toch????? Wie is die hele Monique Grant überhaupt? SAAAAI. Ik krijg haar nog wel...

DE AFGELOPEN DAGEN HEB IK ZO VEEL MOGELIJK ACHTERGROND–
informatie over Evelyn Hugo verzameld. Ik ben nooit een groot filmfa-
naat geweest, laat staan dat Hollywoodsterren uit de vorige eeuw me in
het bijzonder interesseren. Maar met het leven van Evelyn – zoals dat tot
nu toe te boek staat, tenminste – kun je tien dramaseries vullen.

Het begint allemaal met haar eerste huwelijk, dat al op haar acht-
tiende op een scheiding uitliep. Dan een door de studio bekokstoof-
de verloving, gevolgd door een stormachtig huwelijk, met de vroegere
kroonprins van Hollywood, Don Adler. Vervolgens het gerucht dat ze
bij hem wegging omdat hij haar sloeg. Haar comeback met een Franse arthousefilm. Het bliksemhuwelijk in Las Vegas met zanger Mick
Riva. Haar sprookjeshuwelijk met de knappe Rex North, dat op de klip-
pen liep omdat ze allebei vreemdgingen. Haar ontroerende romance
met Harry Cameron en de geboorte van hun dochtertje Connor. Hun
hartverscheurende scheiding, waarna ze binnen de kortste keren hertrouwde met haar voormalige regisseur Max Girard. Haar vermeende
affaire met het veel jongere Congreslid Jack Easton, waarmee er een einde kwam aan haar huwelijk met Girard. En ten slotte haar huwelijk met
de rijke zakenman Robert Jamison, waarover werd gefluisterd dat Evelyn het in ieder geval ten dele deed om haar voormalige tegenspeelster
Celia St. James – tevens Roberts zus – te stangen. Al haar echtgenoten

zijn inmiddels overleden, dus Evelyn is de enige die nog licht op al haar relaties kan werpen.

Het moge duidelijk zijn dat het een flinke kluif wordt om haar over alles uit te horen.

Vanavond ben ik tot laat op kantoor gebleven, waardoor ik pas om iets voor negenen thuis ben. Ik woon klein. De meest toepasselijke benaming is formaatje postzegel, geloof ik. Maar het is ongelooflijk hoe gigantisch een kleine ruimte kan lijken als je de helft van je spullen eruit haalt.

David is vijf weken geleden vertrokken, en ik ben er nog niet aan toegekomen om de borden die hij heeft meegenomen te vervangen, of de salontafel die we vorig jaar als huwelijkscadeau van zijn moeder kregen. Godsamme, zeg. We hebben onze eerste trouwdag niet eens gehaald.

Als ik binnenkom en mijn tas op de bank gooi, bedenk ik voor de zoveelste keer hoe ontzettend kinderachtig het is dat hij die salontafel heeft meegenomen. Zijn nieuwe appartement in San Francisco was volledig gemeubileerd, als onderdeel van de royale verhuistoelage die hem bij zijn promotie werd aangeboden. Ik vermoed dat hij het tafeltje in de opslag heeft gezet, samen met een van de twee nachtkastjes waar hij in zijn ogen recht op had en al onze kookboeken. Die mis ik overigens niet. Ik kook toch nooit. Maar als voor in een boek staat: *Voor Monique en David, voor al jullie gelukkige jaren samen*, dan voelt het toch alsof het voor de helft van jou is.

Ik hang mijn jas op en vraag me voor de zoveelste keer af wat dichter bij de waarheid ligt: heeft David een nieuwe baan aangenomen en is hij zonder mij naar San Francisco verhuisd? Of heb ik geweigerd om voor hem uit New York weg te gaan? Terwijl ik mijn schoenen uittrek, kom ik maar weer eens tot de slotsom dat het antwoord er ergens tussenin ligt. En dat leidt dan telkens weer tot dezelfde pijnlijke gedachte: *Hij is echt weg.*

Ik bestel een portie pad thai en stap onder de douche. Ik draai de kraan naar bijna kokendheet. Dat vind ik heerlijk. Ik ben dol op de geur van shampoo. Volgens mij ben ik onder een douchekop het gelukkigst.

In de hete stoom, bedekt met schuim, hoef ik even niet Monique Grant, de verlaten vrouw te zijn. Of Monique Grant, de mislukte schrijfster. Daar ben ik gewoon Monique Grant, trotse eigenaar van luxe doucheproducten.

Als mijn huid flink gerimpeld is, droog ik me af, trek een joggingbroek aan en doe mijn haar in een staart, precies op tijd om open te doen voor de bezorger.

Ik ga met het plastic bakje op de bank zitten en probeer televisie te kijken. Ik probeer alles los te laten. Ik wil met iets anders bezig zijn dan met mijn werk of met David, maakt niet uit wat. Maar zodra ik mijn eten ophebt, besef ik dat het zinloos is. Ik kan net zo goed weer aan het werk gaan.

Het is een angstaanjagend idee dat ik straks Evelyn Hugo moet interviewen, dat ik haar verhaal moet zien te stroomlijnen en moet zorgen dat zij de teugels niet te veel in handen neemt. Ik heb meestal de neiging om me té goed voor te bereiden. Maar erger is in dit geval dat ik altijd al struisvogelgedrag heb vertoond: als ik iets vervelend of eng vind, steek ik het liefst mijn kop in het zand.

Dus de drie dagen daarna stort ik me volledig op het vinden van achtergrondinformatie over Evelyn Hugo. Overdag zoek ik oude artikelen op over haar huwelijken en bijbehorende schandalen. 's Avonds kijk ik haar films.

Ik bekijk fragmenten uit *Carolina Sunset*, *Anna Karenina*, *Jade Diamond* en *All for Us*. Het gifje van hoe ze uit het water komt in *Boute-en-train* bekijk ik zo vaak dat het zelfs in mijn slaap door mijn hoofd blijft spoken.

En naarmate ik meer van haar films zie, begin ik een beetje verliefd op haar te worden – een klein beetje maar. Tussen elf uur 's avonds en twee uur 's nachts, als de rest van de mensheid slaapt, flikkert ze voorbij op mijn laptopscherm en vult haar stem mijn woonkamer.

Het is ontegenzeglijk een bloedmooie vrouw. Ze wordt vaak geroemd om haar rechte, dikke wenkbrauwen en haar blonde haar, maar ik ben vooral gefascineerd door haar botstructuur. Ze heeft een brede kaaklijn en hoge jukbeenderen, en alles komt bij elkaar in haar voluptueuze lippen. Ze heeft enorme Bambi-ogen, maar ze zijn niet zozeer rond, eerder amandelvormig. De combinatie van haar gebruinde huid met haar blonde haar geeft haar een nonchalante strandlook die tegelijkertijd ook elegant is. Ik weet dat het niet van nature voorkomt – zulk blond haar met zo'n donkere huid – maar toch bekruipt me het gevoel dat het wel zou moeten kunnen, dat mensen zo geboren zouden moeten worden.

Ongetwijfeld verklaart dat mede waarom filmhistoricus Charles Redding Evelyns gezicht ooit omschreef als 'onvermijdelijk. Zo verfijnd, zo nagenoeg perfect dat als je naar haar kijkt, je het gevoel krijgt dat haar gezicht, in die samenstelling, in die verhoudingen, op een gegeven moment wel móést ontstaan.'

Op mijn computer maak ik een map aan met foto's uit de jaren vijftig waarop Evelyn strakke truitjes en puntbeha's draagt, persfoto's van haar met Don Adler op het terrein van Sunset Studios, kort na hun bruiloft, en kiekjes van begin jaren zestig, met lang, steil haar, een dikke pony en hotpants.

Er is een foto waarop ze in een wit badpak op een prachtig zandstrand pal aan de branding zit. Ze heeft een zwarte flaphoed op die het grootste deel van haar gezicht bedekt, terwijl haar asblonde haar en de rechterkant van haar gezicht haast licht lijken te geven in de zon.

Een van mijn lievelingsfoto's is er een in zwart-wit, van de uitreiking van de Golden Globes in 1967. Ze zit naast het gangpad, met haar haar losjes opgestoken. Ze draagt een lichte kanten jurk met een diep uitgesneden halslijn die haar zeer aanwezige decolleté stevig op zijn plek houdt en een hoge split in haar rok die haar rechterbeen onthult.

Naast haar zitten twee mannen van wie de namen verloren zijn gegaan, die haar aangapen terwijl zij naar voren kijkt naar het podium. De man direct naast haar staart naar haar borsten, de ander naar haar bovenbeen. Beiden lijken volledig in haar ban te zijn en te hopen dat ze misschien nog een glimp op zullen vangen van iets meer.

Misschien zoek ik te veel achter die foto, maar ik begin wel een patroon op te merken: bij Evelyn hoop je altijd dat er nog iets komt, dat je meer van haar te zien krijgt. En dat ontzegt ze je elke keer weer.

Zelfs in de veelbesproken seksscène in *Three A.M.* uit 1977 waarin ze Don Adler achterstevoren berijdt, zijn haar borsten minder dan drie seconden in beeld. Er werd jarenlang beweerd dat de film zijn hoge bezoekersaantallen vooral te danken had aan de vele stelletjes die er meerdere keren heen gingen.

Hoe kreeg ze het voor elkaar om altijd precies genoeg van zichzelf bloot te geven én precies genoeg achter te houden?

En wordt dat allemaal anders nu ze iets te vertellen heeft? Of gaat ze mij al net zo aan het lijntje houden als ze al die jaren met haar publiek deed?

Gaat Evelyn Hugo me precies genoeg vertellen om me op het puntje van mijn stoel te houden, maar nooit genoeg om zich werkelijk bloot te geven?

IK WORD EEN HALFUUR VOOR DE WEKKER WAKKER. IK CHECK MIJN e-mail, en heb er onder andere een van Frankie, waarvan het onderwerp – HOU ME OP DE HOOGTE – me in hoofdletters toeschreeuwt. Ik maak een ontbijtje klaar.

Ik trek een zwarte pantalon, een wit T-shirt en mijn favoriete visgraatcolbertje aan. Ik zet mijn lange, stevige krullen in een knot op mijn hoofd vast. Ik besluit om geen lenzen in te doen maar mijn bril op te zetten, met een dik, zwart montuur.

Als ik in de spiegel kijk, valt me op dat ik sinds David weg is magerder ben geworden in mijn gezicht. Ik heb altijd een slanke bouw gehad, maar als ik aankom gaat het vet altijd rechtstreeks naar mijn billen en gezicht. En tijdens mijn relatie met David – een krappe drie jaar, waarvan elf maanden getrouwd – kwam ik behoorlijk aan. David houdt van eten. Maar terwijl hij 's ochtends vroeg ging hardlopen om de pondjes er weer af te krijgen, sliep ik lekker uit.

Als ik mijn spiegelbeeld zo zie, goedgekleed en afgeslankt, voel ik een golf van zelfvertrouwen door me heen gaan. Ik zie er goed uit. Ik voel me ook goed.

Voor ik de deur uitga, pak ik de camelkleurige sjaal van kasjmier nog mee die ik afgelopen kerst van mijn moeder heb gekregen. Dan loop ik vastberaden naar de metro en stap ik op de lijn naar Manhattan en vervolgens naar het noordelijke deel van het centrum.

Evelyn woont in een zijstraatje van Fifth Avenue, met uitzicht op Central Park. Ik heb haar dusdanig uitgebreid gestalkt op internet dat ik weet dat ze behalve dit appartement ook nog een villa heeft aan de Spaanse kust, in de buurt van Málaga. Ze heeft het appartement in New York al sinds eind jaren zestig, toen ze het samen met Harry Cameron kocht. De villa erfde ze bijna vijf jaar geleden toen Robert Jamison overleed. Ik prent me in: niet vergeten om in een volgend leven terug te komen als filmster met een vet royaltypercentage.

Evelyns appartementencomplex – kalksteen, vooroorlogs, beaux-artsstijl – ziet er alleen al aan de buitenkant ongelooflijk mooi uit. Nog voor ik naar binnen loop, word ik begroet door een knappe portier op leeftijd met zachte ogen en een vriendelijke glimlach.

'Waarmee kan ik u van dienst zijn?' vraagt hij.

Ik krijg het amper uit mijn strot. 'Ik heet Monique Grant. Ik heb een afspraak met Evelyn Hugo.'

Hij doet met een stralende glimlach de deur voor me open. Het is duidelijk dat hij me verwachtte. Hij gaat me voor naar de lift en drukt op het knopje voor de bovenste verdieping.

'Ik wens u een prettige dag, Ms Grant,' zegt hij, en terwijl de liftdeuren sluiten verdwijnt hij weer.

Om klokslag elf uur bel ik bij Evelyn aan. Een vrouw in spijkerbroek en marineblauwe bloes doet open. Ik schat haar ergens in de vijftig, een paar jaar ouder misschien. Ze heeft een Aziatische achtergrond en draagt haar steile inktzwarte haar in een paardenstaart. In haar handen heeft ze een stapeltje halfgeopende post.

Ze glimlacht en steekt een hand naar me uit. 'Jij bent vast Monique,' zegt ze terwijl ik hem schud. Ze lijkt me zo iemand die het oprecht leuk vindt om nieuwe mensen te ontmoeten, en ik vind haar meteen sympathiek, al had ik me nog zo voorgenomen om ten overstaan van alles wat er vandaag op mijn pad komt een neutrale houding aan te nemen.

'Ik ben Grace.'

'Hoi, Grace,' zeg ik. 'Aangenaam kennis met je te maken.'

'Insgelijks. Kom binnen.'

Grace doet een stap opzij en gebaart dat ik binnen mag komen. Ik zet mijn tas op de grond en trek mijn jas uit.

'Die kun je hier ophangen,' zegt ze, terwijl ze een kast in de hal opentrekt en me een houten hangertje aanreikt.

De garderobe is even groot als de badkamer in mijn appartement. Dat Evelyn rijker is dan God mag geen geheim heten. Maar ik moet toch beter mijn best gaan doen om me daar niet door te laten intimideren. Ze is mooi, ze is rijk, ze heeft invloed en is ook nog eens sexy en charmant. En ik ben maar een gewone sterveling. Op de een of andere manier moet ik mezelf ervan zien te overtuigen dat we elkaars gelijke zijn, anders gaat dit nooit werken.

'Super,' zeg ik met een glimlach. 'Dank je wel.' Ik hang mijn jas op het hangertje aan de kapstok, waarna Grace de garderobe weer dichtdoet.

'Evelyn is zich boven aan het klaarmaken. Heb je ergens zin in? Water, koffie, thee?'

'Ik lust wel een kopje koffie,' antwoord ik.

Grace leidt me naar een salon. Hij is licht en ruim, met witte boekenkasten die de hele wand beslaan en twee grote crèmekleurige fauteuils.

'Ga lekker zitten,' zegt ze. 'Heb je er iets in?'

'In de koffie?' vraag ik aarzelend. 'Een scheutje room? Ik bedoel, melk is ook prima. Maar room zou super zijn. Of wat je hebt.' Ik herpak me. 'Wat ik bedoel te zeggen is dat ik er graag een scheutje room in heb, als dat er is. Valt het erg op dat ik zenuwachtig ben?'

Grace lacht me toe. 'Een beetje. Maar je hoeft je nergens zorgen over te maken. Evelyn is ontzettend aardig. Ze heeft uitgesproken voorkeuren en kan nogal gereserveerd zijn, dat is wel even wennen. Maar ik heb voor veel mensen gewerkt, en geloof me, Evelyn is tot nu toe veruit de fijnste.'

'Krijg je betaald om dat te zeggen?' vraag ik. Ik bedoel het als grapje, maar het komt er scherper en beschuldigender uit dan ik wil.

Gelukkig moet Grace lachen. 'Ze heeft mijn man en mij vorig jaar wel een reisje naar Londen en Parijs cadeau gedaan bij wijze van kerstbonus. Dus op een indirecte manier krijg ik er wel voor betaald, ja.'

Jezus. 'Nou, dat is dan duidelijk. Als jij ontslag neemt, wil ik jouw baan.'

Grace grinnikt. 'Deal. En dan ga ik nu gauw koffie met een scheutje room voor je halen.'

Ik ga zitten en kijk op mijn telefoon. Mijn moeder heeft geappt om me succes te wensen. Ik druk op haar bericht om een reactie te sturen, en ben net verzonken in mijn pogingen om het woord *dankjewel* te typen, wat mijn autocorrectie steeds in *drankorgel* verandert, als ik voetstappen hoor op de trap. Als ik me omdraai, komt een negenenzeventigjarige Evelyn Hugo op me afgelopen.

Ze is al net zo adembenemend mooi als op de foto's.

Ze heeft het figuur van een ballerina. Ze draagt een strakke zwarte pantalon onder een lange trui met grijze en blauwe strepen. Ze is nog altijd even slank als vroeger, en ze moet haast wel iets aan haar gezicht hebben laten doen, want niemand ziet er op haar leeftijd zo goed uit zonder hulp van een plastisch chirurg.

Haar huid straalt en heeft een subtiele roze gloed, alsof ze stevig schoongeboend is. Ze draagt nepwimpers, of misschien laat ze haar wimpers verlengen. Ooit had ze volle appelwangen, nu zijn ze enigszins ingevallen. Er ligt nog wel een lichte blos op, en haar lippen zijn in een donkere, naturelle kleur gestift.

Haar haar hangt over haar schouders in een prachtig palet van wit, grijs en blond – met de lichtste kleuren in een krans om haar gezicht. Ik durf te wedden dat er meerdere kleurspoelingen aan te pas zijn gekomen, maar op het eerste gezicht lijkt ze gewoon een vrouw die van nature mooi oud wordt en lekker veel in de zon zit.

Haar wenkbrauwen – die donkere, dikke, rechte strepen die altijd haar handelsmerk waren – zijn door de jaren heen wel uitgedund. En ze hebben tegenwoordig dezelfde kleur als haar haar.

Als ze eenmaal voor me staat, merk ik op dat ze geen schoenen aanheeft, maar dikke wollen sokken.

'Monique, hallo,' zegt Evelyn.

Even ben ik van mijn stuk gebracht door de nonchalance en de overtuiging waarmee ze mijn naam zegt, alsof ze me al jaren kent. 'Hallo,' antwoord ik.

'Ik ben Evelyn.' Ze schudt mijn hand. Onwillekeurig schiet door mijn hoofd dat je wel een heel unieke positie hebt als je je voorstelt terwijl je weet dat iedereen in de kamer, of eigenlijk op de hele wereld, al weet wie je bent.

Grace komt binnen met een wit koffiekopje op een wit schoteltje. 'Alsjeblieft. Met een klein scheutje room.'

'Dank je wel,' zeg ik terwijl ik het van haar aanpak.

'Zo drink ik het ook het liefst,' zegt Evelyn, en tot mijn schaamte word ik daar heel blij van. Het voelt alsof ik een goede beurt bij haar heb gemaakt.

'Kan ik nog iets anders voor jullie betekenen?' vraagt Grace.

Ik schud mijn hoofd en Evelyn geeft geen antwoord. Grace gaat de kamer uit.

'Kom mee,' zegt Evelyn. 'Dan gaan we naar de woonkamer en maken we het onszelf gemakkelijk.'

Als ik mijn tas opraap, pakt Evelyn mijn koffie van me over. Ik heb ooit gelezen dat charisma betekent dat je 'zo charmant bent dat anderen aan je verknocht raken'. En daar moet ik nu onwillekeurig aan denken, nu zij mijn koffie voor me meeneemt. De combinatie van zo'n imposante vrouw en zo'n klein, bescheiden gebaar is inderdaad erg innemend.

We stappen een grote, lichte kamer met muurhoge ramen in. Er staan olifantgrijze stoelen in, tegenover een met zachte stof beklede leiblauwe bank. Onder onze voeten ligt een hoogpolig tapijt in licht ivoor, en als ik mijn blik eroverheen laat glijden, valt mijn oog op de zwarte vleugel die openstaat in het zonlicht dat door de ramen naar binnen stroomt. Aan de muur hangen twee uitvergrote zwart-witfoto's.

Op de foto boven de bank staat Harry Cameron op een filmset.

Boven de open haard hangt de poster van de verfilming van *Little Women* uit 1959 waarin Evelyn de hoofdrol speelde. Evelyn, Celia St. James en twee andere actrices vullen het beeld met hun gezichten. In de jaren vijftig waren deze vrouwen waarschijnlijk alle vier beroemd, maar alleen Evelyn en Celia hebben de tand des tijds doorstaan. Als ik de poster zo zie, lijkt het wel of Evelyn en Celia toen al meer straalden dan de andere twee, maar achteraf is het natuurlijk makkelijk praten. Ik zie gewoon wat ik wil zien met de kennis van nu.

Evelyn zet mijn kop-en-schotel op de zwartgelakte salontafel. 'Ga lekker zitten,' zegt ze terwijl ze zelf in een van de zachte fauteuils plaatsneemt. Ze trekt haar voeten onder zich. 'Waar je maar wilt.'

Ik knik en zet mijn tas neer. Terwijl ik op de bank ga zitten, haal ik mijn blocnote tevoorschijn.

'Dus u veilt uw jurken,' zeg ik terwijl ik het me gemakkelijk maak. Ik hou mijn pen in de aanslag om haar antwoord op te schrijven.

'Zeg maar "je", hoor,' antwoordt ze. En dan gaat Evelyn verder: 'Eigenlijk heb ik je onder valse voorwendselen laten komen.'

Ik kijk haar vragend aan, in de veronderstelling dat ik haar niet goed verstaan heb. 'Pardon?'

Evelyn gaat een beetje verzitten en kijkt me indringend aan. 'Over het feit dat ik een paar jurken aan Christie's overdraag zijn we natuurlijk vrij snel uitgepraat.'

'Oké, maar...'

'Ik heb je hiernaartoe laten komen om iets anders met je te bespreken.'

'Wat dan?'

'Mijn levensverhaal.'

'Uw levensverhaal?' vraag ik verbouwereerd, en ik doe mijn uiterste best om haar te blijven volgen.

'Een openhartig, exclusief interview.'

Een exclusief interview met Evelyn Hugo zou... Hoe zal ik het zeggen... Dat zou zo'n beetje het artikel van het jaar worden. 'U... Je wilt een exclusief interview doen met *Vivant*?'

'Nee,' antwoordt ze.

'Je wilt geen interview doen?'

'Niet met *Vivant*.'

'Waarom ben ik dan hier?' Ik ben nog heviger in de war dan een paar minuten geleden.

'Ik wil jou het interview geven.'

Ik staar haar aan en probeer wijs te worden uit wat ze zegt.

'Je wilt je volledige levensverhaal aan mij uit de doeken doen, maar niet voor in *Vivant*?'

Evelyn knikt. 'Nu begin je hem te vatten.'

'Wat is dan precies het idee?' Het gaat er bij mij niet in dat een van de grootste levende legendes uit de filmgeschiedenis me zomaar zonder reden haar levensverhaal wil vertellen. Ik zie vast iets over het hoofd.

'Ik vertel jou mijn levensverhaal op een manier die ons allebei iets oplevert. Al is het eerlijk gezegd vooral in jouw voordeel.'

'Hoe openhartig moet ik me dit voorstellen?' Misschien heeft ze een luchtige terugblik voor ogen? Een leuk artikeltje dat in een door haar gekozen tijdschrift mag worden geplaatst?

'Ik speel volledig open kaart. Over mijn goede en mijn slechte daden en alles daartussenin. Welk cliché je er ook op los wilt laten, het komt erop neer dat ik eerlijk zal vertellen over alles wat ik ooit heb gedaan.'

Wow.

Dat ik verwachtte haar een paar vragen te mogen stellen over haar jurken voelt nu wel heel erg suf. Ik leg de blocnote voor me op tafel en leg mijn pen erbovenop. Ik moet dit heel zorgvuldig aanpakken. Het is net of er een prachtig, kwetsbaar vogeltje naar me toe is gevlogen en op mijn schouder is gaan zitten; één verkeerde beweging en het vliegt weer weg.

'Oké, als ik het dus goed begrijp, wil je opbiechten welke misstappen je in je leven begaan hebt...'

Meteen verandert er iets in Evelyns houding, die tot nu toe enkel rust en een lichte gereserveerdheid uitstraalde. Ze buigt zich naar me toe. 'Ik heb het nooit gehad over misstappen. Dat woord heb je mij niet in de mond horen nemen.'

Ik krimp een beetje in elkaar. Nu heb ik het verprutst. 'Het spijt me,' zeg ik. 'Dat was niet handig verwoord van me.'

Evelyn antwoordt niet.

'Het spijt me, Ms Hugo. Dit is allemaal nogal onwerkelijk voor mij.'

'Zeg maar Evelyn,' zegt ze.

'Oké, Evelyn, wat is de volgende stap? Wat is precies het plan?' Ik pak mijn koffiekopje en zet het aan mijn mond, waarna ik een minuscuul slokje neem.

'Het wordt geen interview voor *Vivant*.'

'Juist, tot zover had ik het begrepen,' zeg ik en ik zet het kopje weer neer.

'We gaan een boek schrijven.'

'Een boek?'

Evelyn knikt. 'Jij en ik samen,' zegt ze. 'Ik heb je werk gelezen en ben gecharmeerd van je heldere, beknopte stijl. Je schrijft op een nuchtere manier die ik erg waardeer en die volgens mij erg goed bij mijn boek zou passen.'

'Je wilt dat ik de ghostwriter van je autobiografie word?' Dit is ongelooflijk. Dit is een buitenkans. Dit is nog eens een goede reden om in New York te blijven. Een geweldige reden zelfs. Zulke dingen gebeuren in San Francisco niet.

Evelyn schudt opnieuw haar hoofd. 'Ik draag mijn levensverhaal aan jou over, Monique. Ik laat je het achterste van mijn tong zien. En vervolgens giet jij dat in de vorm van een boek.'

'En dan zetten we jouw naam erop en doen we alsof jij het geschreven hebt. Dat is precies wat ghostwriting is.' Ik pak mijn kopje weer.

'Mijn naam komt er niet op. Als het uitkomt ben ik dood.'

Ik verslik me in mijn koffie en sproei allemaal bruine spetters op het witte tapijt.

'O, god,' zeg ik, misschien iets te hard, en ik zet het kopje snel neer. 'Ik heb op je tapijt gemorst.'

Evelyn wuift mijn ontsteltenis weg, maar op hetzelfde moment klopt Grace aan en steekt haar hoofd door een kier naar binnen.

'Alles in orde?'

'Ik vrees dat ik een vlek op het tapijt heb gemaakt,' zeg ik.

Grace doet de deur helemaal open en komt binnen om de schade op te nemen.

'Het spijt me vreselijk. Ik schrok even een beetje.'

Ik zie dat Evelyn me een veelbetekenende blik toewerpt, en al ken ik haar niet erg goed, toch snap ik dat die bedoeld is om me tot stilte te manen.

'Dat geeft niks,' zegt Grace. 'Die krijg ik er wel weer uit, hoor.'

'Heb je honger, Monique?' vraagt Evelyn plots. Ze staat op.

'Pardon?'

'Ik ken een tentje hier verderop waar ze heerlijke salades hebben. Ik trakteer.'

Het is nog geen twaalf uur en als ik me niet op mijn gemak voel, is mijn eetlust altijd ver te zoeken, maar ik zeg toch maar ja, want ik heb sterk de indruk dat het eigenlijk geen vraag was.

'Super,' zegt Evelyn. 'Grace, wil jij even aan Trambino's doorgeven dat we eraan komen?'

Evelyn pakt me bij mijn schouder, en nog geen tien minuten later lopen we over het keurig aangeveegde trottoir van de Upper East Side.

Buiten is het onverwacht fris, en het valt me op dat Evelyn haar jas stevig om haar slanke taille wikkelt.

In het zonlicht kun je de ouderdomsverschijnselen beter zien. Haar oogwit is troebel en de huid van haar handen begint langzaam doorzichtig te worden. Het scherp afgetekende blauw van haar aderen doet me aan mijn oma denken. Ik was altijd dol op haar zachte, papierachtige huid, die niet terugveerde als je erop drukte.

'Evelyn, je zei net dat je tegen die tijd dood zult zijn. Hoe moet ik dat zien?'

Evelyn moet lachen. 'Ik bedoel dat ik wil dat je het boek na mijn dood uitgeeft als een geautoriseerde biografie, onder jouw naam.'

'Oké,' zeg ik, alsof dat een volstrekt normaal verzoek is. Dan besef ik dat het hartstikke bizar is. 'Niet bot bedoeld, hoor, maar zeg je hiermee eigenlijk dat je doodgaat?'

'Iedereen gaat dood, lieve schat. Jij gaat dood. Ik ga dood, die vent daar gaat dood.'

Ze wijst naar een man van middelbare leeftijd die een pluizig zwart hondje uitlaat. Hij hoort haar, ziet dat haar vinger op hem gericht is en als hij in de gaten krijgt wie hij voor zich heeft rollen zijn ogen bijna uit zijn hoofd.

We slaan de hoek om naar het restaurant en lopen het trappetje af naar de voordeur. Evelyn gaat aan een tafeltje achterin zitten. We wachten niet tot een gastheer of -vrouw ons een plek toewijst. Ze weet gewoon precies waar ze wil zitten en gaat ervan uit dat de rest zich daar vanzelf op aanpast. Een ober in een zwarte broek, wit overhemd en zwarte stropdas komt naar ons toe en zet twee glazen water neer. In dat van Evelyn zit geen ijs.

'Dank je, Troy,' zegt Evelyn.

'Gemengde salade?' vraagt hij.

'Voor mij wel, natuurlijk, maar van mijn gezelschap weet ik het niet,' antwoordt Evelyn.

Ik pak mijn servet van tafel en leg het op mijn schoot. 'Een gemengde salade klinkt heerlijk, dank u.'

Troy glimlacht en gaat weg.

'Je vindt de gemengde salade vast lekker,' zegt Evelyn, alsof we vriendinnen zijn die gezellig zitten te keuvelen.

'Oké,' zeg ik en ik probeer het gesprek een andere kant op te sturen. 'Vertel eens wat meer over het boek dat we gaan schrijven.'

'Ik heb je alles verteld wat je moet weten.'

'Je hebt alleen gezegd dat ik het moet schrijven en dat je niet lang meer te leven hebt.'

'Je moet echt wat beter op je woordkeuze letten.'

Deze hele situatie gaat me misschien een beetje boven mijn pet – en het loopt in mijn leven misschien allemaal even niet zoals ik het wil – maar met mijn woordkeuze is doorgaans niks mis.

'Dan heb ik je misschien verkeerd begrepen. Ik kan je verzekeren dat ik mijn woorden altijd erg zorgvuldig kies.'

Evelyn haalt haar schouders op. Voor haar hangt er vrij weinig van dit gesprek af. 'Je bent nog jong, en jouw generatie strooit nogal makkelijk met woorden die heel betekenisvol zijn.'

'Aha.'

'En ik heb nooit gezegd dat ik misstappen op te biechten heb. De suggestie dat wat ik wil vertellen zondig zou zijn vind ik oneerlijk en kwetsend. Ik heb geen spijt van wat ik heb gedaan – niet van de dingen die je misschien zou verwachten, althans – hoe moeilijk het soms ook was en hoe schokkend het er voor een buitenstaander ook uit mag zien.'

'Je ne regrette rien,' zeg ik terwijl ik mijn glas water pak en een slok neem.

'Kijk, zo mag ik het horen,' antwoordt Evelyn. 'Al gaat dat liedje meer over geen spijt hebben omdat je niet in het verleden blijft hangen. Wat ik bedoel is dat ik de meeste keuzes op dit moment weer precies zo zou maken. Voor de duidelijkheid: er zijn wel degelijk dingen waar ik spijt van heb. Het zijn gewoon niet... het zijn over het algemeen niet de schandalen. Van de meeste leugens die ik heb verteld en van de pijn die ik mensen heb gedaan heb ik geen spijt. Ik vind het niet erg dat de juiste keuze soms slecht uitpakt. En ik ben niet al te streng voor mezelf. Ik vertrouw op mijn eigen keuzes. Zonet bijvoorbeeld, toen ik bij mij thuis tegen jou uitviel, toen je dat zei over misstappen opbiechten. Dat was niet aardig van me, en je had het misschien helemaal niet verdiend. Maar ik heb er geen spijt van. Want ik weet dat ik er zo mijn redenen voor had, en ik probeerde zo integer mogelijk om te gaan met alle gedachten en gevoelens die aan de situatie voorafgingen.'

'Je neemt aanstoot aan het woord "opbiechten" omdat het suggereert dat je misstappen hebt begaan waar je berouw voor moet tonen.'

Onze salades worden gebracht en Troy maalt zwijgend peper boven Evelyns bord tot ze met een glimlach haar hand opsteekt. Ik sla zijn aanbod af.

'Je kunt iets jammer vinden en er toch geen spijt van hebben,' zegt Evelyn.

'Absoluut,' zeg ik. 'Daar ben ik het mee eens. Ik hoop dat je er in het vervolg op durft te vertrouwen dat we op dezelfde golflengte zitten. Zelfs als je ons gesprek op meerdere manieren zou kunnen opvatten.'

Evelyn pakt haar vork, maar doet er vervolgens niks mee. 'Ik vind het heel belangrijk dat ik tegen een journaliste aan wie ik mijn hele levensverhaal uit handen geef precies zeg wat ik bedoel en bedoel wat ik zeg,' zegt Evelyn. 'Als ik je mijn hele leven uit de doeken doe, als ik je vertel wat er écht gebeurd is, de waarheid achter al mijn huwelijken, de films waar ik in heb gespeeld, van wie ik heb gehouden, met wie ik het bed heb gedeeld, wie ik pijn heb gedaan, hoe ik mezelf heb verloochend en waar dat me allemaal gebracht heeft, dan moet ik zeker weten dat je me begrijpt. Ik moet er zeker van zijn dat je precies hoort wat ik probeer te zeggen en niet je eigen aannames op mijn verhaal projecteert.'

Ik heb me vergist. Er staat wel degelijk veel voor haar op het spel. Evelyn is blijkbaar in staat om op een luchtige manier over gewichtige onderwerpen te praten. En dan, op dat moment, doordat zij zo uitgebreid de tijd neemt om haar punt te maken, dringt pas tot me door dat dit echt is. Het gebeurt echt. Ze is echt van plan om mij haar levensverhaal te vertellen – een verhaal waarin ongetwijfeld de waarheid achter haar carrière, haar huwelijken en haar imago ter sprake gaat komen. Daarmee stelt ze zich ongelooflijk kwetsbaar op. Ze geeft mij een heleboel macht in handen. Ik weet niet waar ik dat aan verdiend heb, maar blijkbaar heeft zij het zo bedacht. En nu is het aan mij om haar te laten zien dat ik haar vertrouwen waard ben en dat ik haar verhaal uitermate eerbiedig zal behandelen.

Ik leg mijn vork neer. 'Dat vind ik volkomen logisch, en het spijt me dat ik wat lichtzinnig reageerde.'

Evelyn wuift mijn excuses weg. 'Tegenwoordig hangt de hele samenleving van lichtzinnigheid aan elkaar. Dat is blijkbaar in.'

'Zou ik je nog een paar vragen mogen stellen? Zodra ik helemaal op de hoogte ben, beloof ik dat ik me enkel nog zal concentreren op wat je zegt en bedoelt, tot je ervan overtuigd bent dat ik je dusdanig doorgrond dat niemand zo zorgvuldig met je geheimen zal omspringen als ik.'

Ze lijkt even van haar stuk gebracht door mijn oprechtheid. 'Steek maar van wal,' zegt ze, waarna ze een hap van haar salade neemt.

'Als ik het boek pas na je overlijden uitgeef, hoe zie je het dan qua opbrengsten voor je?'

'Voor jou of voor mezelf?'

'Laten we bij jou beginnen.'

'Mij levert het niks op. Ik leef immers niet meer.'

'Dat zei je al, ja.'

'Volgende vraag.'

Ik buig samenzweerderig over de tafel heen. 'Ik wil niet onbeschoft zijn, maar wat voor termijn heb je voor ogen? Moet ik dit boek nog jaren achterhouden voor je...'

'De pijp uit gaat?'

'Tja... eigenlijk wel, ja,' antwoord ik.

'Volgende vraag.'

'Hè?'

'Je volgende vraag, alsjeblieft.'

'Je hebt hier nog geen antwoord op gegeven.'

Evelyn zegt niks.

'Goed dan, wat zou het mij financieel opleveren?'

'Dat is een veel interessantere vraag, en ik begon me al af te vragen wanneer je die eindelijk eens zou gaan stellen.'

'Nou ja, nu dus.'

'Jij en ik gaan er de komende dagen voor zitten – net zolang als nodig is – en dan vertel ik je alles, van a tot z. Daarna houdt ons dienstverband op en ben jij vrij – of misschien is verplicht een beter woord – om het te verwerken tot een boek dat je vervolgens aan de hoogste bieder verkoopt. En dan bedoel ik ook echt de allerhoogste. Ik sta erop dat je keihard over de rechten onderhandelt, Monique. Zorg dat ze je evenveel betalen als een witte man ervoor zou krijgen. En als je dat hebt gedaan, is elke cent voor jou.'

'Voor mij?' vraag ik onthutst.

'Neem even een slokje water. Je ziet eruit alsof je elk moment van je stokje kunt gaan.'

'Evelyn, een geautoriseerde biografie over jouw leven waarin je openhartig over al je zeven huwelijken praat...'

'Ja?'

'Zo'n boek levert miljoenen op, zelfs als ik niet zou onderhandelen.'

'Maar dat ga je toch doen,' zegt Evelyn, en met een zelfingenomen lachje neemt ze een slok water.

De vraag moet gesteld worden. We draaien er al veel te lang omheen. 'Waarom zou je dat in vredesnaam voor mij doen?'

Evelyn knikt. Die vraag zag ze aankomen. 'Beschouw het voorlopig maar als een cadeautje.'

'Maar waarom?'

'Volgende vraag.'

'Even serieus.'

'Ik ben serieus, Monique: volgende vraag.'

Ik laat per ongeluk mijn vork op het ivoorwitte tafelkleed vallen. De olijfolie uit de vinaigrette trekt in de stof, waardoor die donkerder en doorzichtig wordt. Het is een heerlijke salade, maar er zit wat veel ui in, waardoor ik mijn adem al scherp om me heen voel hangen. Wat is hier in vredesnaam aan de hand?

'Ik wil niet ondankbaar overkomen, maar volgens mij heb ik het recht om te weten waarom een van de beroemdste actrices aller tijden een totale nobody als ik als haar biograaf zou kiezen en die de kans zou bieden om miljoenen te verdienen met haar levensverhaal.'

'In *The Huffington Post* stond dat de rechten voor mijn eventuele autobiografie op maar liefst twaalf miljoen dollar worden geschat.'

'Mijn hemel.'

'De mensen zullen wel nieuwsgierig zijn.'

Het is duidelijk dat Evelyn er intens van geniet om mij op de kast te jagen, en het begint me te dagen dat dit voor haar tot op zekere hoogte een machtsspelletje is. Ze vindt het leuk om nonchalant te doen over dingen die voor een ander ingrijpende consequenties kunnen hebben. Is dat niet per definitie wat macht is? Dat je toekijkt hoe mensen zich het schompes werken voor iets waar jij je neus voor optrekt?

'Twaalf miljoen is veel geld, hoor, begrijp me niet verkeerd...' zegt ze en zonder dat ze haar zin hoeft af te maken, weet ik wat ze wil zeggen. *Maar voor mij niet.*

'Maar dan nog, Evelyn, waarom? Waarom ik?'

Evelyn kijkt me aan met uitgestreken gezicht. 'Volgende vraag.'

'Met alle respect, ik vind dit niet helemaal eerlijk van je.'

'Ik bied je de kans om een fortuin te verdienen en in één klap naam te maken binnen je vakgebied. Ik ben jou geen eerlijkheid verschuldigd. Niet als je het in termen van eerlijk of oneerlijk wilt bekijken, in ieder geval.'

Op zich lijkt het een aanbod waarover ik geen twee keer zou hoeven nadenken. Maar Evelyn heeft me anderzijds nog geen enkele concrete toezegging gedaan. En als ik zo'n verhaal voor mezelf hou kan dat me mijn baan kosten. Die baan is op dit moment het enige wat ik heb. 'Mag ik er een nachtje over slapen?'

'Waarover?'

'Over dit hele gebeuren.'

Evelyn knijpt haar ogen een beetje samen. 'Waarom zou je dat in vredesnaam willen?'

'Het spijt me als je dat een belediging vindt,' begin ik.

Evelyn laat me niet uitpraten. 'Ik vind het geen belediging.' Alleen al met de suggestie dat ik haar op haar tenen zou kunnen trappen trap ik haar op haar tenen.

'Er zijn nogal veel factoren die ik in mijn keuze mee moet nemen,' zeg ik. Ik kan ontslagen worden. Zij kan zich bedenken. Ik kan het boek grandioos verpesten.

Evelyn buigt een stukje voorover om aan te geven dat ze luistert. 'Zoals?'

'Zoals hoe ik dit aan *Vivant* moet verkopen? Zij denken dat ze een exclusief interview met jou krijgen. Ze zijn as we speak met fotografen aan het bellen.'

'Ik heb Thomas Welch de instructie gegeven om niks te beloven. Als zij allerlei wilde aannames hebben gedaan over een coverfoto, dan is dat verder hun probleem.'

'Maar het is ook míjn probleem. Want ik weet inmiddels dat jij niet van plan bent om met hen in zee te gaan.'

'Dus?'

'Dus wat moet ik daar nou mee? Teruggaan naar kantoor en tegen mijn baas zeggen dat je niet met Vivant wilt praten, maar in plaats daarvan met mij samen een boek op de markt gaat brengen? Dan denken ze meteen dat ik, nota bene binnen werktijd, achter hun rug om ben gegaan en het verhaal heb weggekaapt.'

'Daar heb ik verder niks mee te maken.'

'Daarom wil ik er dus een nachtje over slapen. Omdat ik er wél mee te maken ga krijgen.'

Evelyn begrijpt het best. Aan de manier waarop ze haar glas neerzet, met haar ellebogen op tafel steunt en me strak aankijkt kan ik zien dat ze me serieus neemt. 'Zo'n kans krijg je maar één keer in je leven, Monique. Dat besef je toch wel?'

'Ja, natuurlijk.'

'Dus doe jezelf een lol en smeed het ijzer zolang het heet is, liefje. Maak je niet zo druk over het algemeen belang terwijl het zo pijnlijk duidelijk is wat voor jou het beste is.'

'Vind je niet dat ik eerlijk moet zijn tegenover mijn werkgevers? Ze zullen denken dat ik ze expres genaaid heb.'

Evelyn schudt haar hoofd. 'Toen mijn team specifiek om jou vroeg, kwamen je bazen terug met iemand van hogerop. Ze gingen er pas mee akkoord jou te sturen toen ik zei dat ik met jou wilde werken en anders niet. Snap je waarom?'

'Omdat ze denken dat ik niet...'

'Omdat ze een bedrijf moeten runnen. En dat geldt voor jou net zo goed. En op dit moment maakt jouw eigen bedrijfje kans op een miljoenenwinst. Het is een kwestie van kiezen. Gaan we samen een boek schrijven, ja of nee? Je moet wel weten dat ik er niet mee naar een ander stap als jij het niet wilt schrijven. In dat geval gaat het met mij het graf in.'

'Waarom zou je alleen aan mij je levensverhaal willen vertellen? Je kent me niet eens. Dat slaat toch nergens op?'

'Ik heb het volste recht om dingen te doen die nergens op slaan.'

'Wat wil je hiermee bereiken, Evelyn?'

'Niet zoveel vragen stellen.'

'Ik ben hier toch om je te interviewen.'

'Dan nog.' Ze neemt een slok water, slikt hem door en kijkt me indringend aan. 'Als we eenmaal klaar zijn, is alles duidelijk,' zegt ze. 'Ik beloof dat ik antwoord zal geven op al je brandende vragen. Maar pas als ík het wil. Ik bepaal hoe, wat en wanneer. Dat is de deal.'

Ik laat haar woorden op me inwerken en besef dan dat ik wel achterlijk zou zijn als ik dit liet schieten, wat haar voorwaarden ook zijn. Toen David naar San Francisco vertrok ben ik niet in New York achtergebleven omdat ik nou zo dol ben op het Vrijheidsbeeld. Ik bleef hier omdat ik zo hoog mogelijk op wil klimmen. Ik bleef hier omdat ik ooit mijn naam, de naam die ik van mijn vader heb gekregen, in koeienletters bovenaan de pagina wil zien staan. Dit is mijn kans.

'Goed dan,' zeg ik.

'Oké, mooi.' Evelyn ontspant haar schouders, neemt nog een slok water en glimlacht. 'Volgens mij mag ik jou wel, Monique,' zegt ze.

Ik haal diep adem en krijg nu pas in de gaten hoe oppervlakkig mijn ademhaling was. 'Dank je wel, Evelyn. Dat vind ik fijn om te horen.'

EVELYN EN IK STAAN WEER BIJ HAAR THUIS IN DE HAL. 'IK ZIE JE over een halfuur in mijn werkkamer.'

'Oké,' zeg ik terwijl Evelyn de gang in loopt en uit het zicht verdwijnt. Ik trek mijn jas uit en hang hem in de garderobekast.

Ik zou van de gelegenheid gebruik moeten maken om Frankie een update te sturen. Als ik niet snel contact met haar opneem, zal ze me zeker weten te traceren.

Ik moet nog wel even bedenken hoe ik dit ga aanpakken. Hoe zorg ik ervoor dat ze dit niet van me afpikt?

Ik denk dat mijn enige optie is om te doen alsof alles helemaal volgens plan gaat. Mijn plan is dus om glashard te liegen.

Ik haal diep adem.

Een van mijn vroegste herinneringen uit mijn jeugd is aan een uitje naar Zuma Beach in Malibu met mijn ouders. Het was nog lente, geloof ik. Het water was nog niet voldoende opgewarmd om echt lekker te zijn.

Mijn moeder bleef op het strand om onze parasol en handdoeken te installeren terwijl mijn vader mij optilde en met me naar de branding rende. Ik weet nog dat ik me in zijn armen zo licht als een veertje voelde. En toen liet hij me met mijn voeten in het water zakken en begon ik te krijsen dat het te koud was.

Hij gaf me gelijk. Het was inderdaad koud. Maar toen zei hij: 'Adem gewoon vijf keer in en uit. En als je daarmee klaar bent, durf ik te wedden dat je het niet meer zo koud vindt.'

Ik keek toe hoe hij met zijn voeten in het water ging staan. Ik keek toe hoe hij in- en uitademde. En toen stapte ik ook het water weer in en ademde ik met hem mee. Hij had natuurlijk gelijk. Het viel best mee.

Vanaf dat moment deed mijn vader altijd die ademhalingsoefening met me als ik dreigde te gaan huilen. Als ik een schaafwond op mijn elleboog had, als mijn neefje weer eens beweerde dat ik niet zwart was of als mijn moeder zei dat ik geen puppy mocht, ging mijn vader naast me zitten en haalden we samen adem. Na al die jaren doet het nog steeds pijn als ik terugdenk aan zulke momenten.

Maar nu richt ik me even alleen op mijn ademhaling, midden in de hal bij Evelyn, precies zoals hij me geleerd heeft. Als ik wat tot rust ben gekomen pak ik mijn telefoon en bel ik Frankie.

'Monique.' De telefoon is nog geen twee keer overgegaan als ze opneemt. 'Vertel, hoe gaat het daar?'

'Het gaat prima,' zeg ik. Ik verbaas me erover hoe rustig ik mijn stem weet te houden. 'Evelyn is zo ongeveer alles wat je van een icoon verwacht. Nog altijd even beeldschoon. En charismatisch.'

'En?'

'En... er zit wel schot in de zaak.'

'Is ze bereid om over andere dingen dan alleen haar jurken te praten?'

Wat kan ik nu zeggen om me in te dekken? 'Nou, weet je, ze is nogal terughoudend als het over andere dingen gaat dan publiciteit voor de veiling. Ik speel eerst nog maar een beetje mee om haar vertrouwen te winnen voor ik wat harder ga aandringen.'

'Zou ze een shoot willen doen voor de cover?'

'Daar kan ik nog niks over zeggen. Geloof me, Frankie,' zeg ik, en het klinkt akelig gemeend, 'ik weet heel goed hoe belangrijk dit is. Maar op dit moment kan ik er het beste voor zorgen dat Evelyn me aardig vindt, zodat ik in een later stadium wat druk op haar kan uitoefenen om van haar gedaan te krijgen wat we willen.'

'Oké,' zegt Frankie. 'Ik ben natuurlijk uit op meer dan een paar korte quotes over haar jurken, al zou dat alsnog meer zijn dan andere bladen de afgelopen dertig jaar van haar hebben gekregen, dus...' Frankie ratelt vrolijk verder, maar ik luister al niet meer. Ik ben veel te druk bezig met het feit dat Frankie zelfs naar die paar quotes kan fluiten.

En ik juist een hele hoop te schrijven krijg.

'Ik moet gaan,' zeg ik verontschuldigend. 'Over een paar minuten praat ik weer met haar verder.'

Ik hang op en adem uit. Ik verzin er wel wat op.

Als ik door het appartement loop, hoor ik Grace in de keuken. Ik duw de klapdeur open en zie dat ze bezig is bloemen schuin af te knippen.

'Sorry dat ik je stoor. Evelyn zei dat ik naar haar werkkamer moest komen, maar ik weet niet waar die is.'

'O,' zegt Grace. Ze legt haar schaar neer en veegt haar handen af aan een handdoek. 'Ik laat het je wel even zien.'

Ik volg haar een trapje op, naar Evelyns werkruimte. De muren zijn in een opvallend donkere kleur grijs geverfd en er ligt een goudbruin vloerkleed op de grond. Aan weerszijden van de grote ramen hangen donkerblauwe gordijnen en aan de andere kant van de kamer zie ik ingebouwde boekenkasten. Een grijsblauwe bank staat tegenover een enorm glazen bureau.

Grace glimlacht en laat me dan alleen. Ik gooi mijn tas op de bank en kijk op mijn telefoon terwijl ik op Evelyn wacht.

'Ga jij maar aan het bureau zitten,' zegt Evelyn als ze binnenkomt. Ze reikt me een glas water aan. 'Ik stel me zo voor dat het idee is dat ik praat en jij schrijft.'

'Dat klinkt wel logisch,' zeg ik en ik neem plaats op de bureaustoel. 'Ik heb nog niet eerder een biografie geschreven. Ik ben per slot van rekening geen biograaf.'

Evelyn werpt me een felle blik toe. Ze gaat tegenover me op de bank zitten. 'Laat me je iets uitleggen. Toen ik veertien was, was mijn moeder al overleden en woonde ik alleen met mijn vader. Hoe ouder ik werd, hoe meer ik in de gaten kreeg dat het een kwestie van tijd was voor mijn vader zou proberen me uit te huwelijken aan een vriend van hem of aan zijn baas, iemand die hem hogerop kon brengen. Eerlijk gezegd begon ik me naarmate ik me verder ontwikkelde ook steeds meer zorgen te maken dat mijn vader zelf op een gegeven moment misbruik van me zou proberen te maken.

We waren zo blut dat we elektriciteit aftapten van onze bovenburen. Een van onze stopcontacten was verbonden aan hun stroomkring, dus daar staken we alles in wat we wilden gebruiken. Als ik na zonsondergang huiswerk moest maken, stopte ik een lamp in het stopcontact en ging ik daar met mijn boek bij zitten.

Mijn moeder was een engel. Echt waar. Beeldschoon, een prachtige stem en een hart van goud. Voor haar dood hield ze me jarenlang voor dat we uit Hell's Kitchen weg zouden gaan en rechtstreeks naar Hollywood zouden verhuizen. Ze zei dat ze de beroemdste vrouw ter wereld ging worden en een villa aan zee voor ons zou kopen. Ik zag helemaal voor me hoe we daar samen zouden wonen, feestjes zouden geven en champagne zouden drinken. Toen ging ze dood, en het leek wel of ik uit een droom ontwaakte. Plotseling leefde ik in een wereld waarin dat allemaal nooit ging gebeuren. En leek ik gedoemd om voor eeuwig in Hell's Kitchen te blijven.

Zelfs op mijn veertiende was ik al bloedmooi. Ach, ik weet dat de wereld liever heeft dat vrouwen hun eigen kracht niet kennen, maar daar heb ik echt maling aan. Ik was gewoon een blikvanger. Niet dat ik mezelf daar nou voor op de borst klop. Ik heb mijn eigen gezicht niet gemaakt. Ik heb mezelf dit lichaam niet gegeven. Maar ik ga ook geen toneel zitten spelen, zo van "Nee, joh! Vonden mensen mij echt mooi?" Dat vind ik altijd zulk getuttebel.

In de flat van mijn vriendin Beverly woonde ene Ernie Diaz, die elektricien was. En Ernie kende iemand die bij MGM werkte. Althans, dat gerucht deed de ronde. En op een dag zei Beverly dat ze had gehoord dat Ernie belichting moest installeren in Hollywood. Dus dat weekend verzon ik een smoesje om bij Beverly langs te gaan en klopte ik 'per ongeluk' bij Ernie aan. Ik wist natuurlijk best op welk nummer Beverly woonde. Maar ik klopte bij Ernie aan en vroeg: "Weet u waar ik Beverly Gustafson kan vinden?"

Ernie was tweeëntwintig. Het was zeker geen hunk, maar hij was best om aan te zien. Hij zei dat hij haar niet had gezien, maar kon ondertussen duidelijk zijn ogen niet van me afhouden. Ik zag hoe zijn blik van mijn ogen naar beneden gleed, langs elke centimeter van mijn lichaam. Ik had speciaal mijn favoriete groene jurk aangetrokken.

Toen vroeg Ernie: "Ben jij al zestien, schatje?" Vergeet niet dat ik pas veertien was. Maar weet je wat ik zei? Ik zei: "Ik ben toevallig net zestien geworden."'

Evelyn kijkt me veelbetekenend aan. 'Begrijp je wat ik hiermee probeer te zeggen? Als je de kans krijgt om je leven een andere wending te geven, dan moet je bereid zijn om daar helemaal voor te gaan. Je krijgt kansen niet zomaar in de schoot geworpen, je moet ze grijpen. Als ik je één ding kan leren, is dat het wel.'

Wow. 'Oké,' antwoord ik.

'Je hebt nog niet eerder als biograaf gewerkt, maar vanaf nu dus wel.'

Ik knik. 'Helder.'

'Mooi,' zegt Evelyn en ze zakt een beetje onderuit op de bank. 'Dus, waar zou je mee willen beginnen?'

Ik pak mijn blocnote en kijk naar de aantekeningen waar ik de laatste paar bladzijden mee vol heb gekalkt. Er staan voornamelijk jaartallen en filmtitels, verwijzingen naar klassieke foto's van haar en roddels met vraagtekens erachter. En ergens daartussenin, in koeienletters die ik zo vaak heb overgetrokken dat ik bijna door het papier heen heb gedrukt, staat: 'Wie was de liefde van Evelyns leven???'

Dat is de hamvraag. Dat is de essentie van dit boek.

Zeven echtgenoten.

Van welke hield ze het meest? Wie was 'de ware'?

Als journalist maar ook als consument wil ik dat het liefste weten. Het boek zal er niet meteen mee beginnen, maar misschien moeten wij dat in ons gesprek wel doen. Voor we in al haar huwelijken duiken wil ik weten welk het belangrijkst was.

Ik kijk op en zie dat Evelyn rechtop zit, klaar voor mijn vragen.

'Wie was de liefde van je leven? Was het Harry Cameron?'

Evelyn denkt even na en geeft dan aarzelend antwoord. 'Niet in de zin die jij bedoelt, nee.'

'In welke zin dan wel?'

'Harry was mijn allerbeste vriend. Hij heeft me ontdekt. Hij was degene die het meest onvoorwaardelijk van me hield. En degene voor wie mijn liefde het puurst was, geloof ik. Behalve voor mijn dochter dan. Maar nee, de liefde van mijn leven was hij niet.'

'Hoezo niet?'

'Omdat iemand anders dat was.'

'Oké, wie was dan wel de liefde van je leven?'

Evelyn knikt, alsof ze die vraag al aan zag komen, alsof ons gesprek precies zo verloopt als ze had verwacht. Maar dan schudt ze haar hoofd weer. 'Weet je wat,' zegt ze, terwijl ze opstaat. 'Het is al laat, hè?'

Ik kijk op mijn horloge. Het is halverwege de middag. 'Vind je?'

'Ik vind van wel, ja,' zegt ze, in de richting van de deur lopend.

'Prima,' zeg ik. Ik sta op.

Evelyn slaat een arm om me heen en loodst me de werkkamer uit. 'Laten we maandag verdergaan. Vind je dat goed?'

'Eh... natuurlijk. Heb ik iets verkeerds gezegd, Evelyn?'

Evelyn loopt met me mee de trap af. 'Helemaal niet,' zegt ze om me gerust te stellen. 'Helemaal niet.'

Er hangt een gespannen sfeer die ik niet helemaal kan plaatsen. Evelyn loopt met me op tot we in de hal aankomen. Ze trekt de garderobekast open. Ik haal mijn jas eruit.

'Maandagochtend hier verder?' vraagt Evelyn. 'Om een uur of tien?'

'Oké,' zeg ik terwijl ik mijn jas aantrek. 'Als jij dat fijn vindt.'

Evelyn knikt. Ze kijkt even langs me heen, over mijn schouder, zonder echt naar iets specifieks te kijken. Dan neemt ze weer het woord. 'Ik heb mezelf aangeleerd om... de waarheid te verdraaien,' zegt ze. 'Het is best moeilijk om dat weer af te leren. Ik ben er te goed in geworden, denk ik. Daarnet kon ik gewoon even niet bedenken hoe dat moet, de waarheid vertellen. Ik ben het niet gewend. Het voelt alsof ik volledig tegen mijn overlevingsinstinct in moet gaan. Maar ik kom er wel.'

Ik knik, omdat ik niet zo goed weet wat ik daarop moet antwoorden. 'Nou... tot maandag dan maar?'

'Tot maandag,' zegt Evelyn. Ze knippert langzaam met haar ogen en knikt. 'Dan zorg ik dat ik er klaar voor ben.'

Door de kille middag loop ik terug naar de metro. Ik wurm me in een propvolle wagon en hou me vast aan de handgreep boven mijn hoofd. Ik loop naar huis en ga naar binnen.

Ik ga op de bank zitten, klap mijn laptop open en beantwoord een paar e-mails. Ik bestel iets te eten. Pas als ik mijn voeten optil bedenk ik dat de salontafel er niet meer staat. Voor het eerst sinds zijn vertrek dacht ik bij thuiskomst niet meteen aan David.

In plaats daarvan spookt het hele weekend – tijdens mijn vrijdagavond thuis, mijn zaterdagse stapavondje en mijn zondagochtend in het park – één vraag door mijn hoofd. Niet: *Hoe kon mijn huwelijk stranden?* maar: *Op wie was Evelyn Hugo in vredesnaam verliefd?*

IK ZIT WEER IN EVELYNS WERKKAMER. DE ZON SCHIJNT UITBUN-dig door de ramen, waardoor Evelyns gezicht zo hel wordt verlicht dat ik de rechterkant niet kan zien.

We gaan dit echt doen. Evelyn en ik. Onderwerp en biograaf. Hier begint het.

Ze heeft een zwarte legging aan onder een marineblauw herenoverhemd met een riem erop. Ik heb zoals gewoonlijk een spijkerbroek, T-shirt en colbertje aan. Ik heb me aangekleed met het idee dat ik hier de hele dag en nacht kan blijven, mocht dat nodig zijn. Zolang zij blijft praten, blijf ik zitten luisteren.

'Dus,' zeg ik.

'Dus,' zegt Evelyn op uitdagende toon.

Dat ik aan haar bureau zit en zij op de bank geeft de situatie iets vijandigs. Ik wil haar het gevoel geven dat we dit samen doen. Want dat is toch ook zo? Al krijg ik de indruk dat je het met Evelyn nooit helemaal zeker weet.

Kan ze eerlijk zijn? Is ze daartoe in staat?

Ik ga in de fauteuil naast de bank zitten. Ik buig voorover, met mijn blocnote op schoot en mijn pen in de aanslag. Ik pak mijn telefoon, open de voicerecorder-app en druk op de opnameknop. 'Weet je zeker dat je er klaar voor bent?'

Evelyn knikt. 'Al mijn dierbaren zijn inmiddels overleden. Ik hoef niemand meer te beschermen. Behalve voor mezelf hoef ik voor niemand meer te liegen. Mensen hebben mijn schijnleven op de voet gevolgd, tot in de diepste details. Maar dat is niet... Ik vind het niet... Ik wil dat ze weten hoe het allemaal echt gegaan is. Wie ik echt ben.'

'Goed,' zeg ik. 'Laat je ware aard maar zien. Dan zorg ik dat de wereld je begrijpt.'

Evelyn kijkt me aan en even verschijnt er een glimlach om haar mond. Zo te zien was dat precies wat ze wilde horen. Gelukkig meen ik het ook.

'Laten we het chronologisch aanpakken,' zeg ik. 'Vertel eens wat meer over Ernie Diaz, je eerste echtgenoot, de man die je hielp om uit Hell's Kitchen weg te komen.'

'Prima,' zegt Evelyn en ze knikt. 'Waarom ook niet.'

Ernie Diaz, de stakker

MIJN MOEDER DANSTE BIJ DE REVUE IN TWEEDERANGS THEATERS. Ze was met mijn vader uit Cuba geëmigreerd toen ze zeventien was. Op latere leeftijd kwam ik erachter dat revuedanseres ook wel als eufemisme voor prostituee werd gebruikt. Ik weet niet of ze dat ook echt was. Ik hoop natuurlijk van niet – niet omdat het iets is om je voor te schamen, maar omdat ik aan den lijve heb ondervonden hoe het is om tegen je zin je lichaam te moeten verkopen en hoop dat zij dat nooit heeft hoeven doen.

Ik was elf toen ze overleed aan een longontsteking. Daardoor heb ik natuurlijk weinig herinneringen aan haar, maar ik weet nog wel dat ze naar goedkope vanille rook en heerlijke *caldo gallego* maakte, mijn lievelingssoep. Ze noemde me nooit Evelyn, alleen *mija*, waardoor ik me altijd heel bijzonder voelde, alsof ik van haar was en zij van mij. Het allerliefst wilde mijn moeder filmster worden. Ze was er echt van overtuigd dat ze ons aan ons bestaan en aan mijn vader kon onttrekken door de filmbusiness in te gaan.

Ik wilde net zo worden als zij.

Ik heb vaak gewenst dat ze op haar sterfbed iets ontroerends had gezegd, iets wat ik mijn hele leven bij me had kunnen dragen. Maar we hadden pas door hoe ziek ze was toen het voorbij was. Het laatste wat ze tegen me zei was iets doodgewoons: "Dile a tu padre que estaré en la *cama"*, zeg maar tegen je vader dat ik even in bed ga liggen.

Na haar dood huilde ik alleen onder de douche, waar niemand het kon zien of horen, waar ik mijn tranen niet van het water kon onderscheiden. Ik weet niet zo goed waarom. Ik weet alleen dat ik na een paar maanden weer kon douchen zonder te moeten huilen.

En toen begon ik in de zomer na haar dood op te bloeien. Mijn borsten werden alsmaar groter en groter. Toen ik twaalf was haalde ik al mijn moeders oude kleren overhoop om een beha te vinden die paste. De enige die ik kon vinden was te klein, maar ik trok hem toch maar aan.

Toen ik dertien was, was ik één meter tweeënzeventig, met glanzend donkerbruin haar, lange benen, een lichtbruine huid en een boezem die de knoopjes van mijn jurken op spanning zette. Volwassen mannen keken me na op straat, en een deel van de meisjes in mijn flat wilde niet meer met me omgaan. Het was maar een eenzame bedoening. Geen moeder, een agressieve vader, geen vriendinnen en een seksuele aantrekkingskracht waar ik mentaal nog helemaal niet aan toe was.

In de kruidenierszaak op de hoek werkte een jongen van zestien achter de kassa die Billy heette. Hij was de oudere broer van het meisje dat op school naast me zat. Op een dag in oktober ging ik snoep kopen bij de kruidenier en gaf hij me een kus.

Ik zat daar helemaal niet op te wachten. Ik duwde hem weg. Maar hij pakte mijn arm vast.

'Ah, doe niet zo flauw,' zei hij.

De winkel was uitgestorven. Hij had sterke armen. Hij greep me steviger beet. En op dat moment besefte ik dat hij hoe dan ook van me zou krijgen wat hij wou, of ik nu tegenstribbelde of niet.

Dus ik had twee opties. Ik kon het gratis doen. Of ik kon het doen voor gratis snoep.

In de drie maanden daarna mocht ik alles meenemen uit die kruidenierszaak wat ik maar wilde. En in ruil daarvoor sprak ik elke zaterdagavond met hem af en mocht hij mijn borsten zien. Ik had niet het idee dat ik er veel over te zeggen had. Dat hij me begeerde betekende dat ik hem moest bevredigen.

Ik weet nog dat ik op een gegeven moment in het donkere, propvolle magazijn met mijn rug tegen een houten krat gedrukt stond en dat hij toen zei: 'Je hebt me in je macht.'

Hij had zichzelf ervan overtuigd dat het mijn schuld was dat hij me aantrekkelijk vond.

En ik geloofde hem.

Moet je nou zien wat ik die arme jongens aandoe, dacht ik. Maar ook: Hier ligt mijn kracht, mijn waarde.

Dus toen hij me dumpte – omdat hij me zat was, omdat hij iemand anders had gevonden, die spannender was – was ik enerzijds ontzettend opgelucht, maar voelde ik me anderzijds ook een enorme mislukkeling.

Na hem kwam er nog zo'n jongen aan wie ik mijn borsten liet zien omdat ik dacht dat dat moest, voor ik in de gaten kreeg dat ik degene was die de mannen voor het uitkiezen had.

Ik hoefde ze allemaal niet – dat was het probleem. Om het maar recht voor z'n raap te zeggen: ik wist vrij snel hoe mijn lichaam werkte. Ik had geen jongens nodig om aan mijn trekken te komen. En dat besef was heel veel waard. Seksueel gezien had ik dus niemand nodig. Maar ik had wel degelijk bepaalde wensen.

Ik wilde weg uit Hell's Kitchen, zo ver weg als ik maar kon.

Ik wilde weg uit onze flat, weg van de vieze tequila-adem en losse handjes van mijn vader. Ik wilde iemand die voor me kon zorgen. Ik wilde geld en een mooi huis. Ik wilde weg uit mijn leven. Ik wilde het leven dat mijn moeder me had beloofd.

Het gekke aan Hollywood is dat het zowel een plek is als een gevoel. Als je je spullen pakt en daarnaartoe vlucht, beland je enerzijds in Zuid-Californië, waar het altijd zonnig is en de grauwe flats en vieze straten plaatsmaken voor palmbomen en sinaasappelboomgaarden. Maar tegelijkertijd vlucht je ook naar het droombeeld dat ze je in de films voorschotelen.

Je vlucht naar een wereld die fatsoenlijk en rechtvaardig is, waar het goede het kwade overwint en waar tegenslag je enkel sterker maakt, waardoor de uiteindelijke overwinning nóg zoeter is.

Pas jaren later drong het tot me door dat het leven er niet zomaar makkelijker op wordt als je in grotere luxe leeft. Maar toen ik veertien was ging dat er bij mij echt nog niet in.

Dus ik trok mijn mooiste groene jurk aan, ook al was die me eigenlijk te klein geworden, en klopte aan bij een man die schijnbaar in Hollywood zou gaan werken.

Ik kon aan zijn gezicht zien dat Ernie Diaz blij was met mijn bezoek. Dus liet ik me ontmaagden in ruil voor een enkeltje Hollywood.

Ernie en ik trouwden op 30 januari 1953. Vanaf dat moment heette ik Evelyn Diaz. Ik was nog maar net vijftien, maar mijn vader zette toch zijn handtekening onder alle documenten. Ik neem aan dat Ernie best vermoedde dat ik minderjarig was. Maar ik had hem er glashard over voorgelogen, en daar nam hij blijkbaar genoegen mee. Hij was niet onknap, maar ook niet bepaald belezen of charmant. Hij zou niet vaak de kans krijgen om met een mooi meisje te trouwen. Volgens mij was hij zich daarvan bewust en was hij gewoon zo slim om de kans te grijpen toen die zich voordeed.

Een paar maanden later stapten Ernie en ik in zijn vier jaar oude Plymouth en reden we naar de westkust. We logeerden bij vrienden van hem terwijl hij aan de slag ging als *grip* – de technicus die verantwoordelijk is voor het opstellen van camera's en de belichting. Algauw hadden we de borg voor een eigen huurwoning bij elkaar gespaard. We vonden een flatje op de hoek van Detroit Street en De Longpre Avenue. Ik kon wat nieuwe kleren kopen en kreeg genoeg huishoudgeld om in het weekend een lekker braadstuk te kunnen klaarmaken.

Eigenlijk moest ik de middelbare school nog afmaken. Maar Ernie ging echt niet controleren of ik wel goeie cijfers haalde, en ik wist dat ik nooit een diploma nodig zou hebben. Ik was maar met één doel naar Hollywood gekomen, en dat ging ik bereiken ook.

Rond lunchtijd, als ik eigenlijk op school moest zitten, liep ik naar het Formosa Cafe, waar ik bleef zitten tot borreltijd. Ik had het cafetaria herkend uit de roddelbladen. Ik wist dat er beroemde mensen kwamen eten. Het zat pal naast een filmstudio.

Het rode gebouw met de schuingedrukte letters en zwarte luifel werd mijn vaste stek. Ik wist hoe afgezaagd het was, maar ik kon niks anders bedenken. Als ik actrice wilde worden, moest ik ontdekt worden. En aangezien ik geen idee had hoe je dat moest aanpakken, ging ik maar een beetje rondhangen op plekken waar filmmensen kwamen.

Dus zo zat ik daar elke dag en deed ik uren met één miezerig glaasje cola.

Ik hield het zo lang vol dat de barman op den duur geen zin meer had om te doen alsof hij mijn sneue plannetje niet doorzag.

'Luister,' zei hij na een week of drie, 'als jij hier wilt wachten tot Humphrey Bogart een keer komt opdagen, moet je het zelf weten. Maar dan moet je wel iets nuttigs doen. Ik ga je geen stoel bezet laten houden voor een glaasje fris.'

Het was een oudere man, een jaar of vijftig, maar met nog een volle, donkere bos haar. De rimpels op zijn voorhoofd deden me aan mijn vader denken.

'Wat wilt u dan dat ik doe?' vroeg ik.

Ik was een beetje bang dat hij iets van me zou verlangen wat ik al aan Ernie had gegeven, maar hij wierp me een opschrijfboekje toe en zei dat ik maar eens moest laten zien of ik bestellingen kon opnemen.

Ik had geen idee wat je als serveerster moest doen, maar dat ging ik hem natuurlijk niet aan zijn neus hangen. 'Prima,' zei ik. 'Waar zal ik eens beginnen?'

Hij wees naar de tafeltjes, die in een strakke rij langs het raam stonden opgesteld. 'Dat is tafel één. De rest van de nummers kun je zelf wel bedenken als je verder telt.'

'Oké,' antwoordde ik. 'Dat moet lukken.'

Ik stond op van mijn barkruk en liep naar tafel twee, waaraan drie mannen in pak met dichtgevouwen menukaarten zaten te praten.

'Hé, meisje!' zei de barman.

'Ja?'

'Je bent een stoot, hoor. Ik wed voor vijf dollar dat jij het gaat maken.'

Ik nam tien bestellingen op, vergiste me in drie broodjes en verdiende vier dollar.

Vier maanden later had Harry Cameron, toen nog beginnend producent bij Sunset Studios, een afspraak met een uitvoerend producent van de studio ernaast. Ze bestelden allebei een steak. Toen ik de rekening kwam brengen, keek Harry naar me op en zei: 'Jezus.'

Twee weken later had ik een contract bij Sunset.

Ik ging naar huis en zei tegen Ernie dat ik niet kon geloven dat ze bij Sunset geïnteresseerd waren in een onbenullig meisje als ik. Ik zei dat het me wel geinig leek om in films te spelen, zodat ik iets te doen had tot mijn echte baan als moeder begon. Gelul van de bovenste plank, natuurlijk.

Ik was toen bijna zeventien, al dacht Ernie nog steeds dat ik ouder was. Het was in het najaar van 1954. Elke ochtend ging ik na het opstaan rechtstreeks naar Sunset Studios.

Ik had totaal geen kaas gegeten van acteren, maar ik pikte wel het een en ander op. Ik kreeg een figurantenrolletje in een paar romantische komedies en één zinnetje tekst in een oorlogsfilm.

'Is dat soms verboden?' Dat was mijn tekst.

Ik speelde een verpleegster die een gewonde soldaat verzorgde. In de scène beschuldigde de dokter de soldaat er op plagerige toon van dat hij met mij flirtte, en dan mocht ik zeggen: 'Is dat soms verboden?' Ik zei het alsof ik in een basisschoolmusical zat, met een zweem van een New Yorks accent. In die tijd had ik eigenlijk altijd een accent. Mijn Engels klonk New Yorks en mijn Spaans klonk Amerikaans.

Toen de film uitkwam gingen Ernie en ik ernaartoe in de bioscoop. Ernie vond het wel grappig dat zijn vrouwtje een zinnetje mocht zeggen in een film.

Ik had nooit eerder echte inkomsten gehad, maar nu verdiende ik net zoveel als Ernie sinds hij was opgeklommen tot hoofdgrip. Dus vroeg ik of ik acteerlessen mocht nemen, van mijn eigen geld. Ik had die avond *arroz con pollo* klaargemaakt en hield expres mijn schort om toen ik het vroeg. Ik wilde dat hij me als een onschuldige huisvrouw bleef zien. Ik schatte in dat ik meer zou bereiken als hij zich niet bedreigd voelde. Ik vond het tenenkrommend om toestemming te moeten vragen om mijn eigen geld uit te geven. Maar er zat voor mijn gevoel niks anders op.

'Tuurlijk,' zei hij. 'Dat lijkt me slim. Dan word je vanzelf beter, en wie weet krijg je dan ooit nog weleens een hoofdrol in een film.'

Ik ging absoluut een hoofdrol krijgen.

Ik had hem het liefst een klap in zijn gezicht verkocht.

Maar ik begrijp inmiddels dat ik het Ernie niet kwalijk kan nemen. Het was allemaal niet zijn schuld. Ik had me als een ander voorgedaan. En toen hij mijn ware aard niet leek te zien, was ik daar verbolgen over.

Een halfjaar later kon ik op een overtuigende manier tekst opzeggen. Ik was verre van geweldig, maar wel goed genoeg.

Ik had inmiddels nog in drie films een klein bijrolletje gehad. Toen hoorde ik via via dat ze nog iemand zochten als tienerdochter van Stu Cooper in een romantische komedie. En ik zette mijn zinnen meteen op die rol.

Dus ik deed iets wat weinig actrices op mijn niveau zouden hebben gedurfd. Ik klopte aan bij Harry Cameron.

'Evelyn,' zei hij verbaasd. 'Wat een aangename verrassing. Wat kan ik voor je doen?'

'Ik wil de rol van Caroline,' zei ik. 'In *Love Isn't All.*'

Harry gebaarde naar een stoel. Voor een uitvoerend producent was het een knappe man. De meeste producenten hadden een bierbuik of begonnen kaal te worden. Maar Harry was lang en slank. Hij was nog jong. Ik schatte in dat hij nog geen tien jaar ouder was dan ik. Hij droeg goed zittende pakken die zijn ijsblauwe ogen mooi deden uitkomen. Hij wekte vaag de indruk dat hij uit het Midden-Westen kwam, niet zozeer met zijn uiterlijk maar met de manier waarop hij mensen benaderde, eerst hartelijk, dan doortastend.

Harry was een van de weinige mannen op het studioterrein die niet openlijk naar mijn borsten staarde. Dat zat me dwars, omdat het me het gevoel gaf dat ik beter mijn best zou moeten doen om zijn aandacht te trekken. Dat bewijst maar weer eens dat als je een vrouw wijsmaakt dat mooi zijn haar enige talent is, ze het nog gelooft ook. Ik geloofde het al voor ik goed en wel volwassen was.

'Ik ga open kaart met je spelen, Evelyn. Ari Sullivan gaat jou nooit goedkeuren voor die rol.'

'Waarom niet?'

'Je bent er niet het juiste type voor.'

'Wat bedoel je daar nou weer mee?'

'Niemand gaat ooit geloven dat jij de dochter van Stu Cooper bent.'

'Dat zou toch best kunnen.'

'Nee, joh.'

'Hoezo niet?'

'Hoezó niet?'

'Ja, leg dat maar eens uit.'

'Je heet Evelyn Diaz.'

'Nou en?'

'Ik kan je niet in een film casten en doodleuk doen alsof je niet Mexicaans bent.'

'Ik ben Cubaans.'

'Dat maakt in dit geval geen bal uit.'

Het maakte wel degelijk uit, maar het leek me volkomen nutteloos om te proberen dat aan hem uit te leggen. 'Oké,' zei ik, 'en die film met Gary DuPont dan?'

'We kunnen jou echt niet als tegenspeelster van Gary DuPont in een romantische komedie casten.'

'Hoezo niet?'

Harry keek me aan met een blik die zei: *Moet ik het echt voor je uitspellen?*

'Omdat ik "Mexicaans" ben?' vroeg ik.

'Omdat we voor de film met Gary DuPont een lief blond meisje nodig hebben.'

'Ik kan best een lief blond meisje spelen.'

Harry keek me aan.

Ik gooide al mijn charmes in de strijd. 'Ik wil het echt heel graag, Harry. En je weet dat ik het kan. Ik ben een van de meest interessante meisjes die je op dit moment in huis hebt.'

Harry moest lachen. 'Je hebt in ieder geval wel lef. Dat moet ik je nageven.'

Harry's secretaresse klopte aan. 'Sorry dat ik u moet storen, meneer Cameron, maar u moet om één uur in Burbank zijn.'

Harry keek op zijn horloge.

Ik deed nog een laatste poging. 'Ga nou even na, Harry. Ik ben goed en ik kan nog veel beter worden. Maar je vergooit mijn talent met allemaal rolletjes van niks.'

'We weten heel goed wat we doen, hoor,' zei hij en hij stond op.

Ik volgde zijn voorbeeld. 'Hoe zie je mijn carrière voor je over drie jaar, Harry? Mag ik dan drie zinnen zeggen als de schooljuf?'

Harry liep me straal voorbij en deed de deur open om me uit te laten. 'We gaan het merken,' zei hij.

Ondanks deze nederlaag gaf ik me nog niet gewonnen. De eerstvolgende keer dat ik Ari Sullivan in de studiokantine zag lopen, liet ik expres mijn tasje vallen en boog ik 'per ongeluk' vlak voor zijn neus voorover om het op te rapen. Hij maakte oogcontact, en toen liep ik weg, alsof ik nergens op uit was, alsof ik geen idee had wie hij was.

Een week later deed ik alsof ik verdwaald was in het producentenkantoor en kwam ik hem tegen op de gang. Het was nogal een gezette man, maar hij droeg zijn gewicht met verve. Hij had zulke donkere ogen dat je de pupillen nauwelijks kon onderscheiden en het soort stoppelbaard waar niet tegenop te scheren viel. Maar hij had ook een vriendelijke glimlach. En daar richtte ik me nu maar even op.

'Mrs Diaz,' zei hij. Ergens was ik verbaasd dat hij wist hoe ik heette, maar ergens ook niet.

'Mr Sullivan,' zei ik.

'Zeg maar Ari, alsjeblieft.'

'Nou, aangenaam dan, Ari,' zei ik en ik streek met mijn hand langs zijn arm.

Ik was zeventien. Hij was achtenveertig.

Die avond lag ik, nadat zijn secretaresse naar huis was gegaan, met een opgeschort rokje en Ari's hoofd tussen mijn benen op zijn bureau.

Hij bleek een fetisj te hebben voor het oraal bevredigen van minderjarige meisjes. Na een minuut of zeven deed ik alsof ik uitzinnig werd van genot. Ik had geen idee of hij er wat van bakte, maar ik was hoe dan ook blij dat ik er was, omdat ik wist dat het me ging brengen waar ik wezen wilde.

Als goede seks betekent dat het lekker moet zijn, dan heb ik heel veel slechte seks gehad in mijn leven. Maar als de definitie is dat het de moeite waard is, dat het je iets oplevert, dan heb ik weinig te klagen gehad.

Bij het weggaan viel mijn oog op het rijtje Oscars dat Ari in zijn werkkamer had staan. Ik beloofde mezelf ter plekke dat ik er ooit ook een zou winnen.

Love Isn't All en die film met Gary DuPont waarin ik had willen spelen kwamen in dezelfde week uit. Love Isn't All werd een vreselijke flop. En Penelope Quills, de vrouw die uiteindelijk als Gary's tegenspeelster was gecast, kreeg bar slechte recensies.

Ik knipte een van Penelope's recensies uit en stuurde hem met de interne post naar Harry en Ari, met een briefje erbij waarop stond: 'Ik had de sterren van de hemel gespeeld.'

De volgende ochtend lag er een briefje van Harry in mijn trailer: 'Goed dan, jij je zin.'

Harry riep me naar zijn kantoor en zei dat hij met Ari had overlegd. Ze hadden twee mogelijke rollen voor me.

Ik mocht een Italiaanse erfgename spelen, een grote bijrol in een romantisch oorlogsdrama. Of anders Jo in Little Women.

Ik wist wat het voor consequenties zou hebben als ik Jo ging spelen. Ik wist dat Jo blank hoorde te zijn. Toch wilde ik die rol. Nu ik mijn benen had gespreid, wilde ik ook meteen flink hogerop komen.

'Jo,' zei ik. 'Ik kies Jo.'

En dat bracht de bal aan het rollen.

Harry stelde me voor aan Gwendolyn Peters, de huisstyliste van Sunset. Gwen bleekte mijn haar en knipte het in een schouderlange bob. Ze bracht mijn wenkbrauwen in vorm. Ze epileerde mijn haargrens. Ik ging langs bij een diëtiste, die ervoor zorgde dat ik exact 2,5 kilo lichter werd, voornamelijk door te gaan roken en een deel van mijn maaltijden door koolsoep te vervangen. Ik ging langs bij een spraakleraar, die me van mijn New Yorkse accent afhielp en me zelfs verbood om nog Spaans te spreken.

En toen moest ik nog een vragenlijst van drie bladzijden invullen over hoe mijn leven er tot dan toe had uitgezien. Wat voor werk deed mijn vader? Wat waren mijn hobby's? Had ik huisdieren?

Toen ik alles eerlijk had ingevuld, las de castingassistent mijn antwoorden vlug door en zei hij: 'Ach, nee toch. Hier kunnen we niks mee. Van nu af aan is je moeder bij een auto-ongeluk om het leven gekomen, waardoor je vader je alleen moest opvoeden. Hij werkte als bouwvakker in Manhattan en 's zomers gingen jullie elke zondag samen naar Coney Island. Als mensen ernaar vragen, zijn je hobby's tennis en zwemmen, en je hebt een sint-bernard die Roger heet.'

Ik moest zeker honderd publiciteitsfoto's laten maken, met mijn nieuwe blonde lokken, mijn slankere taille en wittere tanden. Je zou versteld staan van hoe ik zoal moest poseren: lachend aan het strand, golfend, rennend op de stoep achter een sint-bernard aan die iemand van een setdesigner had geleend. Er waren foto's waarop ik zout over een grapefruit strooide, met pijl-en-boog aan het schieten was en in een nepvliegtuig stapte. En dan heb ik het nog niet eens over alle kerstfoto's die ik moest laten maken. Zo zat ik bijvoorbeeld op een bloedhete dag in september in een roodfluwelen jurk naast een kerstboom vol brandende kaarsjes te doen alsof ik een pakje openmaakte met een pasgeboren katje erin.

Op voorschrift van Harry zagen de mensen van de kleding er streng op toe dat mijn outfit altijd klopte met mijn nieuwe imago, en strakke truitjes met precies het juiste aantal knoopjes open werden een vast onderdeel van mijn look.

Ik was niet gezegend met een zandloperfiguur. Mijn kont was net een rechte muur. Je kon er schilderijen aan ophangen. Voor aandacht van mannen moest ik het van mijn boezem hebben. En vrouwen waren vooral jaloers op mijn gezicht.

Eigenlijk weet ik niet precies meer wanneer me duidelijk werd wat ik uit moest stralen, maar ergens in die weken vol met fotoshoots drong het tot me door.

Ik werd zo gevormd en gepresenteerd dat ik twee tegenovergestelde dingen vertegenwoordigde, zodat ik als totaalplaatje moeilijk te duiden was, maar wel een breed publiek aansprak. Ik moest zowel naïef als wellustig overkomen, alsof ik te fatsoenlijk was om te snappen wat voor onfatsoenlijke gedachten je over me had.

Dat was natuurlijk je reinste onzin. Maar het was best makkelijk om te doen alsof. Soms denk ik dat het verschil tussen een actrice en een filmster is dat de filmster er geen moeite mee heeft om het beeld dat de wereld van haar heeft in stand te houden. En ik had er geen enkele moeite mee om me voor te doen als onschuldig en uitdagend tegelijk.

Terwijl de foto's werden ontwikkeld sleurde Harry Cameron me mee naar zijn kantoor. Ik wist waar hij het over wilde hebben. Ik wist dat er nog één kinkje in de kabel zat dat moest worden rechtgetrokken.

'Wat vind je van Amelia Dawn? Dat bekt wel lekker, toch?' stelde hij voor. We zaten tegenover elkaar in zijn kantoor, hij achter zijn bureau, ik op de fauteuil.

Ik dacht er even over na. 'Waarom niet iets met de initialen E.H.?' vroeg ik. Ik wilde zo dicht mogelijk bij Evelyn Herrera blijven, de naam die mijn moeder me had gegeven.

'Ellen Hennessey?' Hij schudde zijn hoofd. 'Nee, te duf.'

Ik keek hem aan en gooide de tekst die ik de avond daarvoor al had geoefend eruit alsof hij ter plekke bij me opkwam. 'Wat dacht je van Evelyn Hugo?'

Harry glimlachte. 'Klinkt Frans,' zei hij. 'Ik vind het wel mooi.'

Ik stond op en gaf hem een hand. Mijn blonde haar, waar ik nog steeds niet helemaal aan gewend was, viel voor mijn ogen.

Ik draaide de deurklink al om, maar Harry hield me staande.

'Nog één ding,' zei hij.

'Oké.'

'Ik heb je antwoorden op de vragenlijst doorgenomen.' Hij keek me strak aan. 'Ari is heel blij met de aanpassingen die je hebt gedaan. Hij denkt dat je veel in je mars hebt. Het lijkt de studio een goed idee als je wat afspraakjes hebt, als je in het openbaar met wat jongens als Pete Greer en Brick Thomas gezien wordt. Misschien zelfs wel met Don Adler.'

Don Adler was de populairste acteur die Sunset in huis had. Zijn ouders, Mary en Roger Adler, behoorden tot de grootste filmsterren van de jaren dertig. Hij behoorde tot de Hollywoodelite.

'Gaat dat lukken?' vroeg Harry.

Hij sneed het onderwerp Ernie niet rechtstreeks aan, omdat hij wist dat dat niet nodig was.

'Absoluut,' zei ik. 'Geen enkel probleem.'

Harry knikte. Hij stak me een kaartje toe.

'Geef Benny Morris een belletje. Dat is een discrete advocaat. Hij heeft ervoor gezorgd dat Ruby Reilly's huwelijk met Mac Riggs nietig werd verklaard. Hij regelt het wel voor je.'

Ik ging naar huis en zei tegen Ernie dat ik van hem ging scheiden.

Hij was zes uur lang in tranen, maar midden in de nacht, toen we naast elkaar in bed lagen, zei hij: '*Bien*. Als dat is wat je wilt.'

De studio betaalde hem af en ik liet een brief voor hem achter waarin ik hartgrondig uitte hoe erg ik het vond om van hem te moeten scheiden. Dat was niet waar, maar ik vond dat ik het hem verschuldigd was om ons huwelijk op dezelfde manier af te sluiten als het begonnen was: met geveinsde liefde van mijn kant.

Ik ben er niet trots op hoe ik hem heb behandeld; het ging me helemaal niet makkelijk af om hem pijn te doen. Zelfs nu voel ik me daar nog weleens schuldig over.

Maar ik weet ook hoe dolgraag ik Hell's Kitchen wilde ontvluchten. Ik weet hoe het voelt om voortdurend te hopen dat je vaders blik niet op je blijft rusten, omdat dat maar twee mogelijke gevolgen heeft: óf hij besluit dat hij een hekel aan je heeft en verkoopt je een klap óf hij besluit juist dat hij iets te veel van je houdt. En ik weet ook hoe het voelt om helder voor ogen te hebben wat er voor je in het verschiet ligt – een man die eigenlijk gewoon een kopie is van je vader, met wie je ook seks moet hebben als dat wel het laatste is waar je zin in hebt, en alleen maar crackers en maïs uit blik als avondeten omdat je geen vlees kunt betalen.

Dus ik kan het dat meisje van veertien toch moeilijk kwalijk nemen dat ze alles op alles zette om zich aan dat milieu te ontworstelen? En ik kan het dat meisje van achttien toch evenmin verwijten dat ze zich zodra ze haar kans schoon zag weer uit dat huwelijk losmaakte?

Ernie hertrouwde later met een vrouw die Betty heette en met wie hij acht kinderen kreeg. Volgens mij is hij ergens begin jaren negentig overleden, toen hij een hele schare kleinkinderen had. Hij gebruikte de gouden handdruk die hij van de studio kreeg om een aanbetaling te doen op een huis in Mar Vista, niet ver van het studioterrein van 20th Century Fox. Ik heb nooit meer iets van hem gehoord.

Dus als we uitgaan van het cliché 'eind goed, al goed' kan ik met een gerust hart zeggen dat ik geen spijt van dat huwelijk heb gehad.

'EVELYN,' ZEGT GRACE TERWIJL ZE DE WERKKAMER BINNENSTAPT, 'ik wilde je er even aan herinneren dat je over een uur een eetafspraak hebt staan met Ronnie Beelman.'

'O, dat is waar ook,' zegt Evelyn. 'Dank je wel.' Zodra Grace weer weg is, draait ze zich om naar mij. 'Zullen we morgen verdergaan waar we gebleven waren? Zelfde tijd?'

'Ja, prima,' antwoord ik en ik begin mijn spullen bij elkaar te rapen. Mijn linkerbeen slaapt, dus ik tik er zachtjes mee op de hardhouten vloer om het bloed er weer doorheen te laten stromen.

'Hoe vind je het tot nu toe gaan?' vraagt Evelyn terwijl ze opstaat en met me naar de deur loopt. 'Kun je er een verhaal van breien?'

'Ik kan alles,' zeg ik.

Evelyn moet lachen en zegt: 'Goed zo.'

'Hoe is het ermee?' vraagt mijn moeder zodra ik opneem. Ze zegt 'ermee', maar ik weet dat ze eigen bedoelt 'Hoe is het met je nu David je heeft verlaten?'

'Prima,' zeg ik terwijl ik mijn tas op de bank leg en naar de koelkast loop. Mijn moeder had me al vrij vroeg gewaarschuwd dat David misschien niet de ideale man voor me was. We hadden nog maar een paar maanden iets met elkaar toen ik met Thanksgiving een weekendje met hem bij mijn moeder ging logeren.

Ze vond het fijn dat hij zo beleefd was, dat hij uit zichzelf aanbood om de tafel te dekken en af te ruimen. Maar op de laatste ochtend van ons bezoek, terwijl hij nog sliep, zei mijn moeder dat ze zich afvroeg of David en ik wel op een dieper niveau met elkaar verbonden waren. Ze zei dat zij dat er in ieder geval niet aan af kon zien.

Ik antwoordde dat dat ook nergens voor nodig was. Zolang ik het maar voelde.

Maar haar opmerking bleef toch door mijn hoofd spoken. Soms zat die ergens in mijn achterhoofd, maar soms drong wat ze had gezegd zich luid en duidelijk aan me op.

Toen ik haar iets meer dan een jaar later belde om aan te kondigen dat we verloofd waren, hoopte ik dat mijn moeder vanzelf in de gaten zou krijgen hoe aardig hij was, hoe perfect hij bij me paste. Met hem erbij voelde alles zo gemakkelijk, en dat leek me destijds een ontzettend waardevolle en zeldzame eigenschap. Toch was ik bang dat ze opnieuw haar twijfel zou uiten, dat ze zou zeggen dat het een slecht idee was.

Dat deed ze niet. Sterker nog, ze reageerde alleen maar positief.

Inmiddels vraag ik me af of dat meer was omdat ze het mij zo gunde dan omdat ze er werkelijk achter stond.

'Ik heb eens zitten denken...' begint mijn moeder terwijl ik de koelkast opentrek. 'Of eigenlijk moet ik zeggen dat ik een plannetje heb bedacht.'

Ik pak een fles Pellegrino, het plastic mandje met kerstomaatjes en het waterige bakje met burrata. 'O, nee toch,' zeg ik. 'Wat heb je nou weer gedaan?'

Mijn moeder moet lachen. Ik heb haar lach altijd geweldig gevonden. Hij klinkt heel zorgeloos, heel jong. Mijn eigen lach is maar inconsistent. Soms is hij hard, soms juist pieperig. Op andere momenten klink ik ineens als een bejaarde man. David zei altijd dat mijn bejaardemannenlach op hem het meest oprecht overkwam, omdat geen mens expres zo zou lachen. Ik probeer me voor de geest te halen wanneer die lach voor het laatst heeft geklonken.

'Nog niks,' zegt mijn moeder. 'Het zit nog in de ideefase. Maar ik zat te denken dat ik graag eens bij je langs zou komen.'

Ik zeg nog even niks terwijl ik de voor- en nadelen tegen elkaar af-weeg en kauw op een enorm stuk kaas dat ik zojuist in mijn mond heb gestopt. Nadeel: ze gaat geheid commentaar leveren op elke outfit die ik in haar bijzijn draag. Voordeel: ze gaat ook sowieso haar pastaschotel en kokostaart voor me maken. Nadeel: ze gaat om de drie tellen vragen of het wel goed met me gaat. Voordeel: ik ben in ieder geval een paar dagen niet alleen als ik van mijn werk kom.

Ik slik de kaas door. 'Oké,' zeg ik na de lange stilte. 'Wat een leuk idee. Misschien kunnen we dan wel samen naar een musical gaan.'

'O, wat een pak van mijn hart,' zegt ze. 'Ik heb al een vlucht geboekt.'

'Ma-ham,' kreun ik.

'Wat? Als je nee had gezegd, had ik hem altijd weer kunnen annule-ren. Maar gelukkig vind je het leuk. Fijn, zeg. Ik ben er over een dag of tien. Dat komt toch niet ongelegen?'

Ik wist dat dit ging gebeuren toen mijn moeder vorig jaar minder ging werken. Ze was jarenlang coördinator van de vakgroep natuur- en scheikunde op een particuliere middelbare school, en zodra ze vertel-de dat ze het lesgeven ging terugschroeven naar twee klassen per week, wist ik dat ze haar vrijgekomen tijd en aandacht op iets of iemand an-ders zou moeten richten.

'Nee hoor, dat komt prima uit,' zeg ik terwijl ik de tomaten doormid-den snij en er olijfolie overheen sprenkel.

'Ik wil gewoon zeker weten dat het goed met je gaat,' zegt mijn moe-der. 'Ik wil er voor je zijn. Het is niet goed om...'

'Ik weet het, mama,' onderbreek ik haar. 'Ik weet het. Ik snap het. Dank je wel. Dat je komt. Het wordt vast leuk.'

Leuk is niet per se het goede woord. Maar het wordt vast fijn. Het is een beetje als naar een feestje gaan terwijl je een rotdag hebt gehad. Je hebt er eigenlijk geen zin in, maar je weet dat je beter toch kunt gaan. Je weet dat het goed voor je is om even buiten de deur te zijn, ook al heb je misschien geen topavond.

'Heb je mijn pakketje ontvangen?' vraagt ze.

'Welk pakketje?'

'De doos met foto's van je vader?'

'O, nee,' zeg ik. 'Nog niet.'

Er valt een korte stilte, en dan kan mijn moeder mijn stilzwijgen niet langer aan. 'Jeetjemina, ik wacht al de hele tijd tot je erover begint, maar nu hou ik het niet meer uit, hoor. Hoe gaat het met Evelyn Hugo?' vraagt ze. 'Ik brand van nieuwsgierigheid en jij maakt totaal geen aanstalten om er iets over te vertellen!'

Ik schenk een glas Pellegrino in en vertel dat Evelyn het voor elkaar krijgt om zowel een open als een gesloten boek te zijn. En dan vertel ik dat het geen interview voor *Vivant* gaat worden. Dat ze wil dat ik haar verhaal in een boek verwerk.

'Dat snap ik even niet,' zegt mijn moeder. 'Wil ze dat je een biografie over haar schrijft?'

'Ja,' antwoord ik. 'En hoe geweldig dat ook is, er zit ook een beetje een vreemde bijsmaak aan. Volgens mij is het nooit haar insteek geweest om iets voor *Vivant* te doen. Volgens mij wil ze...' Ik maak mijn zin niet af omdat ik niet precies weet wat ik probeer te zeggen.

'Wat wil ze?'

Ik denk er nog eens over na. 'Volgens mij gebruikt ze *Vivant* om iets van mij gedaan te krijgen. Ik weet het ook niet precies. Maar Evelyn is nogal een berekenend type. Ze voert iets in haar schild.'

'Nou, het verbaast me niks dat ze met jou wil werken. Je bent getalenteerd. Je bent slim...'

Onwillekeurig rol ik met mijn ogen om mijn moeders voorspelbare reactie, maar ik vind het ook fijn om te horen. 'Ja, dat weet ik wel, mama. Maar er zit meer achter. Daar ben ik van overtuigd.'

'Dat klinkt onheilspellend.'

'Een beetje wel, ja.'

'Moet ik me zorgen maken?' vraagt mijn moeder. 'Beter gezegd: maak jij je er zorgen over?'

Dat had ik me eigenlijk nog niet eens zo nadrukkelijk afgevraagd, maar ik geloof van niet. 'Ik geloof dat ik het te intrigerend vind om me echt zorgen te maken,' zeg ik.

'Nou, zolang je de sappigste roddels maar voor je moeder bewaart. Ik heb een bevalling van tweeëntwintig uur moeten doorstaan om jou ter wereld te brengen. Dus ik heb er recht op.'

Ik moet lachen, en het klinkt ergens in de verte wel een beetje als een bejaarde man. 'Goed dan,' zeg ik. 'Beloofd.'

'Goed,' zegt Evelyn. 'Zijn we er klaar voor?'

Ze zit weer op haar plek. Ik ben weer achter het bureau gaan zitten. Grace heeft een dienblad voor ons neergezet met bosbessenmuffins, twee witte mokken, een pot koffie en een roestvrijstalen kannetje met room. Ik sta op, schenk mezelf een kop koffie in, doe er room bij, loop terug naar het bureau, druk op de opnameknop en zeg: 'Ja, wat mij betreft wel. Ga je gang. Wat gebeurde er toen?'

Don Adler, de klerelijer

LITTLE WOMEN BLEEK SLECHTS EEN LOKKERTJE TE ZIJN. WANT ZO-
dra ik was geïntroduceerd als 'Evelyn Hugo, het jonge blondje' had Sunset allerlei andere films voor me in gedachten. Domme, sentimentele
comedy's en zo.

Ik ging er om twee redenen mee akkoord. Ten eerste omdat ik wel
moest; ik had immers de touwtjes niet in handen. En ten tweede omdat
ik wel degelijk furore maakte. In moordend tempo.

De eerste film waarin ze me een grote rol gaven was *Father and
Daughter*. Die namen we in 1956 op. Ed Baker speelde mijn vader, een
weduwnaar, die op hetzelfde moment als ik verliefd werd. Hij op zijn
secretaresse, ik op zijn stagiair.

In die periode drong Harry er sterk op aan dat ik een paar keer uit zou
gaan met Brick Thomas.

Brick was een voormalig kindster en publiekslieveling die serieus leek
te geloven dat hij de verlosser was. Als je naast hem stond bekroop je het
gevoel dat je elk moment overspoeld kon worden door zijn gigantische
eigendunk.

Op een vrijdagavond ontmoetten Brick en ik elkaar, in bijzijn van
Harry en Gwendolyn Peters, een paar straten van restaurant Chasen vandaan. Gwen trok me een jurk, panty en hoge hakken aan. Ze stak mijn
haar op. Brick kwam aanzetten in een T-shirt en een tuinbroek, en Gwen

kleedde hem in een mooi pak. Vervolgens reden we met Harry's spik-splinternieuwe donkerrode Cadillac Biarritz de laatste paar honderd meter naar de entree van het restaurant.

Brick en ik werden al op de foto gezet voor we goed en wel waren uitgestapt. We werden naar een rond tafeltje gebracht en kropen dicht tegen elkaar aan. Ik bestelde een Shirley Temple.

'Hoe oud ben je eigenlijk, snoes?' vroeg Brick.

'Achttien,' zei ik.

'Dan had je vroeger vast mijn foto aan de muur hangen, hè?'

Ik had het liefst mijn drankje recht in zijn gezicht gesmeten. Maar ik hield me in, zette mijn beleefdste glimlach op en zei: 'Hoe raad je het zo?'

Terwijl we zaten te eten bleven de fotografen vrolijk doorklikken. We deden alsof we het niet in de gaten hadden, alsof we om elkaar in een deuk lagen, arm in arm.

Een uur later waren we terug bij Harry en Gwendolyn en trokken we onze gewone kleren weer aan.

Vlak voor Brick en ik afscheid van elkaar namen, draaide hij zich met een glimlach naar me om en zei: 'Er zullen morgen wel een hoop geruchten over ons de ronde doen.'

'Vast wel, ja.'

'Zeg het maar als je wilt dat ze uitkomen.'

Ik had mijn mond moeten houden. Ik had gewoon lief moeten lachen. Maar nee hoor, ik zei: 'In je dromen.'

Brick keek me aan, grinnikte en stak zijn hand op ten afscheid, alsof ik hem helemaal niet beledigd had.

'Wat een ongelooflijke kwal,' zei ik. Harry hield het portier voor me open en wachtte tot ik was ingestapt.

'Die kwal levert ons wel bakken met geld op,' zei hij terwijl ik ging zitten.

Harry kroop achter het stuur en draaide het contact om, maar hij reed nog niet weg. Hij keek me indringend aan. 'Van mij hoef je echt niet de hele tijd rond te hangen met acteurs die je niet aardig vindt,' zei hij. 'Maar als er eentje bij zit die je wél mag, zou het goed zijn voor je imago als het verder gaat dan een paar fotomomentjes in restaurants. De studio zou er blij mee zijn. En de fans ook.'

Naïef genoeg had ik gedacht dat ik niet meer hoefde te doen alsof ik blij werd van alle mannelijke aandacht die ik kreeg. 'Oké,' zei ik ietwat nukkig. 'Ik zal mijn best doen.'

En hoewel ik wist dat het goed was voor mijn carrière, lachte ik tijdens mijn afspraakjes met Pete Greer en Bobby Donovan toch als een boer met kiespijn.

Maar toen regelde Harry een date voor me met Don Adler en vergat ik waarom zijn idee me ooit had tegengestaan.

Don Adler nodigde me uit om naar Mocambo te gaan, met stip de populairste club van de stad, en kwam me thuis ophalen.

Toen ik de deur opendeed, stond hij daar in een mooi pak met een bos lelies in zijn hand. Omdat ik hoge hakken aanhad was hij maar een paar centimeter langer dan ik. Hij had lichtbruin haar, groenbruine ogen, een strakke kaaklijn en een lach die meteen aanstekelijk werkte. Het was de glimlach waar zijn moeder beroemd mee was geworden, maar dan op een nog knapper gezicht.

'Voor jou,' zei hij ietwat verlegen.

'Wow,' zei ik terwijl ik het boeket van hem aanpakte. 'Ze zijn prachtig. Kom binnen, kom binnen. Dan zet ik ze even in het water.'

Ik had een saffierblauw cocktailjurkje aan met een boothals, en mijn haar zat in een knot. Ik pakte een vaas uit het gootsteenkastje en draaide de kraan open.

'Dit had je niet hoeven doen, hoor,' zei ik terwijl Don ook de keuken in kwam.

'Ach,' zei hij, 'ik wilde het graag. Ik probeer Harry al een hele tijd over te halen om een afspraakje voor ons te regelen. Dus dit was het minste wat ik kon doen om mijn waardering te uiten.'

Ik zette de bloemen op het aanrecht. 'Zullen we dan maar?'

Don knikte en pakte mijn hand vast.

'Ik heb *Father and Daughter* gezien,' zei hij terwijl we in zijn cabriolenaar de Sunset Strip reden.

'O ja?'

'Zeker, Ari heeft me de eerste versie al laten zien. Hij denkt dat het een groot succes gaat worden. Dat jíj een groot succes gaat worden.'

'En wat vond je ervan?'

We moesten blijven staan voor een rood stoplicht op Highland Avenue. Don keek me van opzij aan. 'Ik vind jou de mooiste vrouw die ik ooit heb gezien.'

'O, hou toch op,' zei ik. Onwillekeurig moest ik ervan giechelen, blozen zelfs.

'Echt waar. En ook nog eens heel getalenteerd. Aan het einde van de film keek ik Ari recht in zijn ogen en zei ik: "Dat is een meisje voor mij."'

'Dat verzin je,' zei ik.

Don stak zijn hand in de lucht. 'Op mijn erewoord.'

Er was geen enkele reden waarom een man als Don Adler een andere uitwerking op me zou hebben dan elke willekeurige andere man op aarde. Hij was niet knapper dan Brick Thomas, niet vuriger dan Ernie Diaz en hij zou sowieso goed zijn voor mijn naamsbekendheid, of ik nou verliefd op hem werd of niet. Maar dit soort dingen is vaak gewoon niet uit te leggen. Achteraf gezien denk ik dat het aan zijn feromonen te wijten was.

En aan het feit dat Don Adler me behandelde alsof ik ook een mens was, in eerste instantie althans. Je hebt mensen die als ze een mooie bloem zien er meteen op af rennen om hem te plukken. Ze willen hem vasthouden, ze willen dat hij van hen is. Ze eigenen zich de schoonheid van de bloem toe, zodat ze er de baas over kunnen spelen. Don was niet zo. Althans, in het begin nog niet. Don nam er genoegen mee om bij de bloem in de buurt te zijn, ernaar te kijken en gewoon te genieten van het feit dat ze er was.

Het punt was, als je met zo iemand trouwde – met een man als Don Adler – dan was dat zeker in die tijd een teken dat de schoonheid die hij tot dusver alleen van een afstandje had mogen bewonderen vanaf dat moment aan hem toebehoorde.

Don en ik zetten tot diep in de nacht de bloemetjes buiten in club

Mocambo. Dat was me een vertoning, joh. Buiten stond een enorme rij mensen op elkaar gepakt om naar binnen te mogen. Binnen was het een soort showbizzspeeltuin. Beroemdheden aan alle tafels, hoge plafonds, de geweldigste optredens en overal vogels. Echte, levende vogels in glazen kooien.

Don stelde me voor aan een paar acteurs van MGM en Warner Brothers. Ik ontmoette Bonnie Lakeland, die zich kort daarvoor had losgemaakt van zijn studio en met *Money, Honey* zijn grote doorbraak had beleefd. Ik hoorde meerdere keren dat Don de kroonprins van Hollywood werd genoemd en vond het zowaar aantrekkelijk toen hij zich na de derde keer naar me omdraaide en fluisterde: 'Ze onderschatten me. Een dezer dagen ben ik de koning.'

Don en ik dansten door tot diep in de nacht, tot onze voeten er pijn van deden. Steeds als er een nummer afliep, maakten we aanstalten om even te gaan zitten, maar zodra het volgende begon, waren we toch niet van de dansvloer af te slaan.

Hij bracht me thuis, en op dat late uur was het stil op straat en brandde er nauwelijks licht in de stad. Toen we bij mijn appartement aankwamen, liep hij met me mee naar de deur. Hij vroeg niet of hij binnen mocht komen. Hij vroeg alleen maar: 'Wanneer zien we elkaar weer?'

'Bel Harry maar voor een afspraak,' zei ik.

Don legde zijn hand tegen de deur. 'Nee,' zei hij, 'ik bedoel echt. Jij en ik.'

'En de camera's dan?'

'Als jij die erbij wilt hebben, prima,' zei hij. 'Maar als je het liever zonder doet, dan ik ook.' Hij lachte lief en flirterig tegelijk.

Ik moest lachen. 'Goed dan,' zei ik. 'Komt volgende week vrijdag je uit?'

Daar moest Don even over nadenken. 'Mag ik open kaart met je spelen?'

'Als je dat nodig vindt.'

'Volgende week vrijdag heeft de studio een afspraakje met Natalie Ember voor me gepland in de Trocadero.'

'O.'

'Dat heb ik aan mijn naam te danken. Aan het feit dat ik Adler heet. Sunset probeert daar zo handig mogelijk een slaatje uit te slaan.'

Ik schudde mijn hoofd. 'Volgens mij komt het niet alleen door je naam,' zei ik. 'Ik heb *Brothers in Arms* gezien. Je bent een geweldige acteur. De hele zaal smulde van je.'

Don keek me verlegen aan en glimlachte. 'Denk je dat echt?'

Ik giechelde. Hij wist natuurlijk best dat het waar was; hij hoorde het me gewoon graag zeggen.

'Ik ga het er echt niet nog dikker bovenop leggen, hoor.'

'Je zou mij er wel een heel groot plezier mee doen.'

'Oké, genoeg,' zei ik. 'Ik heb gezegd wanneer ik beschikbaar ben. Doe er maar mee wat je wilt.'

Hij rechtte zijn rug, alsof ik hem een bevel had gegeven.

'Goed, dan zeg ik Natalie wel af. Ik pik je vrijdag om zeven uur op.'

Ik glimlachte en knikte. 'Welterusten, Don,' zei ik.

'Welterusten, Evelyn,' antwoordde hij.

Ik stond op het punt om de deur dicht te doen, maar hij stak zijn hand op om me tegen te houden.

'Heb je een leuke avond gehad?' vroeg hij.

Ik aarzelde even over wat ik zou zeggen, hoe ik het moest verwoorden. En toen, in mijn enthousiasme dat ik me voor het eerst tot iemand aangetrokken voelde, flapte ik eruit: 'Het was een van de leukste avonden van mijn leven.'

Don lachte. 'Voor mij ook.'

De volgende dag stond er een foto van ons in het roddelblad *Sub Rosa*, met als onderschrift: 'Wat zijn Don Adler en Evelyn Hugo een enig stel!'

FATHER AND DAUGHTER WERD EEN KASKRAKER. EN OM TE BEVES-
tigen hoe blij ze waren dat ik me dit nieuwe imago had aangemeten,
kondigde Sunset me aan het begin van de film officieel aan: *Introducing
Evelyn Hugo*. Dat was de eerste en meteen ook laatste keer dat mijn naam
pas ná de titel van de film in beeld kwam.

Bij de première moest ik aan mijn moeder denken. Ik wist dat ze zou
hebben gestraald als ze erbij had kunnen zijn. *Het is me gelukt*, had ik
tegen haar willen zeggen. *We zijn allebei ontsnapt.*

Toen de film een succes bleek, ging ik ervan uit dat Sunset groen licht
zou geven voor *Little Women*. Maar Ari wilde Ed Baker en mij zo snel mogelijk samen casten in een volgend project. In die tijd deed men nog niet
aan vervolgfilms, maar maakten we eigenlijk gewoon dezelfde film opnieuw met een andere titel en een net iets ander plot.

Dus begonnen we met de opnames voor *Next Door*. Ed speelde mijn
oom, die me na de dood van mijn ouders in huis had genomen. We raakten allebei algauw verzeild in liefdesperikelen met de buren, een weduwe en haar zoon.

Don was op hetzelfde moment ook op het studioterrein bezig met
een thriller, en hij kwam elke dag bij me langs tijdens zijn lunchpauze.

Voor het eerst van mijn leven was ik tot over mijn oren verliefd.

Als ik hem zag was mijn dag meteen goed, en ik kon het niet laten om hem steeds terloops aan te raken. Als hij niet in de buurt was, praatte ik aan één stuk door over hem.

Harry werd er horendol van.

'Ev, lieverd, ik meen het,' zei Harry op een middag toen we op zijn kantoor zaten te borrelen. 'Ik word knettergek van dat eindeloze geleuter over Don Adler.' Ik ging in die tijd bijna dagelijks bij Harry langs, gewoon om even te vragen hoe het ging. Dat deed ik zogenaamd uit zakelijke overwegingen, maar zelfs toen besefte ik al dat hij zo'n beetje de enige vriend was die ik had.

Natuurlijk kon ik ook wel opschieten met een paar andere actrices van Sunset. Met name Ruby Reilly mocht ik graag. Ze was lang en slank, met een sprankelende lach en een onverschillige uitstraling. Ze nam nooit een blad voor de mond, maar wond ook met het grootste gemak iedereen om haar vinger.

Af en toe gingen Ruby en ik met nog een paar meiden van de studio lunchen en roddelden we naar hartenlust over van alles en nog wat, maar als ik eerlijk ben had ik ze stuk voor stuk voor de trein geduwd als me dat een rol had opgeleverd. En volgens mij gold dat andersom ook voor hen.

Als je iemand niet kunt vertrouwen, bouw je nooit een intieme band met diegene op. En wij zouden wel gek zijn geweest als we elkaar hadden vertrouwd.

Maar met Harry was het anders.

Harry en ik hadden hetzelfde doel. Wij wilden dat Evelyn Hugo een begrip zou worden in de filmwereld. Bovendien mochten we elkaar gewoon graag.

'Óf we hebben het over Don, óf over wanneer je *Little Women* nou eens gaat doorzetten,' zei ik plagerig.

Harry moest lachen. 'Daar ga ik niet over. Dat weet je best.'

'Maar waarom stelt Ari het steeds uit?'

'*Little Women* moet je op dit moment helemaal niet willen,' zei Harry. 'Als ik jou was zou ik het nog een paar maanden geven.'

'Maar ik wil het wél.'

Harry schudde zijn hoofd en stond op om nog een glas whisky in te schenken. Hij bood me geen tweede martini aan, en ik wist dat dat was omdat hij vond dat ik eigenlijk überhaupt van de drank af moest blijven.

'Je kunt echt een grote ster worden,' zei Harry. 'Daar is iedereen het over eens. Als Next Door het net zo goed doet als Father and Daughter en je nog een tijdje zo door blijft gaan met Don, dan word je wereldberoemd.'

'Dat weet ik,' zei ik. 'Daar heb ik ook alle vertrouwen in.'

'We moeten het zo zien te plooien dat Little Women uitkomt op het moment dat de mensen denken dat je maar één ding kunt.'

'Hoe bedoel je?'

'Father and Daughter was je eerste grote succes. De mensen weten dat je grappig kunt zijn en dat je om op te vreten bent. Ze weten al dat ze je leuk vinden in die rol.'

'Oké...'

'En nu doe je hetzelfde nog een keer. Daarmee laat je zien dat je het kunstje nog een keer kunt doen, dat het geen toevalstreffer was.'

'Aha.'

'En hierna doe je misschien eens een film met Don. De foto's van jullie samen in de Ciro of de Trocadero zijn immers niet aan te slepen.'

'Maar...'

'Laat me even uitpraten. Je maakt een film met Don. Een romantische komedie of zoiets. Iets waardoor alle meisjes jou willen zijn en alle jongens met jou willen gaan.'

'Best.'

'En net als iedereen dan denkt dat ze je kennen, dat ze Evelyn Hugo "doorhebben", dan speel je Jo. Je blaast iedereen van de sokken. Dan denkt het publiek ineens: ik wist wel dat zij bijzonder was.'

'Maar waarom kan ik Little Women niet gewoon nu doen? Zodat ze dat nu meteen gaan denken?'

Harry schudde zijn hoofd. 'Omdat je ze de tijd moet geven om in je te investeren. Je moet ze de tijd geven om je te leren kennen.'

'Je bedoelt dus eigenlijk dat ik voorspelbaar moet zijn.'

'Ik bedoel dat je eerst voorspelbaar moet lijken en dan onvoorspelbaar uit de hoek moet komen. Dan liggen ze aan je voeten.'

Ik liet goed op me inwerken wat hij zei. 'Dit is gewoon een producentensmoesje,' zei ik even later.

Harry moest lachen. 'Moet je luisteren, Ari heeft het zo bedacht. Of je het er nu mee eens bent of niet. Hij wil je eerst nog in een paar andere films hebben voor je *Little Women* mag doen. Maar uiteindelijk krijg je die kans echt wel.'

'Goed dan,' zei ik. Er zat ook niet veel anders op, eigenlijk. Mijn contract bij Sunset liep nog drie jaar door. Als ik te moeilijk deed, konden de studiobazen me elk gewenst moment laten vallen. Ze konden me aan andere studio's uitlenen, me dwingen om bepaalde klussen aan te nemen, me met onbetaald verlof sturen, noem maar op. Ze konden met me doen wat ze wilden. Ik was van hen.

'Waar jij nu voor moet zorgen is dat het echt iets wordt met Don,' zei Harry. 'Daar hebben jullie allebei wat aan.'

Ik moest lachen. 'O, dus nu wil je het ineens wél over Don hebben.'

Harry glimlachte. 'Ik heb geen zin om de hele tijd te moeten aanhoren dat hij zo'n lekker ding is. Dat komt me mijn neus uit. Ik wil weten of jullie bereid zouden zijn om de volgende stap te zetten.'

Don en ik waren regelmatig samen in de stad gesignaleerd en op alle hotspots van Hollywood op de foto gezet. We waren uit eten geweest bij Dan Tana, gaan lunchen bij de Vine Street Derby en hadden getennist bij de Beverly Hills Tennis Club. En we wisten donders goed waar al dat openbare vertoon goed voor was.

Ik moest zorgen dat ik in één adem met Don genoemd werd, en Don moest de indruk wekken dat hij deel uitmaakte van het nieuwe Hollywood. Foto's van ons op dubbeldate met andere sterrenkoppels waren een goede manier om zijn imago als man van de wereld te verstevigen.

Maar onderling hadden wij het daar nooit over. Want we vonden het gewoon oprecht leuk om tijd met elkaar door te brengen. Dat dat onze carrières ten goede kwam was een leuke bijkomstigheid.

Op de avond dat zijn film *Big Trouble* in première ging, kwam Don me ophalen, strak in het pak en met een doosje van Tiffany in zijn hand.

'Wat is dat nou?' vroeg ik. Ik droeg een jurk van Christian Dior met zwarte en paarse bloemen.

'Maak maar open,' zei Don met een grijns.

In het doosje zat een reusachtige platina ring met diamanten. Aan de zijkanten was hij gevlochten en in het midden zat een vierkant geslepen edelsteen.

Ik hapte naar adem. 'Ga je...'

Ik wist dat het eraan zat te komen, alleen al omdat Don zo graag met me naar bed wilde dat hij bijna barstte. Ondanks zijn weinig subtiele avances had ik het steeds afgehouden. Maar dat werd steeds lastiger. Hoe vaker we in donkere hoekjes stonden te zoenen, hoe vaker we met zijn tweetjes achter in een limousine zaten, hoe moeilijker het werd om hem af te wijzen.

Ik had me nog nooit zo fysiek tot iemand aangetrokken gevoeld. Ik had er nooit eerder naar gehunkerd om door iemand aangeraakt te worden – tot Don in beeld kwam. Als ik naast hem zat, werd ik soms ineens overvallen door een wanhopig verlangen om zijn vingers op mijn blote huid te voelen.

En het leek me heerlijk om met iemand de liefde te bedrijven. Ik had al wel seks gehad, maar ik had er nooit veel aan gevonden. Met Don wilde ik écht vrijen. Ik was verliefd op hem. En ik wilde het met hem helemaal doen zoals het hoorde.

En daar kwam het dan. Een huwelijksaanzoek.

Ik stak mijn hand uit naar de ring, om te voelen of hij wel echt was. Don klapte snel het doosje dicht. 'Dit is geen aanzoek, hoor,' zei hij.

'Hè?' Ik voelde me een dom schaap. Ik had mezelf veel te wilde dromen toegestaan. Moest je mij nou zien, Evelyn Herrera: ik paradeerde door Hollywood onder de naam Evelyn Hugo en had mezelf ook nog eens wijsgemaakt dat een filmster met mij zou willen trouwen.

'Nog niet, in ieder geval.'

Ik deed mijn best om niet te laten doorschemeren hoe teleurgesteld ik was. 'Wat jij wil,' zei ik, hem de rug toekerend om mijn handtas te gaan pakken.

'Hé, niet zo zuur doen,' zei Don.

'Ik doe helemaal niet zuur,' zei ik. We stapten mijn appartement uit en ik deed de deur achter me dicht.

'Ik doe het vanavond.' Hij zei het nadrukkelijk, bijna verontschuldigend. 'Op de première. Waar iedereen bij is.'

Ik ontdooide.

'Ik wilde gewoon zeker weten... Ik wilde gewoon even...' Don pakte mijn hand vast en ging op één knie zitten. Hij haalde de ring niet opnieuw tevoorschijn. Hij keek alleen indringend naar me op. 'Zeg je wel ja?'

'Laten we gaan,' zei ik. 'Je kunt niet te laat bij je eigen film verschijnen.'

'Zeg je ja? Meer hoef ik niet te weten.'

Ik keek hem diep in de ogen en zei: 'Ja, natuurlijk, mafkees. Ik ben gek op je.'

Hij sloeg zijn armen om me heen en zoende me. Het deed een beetje pijn, want hij knalde met zijn tanden tegen mijn onderlip.

Ik ging trouwen. Met iemand waar ik verliefd op was, deze keer. Met iemand voor wie ik voelde wat ik voor de camera moest spelen.

Dat treurige flatje in Hell's Kitchen leek wel de andere kant van de wereld.

Een uur later, omringd door een zee van fotografen en journalisten, knielde Don Adler op de rode loper voor me neer. 'Evelyn Hugo, wil je met me trouwen?'

Met tranen in mijn ogen knikte ik. Hij stond op en schoof de ring om mijn vinger. Toen tilde hij me op en zwierde hij me door de lucht.

Toen Don me weer op de grond zette, zag ik dat Harry Cameron bij de ingang van de bioscoop voor ons stond te klappen. Hij knipoogde naar me.

Sub Rosa

4-3-1957

DON EN EV FOREV!

We hebben een primeur, lieve lezers: het meest blitse stel van heel Hollywood, Don Adler en Evelyn Hugo, stapt binnenkort in het huwelijksbootje!

De meest begeerde vrijgezel ter wereld heeft zijn oog laten vallen op de sprankelende ster in de dop. Het stel is al regelmatig samen gesignaleerd en leek het dan altijd bijzonder gezellig te hebben samen, en nu hebben ze besloten om hun liefde te bezegelen.

Het gerucht gaat dat Mary en Roger Adler, Dons trotse ouders, dolblij zijn met Evelyn als aanstaande schoondochter.

Dit gaat ongetwijfeld de boeken in als de happening van het jaar. De enige telg uit zo'n beroemd gezin met zo'n bloedmooi bruidje – daar smullen we natuurlijk van!

HET WAS EEN ONVERGETELIJKE BRUILOFT. DRIEHONDERD GASTEN, met Mary en Roger Adler als gastvrouw en -heer. Ruby was mijn bruidsmeisje. Ik droeg een hoogsluitende bruidsjurk van tafzijde, bedekt met fijn kant, lange mouwen en een wijde kanten rok. Het ontwerp was van Vivian Worley, hoofd van de kostuumafdeling van Sunset. Gwendolyn stak mijn haar op in een eenvoudig maar onberispelijk knotje, waar ze mijn tule sluier aan vastspeldde. Wij hadden weinig met de voorbereidingen voor de bruiloft te maken; Mary en Roger regelden het grootste deel en de rest nam Sunset voor zijn rekening.

Don stond onder vrij veel druk van zijn ouders. Zelfs toen was me al duidelijk dat hij niet kon wachten om uit hun schaduw te stappen en nog beroemder te worden dan zij. Het idee dat beroemd zijn het ultieme streven was, was er bij Don met de paplepel ingegoten, en ik vond het geweldig dat hij vast van plan was om zich zo geliefd te maken dat hij automatisch alle aandacht op zou eisen, waar hij ook kwam.

En al hadden we weinig over onze eigen bruiloft te zeggen, we beschouwden onze liefde voor elkaar als iets heiligs. Toen Don en ik elkaar diep in de ogen keken en elkaars handen vasthielden terwijl we elkaar in het Beverly Hills Hotel het jawoord gaven, voelde het alsof alleen wij tweeën daar stonden, ook al zat half Hollywood toe te kijken.

Later op de avond, nadat de kerkklokken geluid waren en we officieel tot man en vrouw waren verklaard, nam Harry me even apart. Hij vroeg hoe het met me ging.

'Ik ben momenteel de beroemdste bruid op aarde,' zei ik. 'Het gaat top!'

Harry moest lachen. 'Word je wel gelukkig?' vroeg hij. 'Met Don? Denk je dat hij goed voor je zal zorgen?'

'Ik weet het wel zeker.'

Ik was er met hart en ziel van overtuigd dat ik iemand had gevonden die me zag zoals ik was, of in ieder geval zoals ik me voordeed. Ik was nog maar negentien, maar ik dacht met Don een lang en gelukkig leven tegemoet te gaan.

Harry sloeg zijn arm om me heen en zei: 'Ik ben blij voor je, meid.'

Ik pakte zijn hand vast voor hij die weer weg kon trekken. Ik had twee glaasjes champagne gedronken en voelde me lekker ongeremd. 'Waarom heb jij eigenlijk nooit iets bij me geprobeerd?' vroeg ik. 'We kennen elkaar nu al een paar jaar. Nog geen kusje op mijn wang.'

'Ik geef je met alle liefde een kusje op je wang, hoor,' zei Harry met een grijns.

'Dat bedoel ik niet, en dat weet je best.'

'Had je dat gewild?' vroeg hij.

Ik voelde me niet aangetrokken tot Harry Cameron. Ook al was het ontegenzeggelijk een aantrekkelijke man. 'Nee,' zei ik. 'Ik geloof het niet.'

'Maar je wou dat ík het had gewild?'

Ik glimlachte. 'En wat dan nog? Is daar iets mis mee? Ik ben actrice, Harry. Knoop dat goed in je oren.'

Harry moest lachen. 'Het staat zo'n beetje op je voorhoofd geschreven, dus dat vergeet ik echt niet.'

'Maar waarom dan niet, Harry? Wat zit er echt achter?'

Harry nam een slok whisky en trok zijn arm terug. 'Dat is moeilijk uit te leggen.'

'Probeer het maar eens.'

'Je bent nog hartstikke jong.'

Dat wuifde ik weg. 'De meeste mannen lijken daar geen enkele moeite mee te hebben. Zelfs mijn man is zeven jaar ouder dan ik.'

Ik speurde de zaal af en zag Don op de dansvloer heen en weer wiegen met zijn moeder. Mary was in de vijftig, maar nog altijd even mooi. Ze was beroemd geworden in de tijd van de stomme film en was na een paar geluidsfilms gestopt met acteren. Het was een lange, intimiderende vrouw, met een gezicht dat vooral markant was.

Harry nam nog een slok whisky en zette toen zijn glas neer. Hij keek bedenkelijk. 'Het is nogal een lang en ingewikkeld verhaal. Maar laten we het erop houden dat je gewoon niet mijn type bent.'

Door de manier waarop hij dat zei, snapte ik de onderliggende boodschap. Harry viel niet op meisjes zoals ik. Hij viel überhaupt niet op meisjes.

'Je bent mijn allerbeste vriend, Harry,' zei ik. 'Dat weet je toch?'

Hij glimlachte. Ik kreeg de indruk dat dat enerzijds was omdat hij zich gevleid voelde, maar ook omdat hij opgelucht was. Hij had me, weliswaar in vage bewoordingen, iets belangrijks toevertrouwd. En ik had, zij het op een indirecte manier, laten blijken dat ik hem accepteerde zoals hij was.

'Echt waar?' vroeg hij.

Ik knikte.

'Nou, dat is dan wederzijds.'

Ik hief mijn glas op hem. 'Beste vrienden hebben geen geheimen voor elkaar,' zei ik.

Hij grijnsde en hief zijn glas ook. 'Daar geloof ik geen snars van,' zei hij plagerig.

Don kwam aangelopen en brak in ons gesprek in. 'Cameron, vind je het heel erg als ik mijn bruid even steel om met haar te dansen?'

Harry stak zijn handen omhoog alsof hij zich overgaf. 'Ze is helemaal van jou.'

'Dat is ze zeker.'

Hand in hand liepen Don en ik naar de dansvloer, waar hij me vrolijk rond liet zwieren. Hij keek me diep in de ogen. Hij keek me echt aan, tot diep in mijn ziel.

'Hou je van me, Evelyn Hugo?' vroeg hij.

'Meer dan van wat dan ook ter wereld. Jij ook van mij, Don Adler?'

'Ik hou van je ogen, je tieten en je acteertalent. Ik vind het waanzinnig dat je een kont hebt die zo plat is als een strijkplank. Er is niks aan jou waar ik niet gek op ben. Dus dat ik van je hou is nogal zacht uitgedrukt.'

Ik moest lachen en gaf hem een zoen. Het was stampvol om ons heen. Dons vader, Roger, stond in een hoek een sigaar te roken met Ari Sullivan. Het voelde alsof ik lichtjaren verwijderd was van mijn vroegere leventje, van mijn vroegere zelf, het meisje dat Ernie Diaz nodig had gehad om haar dromen te verwezenlijken.

Don trok me dichter tegen zich aan, legde zijn mond tegen mijn oor en fluisterde: 'Jij en ik. Wij gaan deze stad op zijn kop zetten.'

We waren twee maanden getrouwd toen hij me voor het eerst sloeg.

ZES WEKEN NA DE BRUILOFT SPEELDEN DON EN IK SAMEN IN EEN dramafilm die op locatie in Mexico werd opgenomen, in Puerto Vallarta. Hij heette *One More Day* en ging over Diane, een rijkeluiskind dat met haar ouders de zomer in hun vakantiehuis doorbrengt, en Frank, een jongen uit de buurt die verliefd op haar wordt. Uiteraard is hun relatie gedoemd te mislukken, omdat haar ouders hem afkeuren.

De eerste weken van mijn huwelijk met Don waren nagenoeg perfect. We hadden een huis in Beverly Hills gekocht en ingericht met veel marmer en linnen. We organiseerden bijna elk weekend feestjes aan ons zwembad en goten ons van halverwege de middag tot diep in de nacht vol met champagne en cocktails.

Don was echt een koning in bed. Hij had een zelfvertrouwen en kracht alsof hij een heel leger aanvoerde. Ik smolt onder hem weg. Als hij het op het juiste moment vroeg, had ik alles voor hem over.

Hij had een knop in me omgezet, waardoor ik van een vrouw die seks als een hulpmiddel zag veranderde in een vrouw die begreep dat het een levensbehoefte is. Hij vervulde die behoefte. Ik snakte naar iemand die echt naar me keek. Zijn blik wekte me tot leven. Vanaf het moment dat ik met Don trouwde, leerde ik een andere kant van mezelf kennen, een kant die ik nog helemaal moest ontdekken. Een kant die me wel aanstond.

Toen we in Puerto Vallarta aankwamen, vierden we voorafgaand aan onze draaidagen nog een paar dagen vakantie in de stad. We gingen met een huurbootje het water op. We zwommen in de oceaan. We hadden seks op het strand.

Maar zodra we begonnen met draaien en de dagelijkse Hollywoodbeslommeringen in onze wittebroodsbubbel doordrongen, merkte ik dat we op een keerpunt kwamen.

Dons vorige film, *The Gun at Point Dume*, trok maar weinig publiek. Het was zijn eerste western, de eerste keer dat hij een actieheld speelde. In *PhotoMoment* was net een recensie verschenen waarin stond: 'Don Adler haalt het niet bij John Wayne.' In *Hollywood Digest* stond: 'Adler met een pistool is geen gezicht.' Ik kon zien dat het hem dwarszat en hem onzeker maakte. Het was van cruciaal belang voor zijn toekomstvisie dat hij een reputatie als stoere actieheld opbouwde. Zijn vader had hoofdzakelijk de aangever gespeeld in komische films, een grappenmaker. Don wilde bewijzen dat hij een cowboy was.

Het hielp niet dat ik vlak daarvoor de Audience Appreciation Award voor grootste aanstormend talent had gewonnen.

Op de dag dat we het dramatische afscheid opnamen, waarbij Diane en Frank elkaar voor de allerlaatste keer kussen op het strand, werden Don en ik wakker in onze gehuurde bungalow en droeg hij me op om ontbijt voor hem klaar te maken. Hij vroeg het niet, hè, hij droeg het me op. Het was ronduit een bevel. Ik sloeg geen acht op zijn toon en belde de werkster.

De werkster was een Mexicaanse vrouw die Maria heette. Toen we net waren aangekomen, twijfelde ik of ik Spaans met de plaatselijke bevolking moest spreken. Maar zonder er bewust een keuze in te maken, ging ik als vanzelf heel traag, overdreven gearticuleerd Engels tegen iedereen praten.

'Maria, zou je een ontbijtje voor Mr Adler willen klaarmaken?' zei ik in de hoorn, en toen wendde ik me tot Don en vroeg: 'Waar heb je zin in? Koffie en een eitje?'

In Los Angeles maakte onze werkster Paula elke dag zijn ontbijt voor hem klaar. Ze wist precies hoe hij het het liefste had. Ik realiseerde me dat ik geen idee had wat hij lekker vond.

Don trok vol frustratie het kussen onder zijn hoofd vandaan, bedekte er zijn gezicht mee en schreeuwde het uit.

'Wat is er met jou aan de hand?' vroeg ik.

'Als je niet het soort vrouw wordt dat mijn ontbijt klaarmaakt, dan kun je toch op z'n minst zorgen dat je weet wat ik lekker vind.' Hij beende naar de badkamer.

Ik was een beetje geërgerd, maar in zekere zin verbaasde het me niet. Ik was er algauw achter gekomen dat Don alleen lief deed als hij in een goed humeur was, en dat was alleen het geval als alles precies ging zoals hij het wilde. Ik had hem ontmoet in een periode dat het hem voor de wind ging en was met hem getrouwd toen alles nóg beter leek te gaan. Het werd me in rap tempo duidelijk dat Don de charmeur niet de enige Don was.

Later reed Don achteruit de oprit af in onze gehuurde Corvette en zetten we koers naar de filmset, tien straten verderop.

'Ben je klaar voor vandaag?' vroeg ik. Ik bedoelde het opbeurend.

Don bleef midden op de weg stilstaan. Hij draaide zich opzij naar mij. 'Ik speelde al in films voordat jij goed en wel geboren was.' Dat was technisch gezien waar, al moest je de definitie van in een film spelen dan wel heel ruim nemen. Hij was als baby te zien geweest in een van de stomme films van zijn moeder. Hij kreeg zijn eerste echte rol pas toen hij eenentwintig was.

Er stonden inmiddels een paar auto's achter ons. We veroorzaakten een opstopping. 'Don...' zei ik, in een poging hem weer aan het rijden te krijgen. Hij luisterde niet. Het witte vrachtwagentje achter ons probeerde in de volgende baan in te voegen om ons voorbij te gaan.

'Weet je wat Alan Thomas gisteren tegen me zei?' vroeg Don.

Alan Thomas was zijn nieuwe manager. Alan moedigde Don aan om bij Sunset Studios weg te gaan en zelfstandig acteur te worden. Dat deden steeds meer acteurs, omdat grote sterren op die manier veel meer geld konden binnenharken. En Don begon ongedurig te worden. Hij had het er voortdurend over dat hij met één film meer ging verdienen dan zijn ouders met al hun films bij elkaar.

Hoed je voor mannen met bewijsdrang.

'Er wordt gevraagd waarom je nog steeds de naam Hugo gebruikt.'

'Ik heb mijn naam officieel laten wijzigen. Hoe bedoel je?'

'Op de poster en in de aftiteling. Er zou "Don en Evelyn Adler" moeten staan. Dat zeggen ze.'

'Wie zijn "ze"?'

'Mensen.'

'Welke mensen?'

'Ze denken dat jij de broek aanhebt.'

Ik sloeg mijn handen voor mijn gezicht. 'Don, doe toch niet zo mal.'

Er reed nog een auto om ons heen, en ik zag dat de inzittenden Don en mij herkenden. Als we niet oppasten zou er binnen de kortste keren breed in *Sub Rosa* worden uitgemeten dat het populairste koppel van Hollywood slaande ruzie had. Waarschijnlijk zouden ze er iets boven zetten als 'Zeggen de Adlers elkaar nu al adieu?'.

Ik vermoed dat Don de krantenkoppen ook al geschreven zag worden, want op dat moment zette hij de motor weer aan en reed hij naar de set. Toen we het terrein op draaiden, zei ik: 'Ongelooflijk, we zijn bijna drie kwartier te laat.'

Don antwoordde: 'Ach, daar zijn we Adlers voor. Wij mogen dat.'

Dat vond ik een walgelijke opmerking. Ik wachtte tot we alleen waren in zijn trailer en zei toen: 'Als je dat soort dingen zegt, klink je als een regelrechte eikel. Je moet zulke dingen niet zeggen waar anderen bij zijn.'

Hij deed net zijn jasje uit. We werden elk moment bij de kleding verwacht. Ik had gewoon weg moeten gaan, naar mijn eigen trailer. Ik had hem met rust moeten laten.

'Volgens mij heb je het niet helemaal begrepen, Evelyn,' zei Don.

'In welk opzicht?'

Hij kwam vlak voor me staan. 'Je bent niet mijn gelijke, snoes. En als je dat uit het oog bent verloren doordat ik te lief voor je ben geweest, dan spijt dat me.'

Ik wist niet wat ik moest zeggen.

'Volgens mij moet je hierna maar geen films meer maken,' zei hij. 'Ik denk dat het tijd is dat we aan kinderen beginnen.'

Zijn carrière verliep niet zoals hij voor ogen had. En als hij niet de beroemdste van zijn gezin kon zijn, dan ik al helemaal niet.

Ik keek hem recht in zijn ogen en zei: 'Geen. Sprake. Van.'

En toen gaf hij me een klap in mijn gezicht. Fel, vlug en hard.

Voor goed en wel tot me doordrong wat er was gebeurd was het alweer voorbij. Mijn wang prikte, maar ik kon toch nauwelijks geloven dat hij me echt geslagen had.

Als je nooit een klap in je gezicht hebt gekregen, laat me je dan één ding vertellen: je schaamt je rot. Vooral omdat de tranen in je ogen springen, of je nu daadwerkelijk moet huilen of niet. Door de schrik en de impact worden je traanbuizen gewoon getriggerd.

Het is echt onmogelijk om stoïcijns te blijven kijken als je een klap in je gezicht krijgt. Het enige wat je kunt doen is doodstil blijven staan en recht voor je uit staren terwijl je een kop als een boei krijgt en je ogen volschieten.

Dus deed ik dat maar.

Precies zoals ik altijd had gedaan wanneer mijn vader me sloeg.

Ik legde een hand op mijn wang en voelde mijn huid gloeien.

De assistent-regisseur klopte aan. 'Mr Adler, is miss Hugo daar?'

Don wist niks uit te brengen.

'Een ogenblikje, Bobby,' zei ik. Ik vond het indrukwekkend hoe goed ik mijn stem in bedwang wist te houden, hoe kordaat ik klonk. Ik klonk als een vrouw die in haar hele leven nog nooit een klap had gekregen.

Er was geen spiegel voorhanden; Don stond ervoor, met zijn rug ernaartoe. Ik draaide mijn wang naar hem toe.

'Is hij rood?' vroeg ik.

Don kon me amper aankijken. Maar na een vlugge blik op mijn gezicht knikte hij. Hij stond erbij als een stout jongetje, alsof ik net had gevraagd of hij die bal door de ruit van de buren had getrapt.

'Ga gauw tegen Bobby zeggen dat ik last heb van een vrouwenkwaaltje. Dan durft hij sowieso niet verder te vragen. En zeg tegen jouw kleedster dat ze je vandaag even in mijn trailer moet aankleden, en zorg dat Bobby de mijne over een halfuur hiernaartoe stuurt.'

'Oké,' zei hij, en hij pakte zijn jasje en glipte naar buiten.

Zodra hij weg was, deed ik de deur achter hem op slot en zakte tegen de muur in elkaar. Nu niemand het meer kon zien, vloeiden de tranen rijkelijk over mijn wangen.

Ik was bijna vijfduizend kilometer bij mijn geboortestad vandaan gaan wonen. Ik had het klaargespeeld om op het juiste moment op de juiste plek te zijn. Ik had een andere naam aangenomen. Ander haar. Een ander gebit en een ander lijf. Ik had leren acteren. Ik was bevriend geraakt met de juiste mensen. Ik was getrouwd met iemand uit de Hollywood-elite. Bijna heel Amerika wist wie ik was.

Maar toch...

Maar toch.

Ik stond op en droogde mijn tranen. Ik vermande me.

Ik ging aan de kaptafel zitten, voor drie spiegels met gloeilampen eromheen. Ik kon mezelf wel voor mijn kop slaan, omdat ik zo dom was geweest om te denken dat me nooit meer iets naars zou overkomen toen ik het eenmaal tot filmster had geschopt.

Even later klopte Gwendolyn aan om mijn haar te komen doen.

'Momentje!' riep ik.

'Evelyn, we moeten echt opschieten. Jullie lopen al achter op schema.'

'Eén momentje!'

Ik keek naar mezelf in de spiegel en besefte dat ik de rode plek op mijn gezicht niet zomaar kon wegtoveren. De vraag was of ik Gwendolyn vertrouwde. Ik besloot van wel – er zat niet veel anders op. Ik stond op en deed de deur open.

'Ach, lieverd, toch,' zei ze. 'Wat zie jij eruit.'

'Weet ik.'

Ze keek wat beter en het drong tot haar door waar ze naar keek. 'Ben je gevallen?'

'Ja,' zei ik. 'Inderdaad. Ik struikelde en knalde vol met mijn kaak op het aanrecht.'

We wisten allebei dat ik loog.

En ik weet nog steeds niet of Gwen vroeg of ik gevallen was om me de moeite van een eigen leugen te besparen of om aan te geven dat ik er beter mijn mond over kon houden.

Ik was in die tijd echt niet de enige die mishandeld werd. Er zaten een heleboel vrouwen in hetzelfde schuitje. De samenleving kende ongeschreven regels voor dit soort situaties. De eerste regel was dat er niet over gepraat mocht worden.

Een uur later werd ik naar de set gebracht. We zouden een scène filmen naast een villa aan het strand. Don zat achter de regisseur. Zijn stoelpoten waren diep in het zand weggezakt. Hij snelde op me af.

'Hoe voel je je, liefje?' Hij klonk zo opgewekt en poeslief dat ik even dacht dat hij het hele voorval vergeten was.

'Ik voel me prima. Laten we gauw beginnen.'

We gingen op onze plek staan. De man van het geluid maakte onze microfoontjes vast. De grips zorgden dat we goed belicht waren. Ik zette alles van me af.

'Wacht, wacht, wacht!' brulde de regisseur. 'Ronny, wat is er met die microfoon aan de hand?' Druk in gesprek liep hij weg bij de camera.

Don bedekte zijn microfoontje en legde zijn andere hand op mijn borst zodat ook het mijne afgedekt was.

'Het spijt me vreselijk, Evelyn,' fluisterde hij in mijn oor.

Ik deinsde achteruit en keek hem verbouwereerd aan. Nog nooit had iemand zijn excuses aan me aangeboden voor een klap.

'Ik had je nooit mogen slaan,' zei hij. De tranen stonden in zijn ogen. 'Ik schaam me kapot. Dat ik je pijn heb gedaan.' Hij keek er zwaar terneergeslagen bij. 'Hoe kan ik het ooit goedmaken?'

Misschien was het leven dat ik dacht te hebben toch niet helemaal een leugen.

'Kun je het me vergeven?' vroeg hij.

Misschien was het één grote vergissing. Misschien kon alles wel bij het oude blijven.

'Natuurlijk,' zei ik.

De regisseur haastte zich weer naar de camera, en Don haalde zijn handen van onze microfoontjes en ging weer klaarstaan.

'En... actie!'

Don en ik hielden aan One More Day allebei een Oscarnominatie over. Volgens mij waren de meeste mensen het erover eens dat het niet eens uitmaakte of we goed speelden. Ze zagen ons gewoon graag samen.

Ik heb nog steeds geen flauw idee of we er een beetje aardig in acteerden. Het is de enige film waar ik in heb gespeeld die ik nooit heb willen zien.

ALS EEN MAN JE ÉÉN KEER SLAAT EN VERVOLGENS ZIJN EXCUSES aanbiedt, denk je dat het nooit meer voor zal komen.

Maar dan zeg je dat je niet zeker weet of je kinderen wilt en slaat hij je nog een keer. Je maakt jezelf wijs dat dat best een begrijpelijke reactie is. Je zei het ook nogal lomp. Ooit wil je best een gezin. Zeker weten. Je weet gewoon nog niet precies hoe je dat met je acteercarrière moet combineren. Maar dat had je best wat duidelijker kunnen zeggen.

De volgende ochtend biedt hij zijn excuses aan en geeft hij je een bos bloemen. Hij gaat voor je op de knieën.

De derde keer hebben jullie ruzie over of jullie wel of niet bij Romanoff gaan eten. Al gaat het eigenlijk over hoe jullie huwelijk op de buitenwereld overkomt, besef je als hij je tegen de muur drukt.

De vierde keer hebben jullie allebei net verloren bij de Oscars. Jij hebt een smaragdgroene zijden jurk met één blote schouder aan. Hij draagt een smoking. Op de afterparty's heeft hij zich volgegoten om zijn leed te verzachten. Jullie zitten voor in de auto op de oprit en je staat net op het punt om uit te stappen en naar binnen te gaan. Hij baalt dat hij verloren heeft.

Je zegt dat het niet erg is.

Hij zegt dat je het niet begrijpt.

Je herinnert hem eraan dat jij ook verloren hebt.

Dan zegt hij: 'Ja, maar jouw ouders zijn uitschot uit Long Island. Van jou verwacht niemand iets.'

Je weet dat je beter je mond kunt houden, maar je zegt het toch: 'Ik kom uit Hell's Kitchen, stomme zak.'

Hij gooit het portier open en duwt je uit de auto.

Als hij de volgende ochtend met hangende pootjes naar je toe komt, geloof je hem eigenlijk niet meer. Maar inmiddels denk je er bijna niet meer bij na.

Zoals je een veiligheidsspeld gebruikt om een scheur in je jurk dicht te maken of een barst in je raam met tape afplakt.

In dat patroon zat ik vast: ik vergaf het hem keer op keer, omdat dat makkelijker was dan op zoek gaan naar een oplossing voor het onderliggende probleem. Toen kwam Harry op een dag naar mijn kleedkamer om me het goede nieuws te vertellen. Little Women had groen licht gekregen.

'Met jou als Jo, Ruby Reilly als Meg, Joy Nathan als Amy en Celia St. James speelt Beth.'

'Celia St. James? Van Olympian Studios?'

Harry knikte. 'Waarom kijk je zo moeilijk? Ik dacht dat je dolblij zou zijn.'

'O,' zei ik en ik draaide wat verder naar hem opzij. 'Maar dat ben ik ook. Zeker weten.'

'Mag je Celia St. James niet?'

Ik grijnsde naar hem. 'Dat tienermeisje veegt de vloer met me aan, joh.'

Harry wierp zijn hoofd in zijn nek en schaterde het uit.

Celia St. James had eerder dat jaar al hoge ogen gegooid. Ze was pas negentien en had een mooie rol gespeeld als jonge weduwe in een historisch oorlogsdrama. Iedereen zei dat ze volgend jaar geheid een Oscarnominatie ging krijgen. Ze was geknipt voor de rol van Beth.

En precies het type meisje waar Ruby en ik een hartgrondige hekel aan zouden krijgen.

'Jij bent eenentwintig, je bent getrouwd met de grootste filmster van dit moment en je hebt al een eerste Oscarnominatie op zak, Evelyn.'

Harry had op zich wel een punt, maar ik ook. Celia zou behoorlijk wat roet in het eten gooien.

'Het is niet erg. Ik ben er klaar voor. Ik speel gewoon de sterren van de hemel, en als mensen de film dan zien, zullen ze zeggen: "Beth? O, het middelste zusje dat doodgaat? Wat is daarmee?"'

'Daar twijfel ik geen seconde aan,' zei Harry, een arm om me heen slaand. 'Je bent geweldig, Evelyn. Dat ziet iedereen.'

Ik glimlachte. 'Denk je dat echt?'

Dat is een vrij cruciaal kenmerk van beroemdheden: we horen graag hoezeer we bewonderd worden en wat ons betreft kun je het niet vaak genoeg herhalen. Later in mijn leven kwamen er voortdurend mensen naar me toe die zeiden: 'Je vindt het vast vreselijk om steeds te moeten horen hoe geweldig je bent,' en dan zei ik altijd quasi-grappend: 'Ach, één keertje extra kan vast geen kwaad.' Maar in feite kun je echt verslaafd raken aan complimenten. Hoe meer je er krijgt, hoe meer je er nodig hebt om in evenwicht te blijven.

'Ja,' zei Harry. 'Dat denk ik echt.'

Ik stond op om hem een knuffel te geven, maar daardoor viel het licht precies op mijn jukbeen, op de ronde plek onder mijn oog.

Ik zag Harry's blik over mijn gezicht glijden.

Hij zag de vage bloeduitstorting vlak onder mijn huid, ondanks de dikke laag foundation die ik erop had gesmeerd.

'Evelyn...' zei hij. Hij legde zijn duim op mijn wang, alsof hij wilde voelen of de blauwe plek er echt zat.

'Niet doen, Harry.'

'Ik maak die jongen af.'

'Doe nou maar rustig.'

'Evelyn, ik ben je beste vriend.'

'Dat weet ik,' zei ik. 'Dat weet ik toch.'

'Je hebt zelf gezegd dat beste vrienden geen geheimen voor elkaar hebben.'

'En jij wist net zo goed als ik dat dat klinkklare onzin was.'

We keken elkaar strak aan.

'Laat me je helpen,' zei hij. 'Wat kan ik voor je doen?'

'Je kunt ervoor zorgen dat ik in de roddelbladen beter naar voren kom dan Celia, beter dan alle anderen.'

'Dat bedoel ik niet.'

'Maar meer kun je niet doen.'

'Evelyn...'

Ik verblikte of verbloosde niet. 'Ik kan geen kant op, Harry.'

Hij snapte wat ik bedoelde. Van Don Adler scheiden was geen optie.

'Ik kan toch met Ari gaan praten.'

'Ik hou van hem,' zei ik terwijl ik me van hem afwendde en mijn clip-oorbellen indeed.

Daar was geen woord van gelogen. Don en ik hadden zo onze problemen, maar dat gold voor de meeste stellen. En hij was de enige man die ooit iets in me had aangewakkerd. Soms walgde ik van mezelf omdat ik naar hem bleef verlangen, omdat ik altijd weer opfleurde als hij me aandacht schonk, omdat ik voortdurend zijn goedkeuring bleef zoeken. Maar het was niet anders. Ik hield van hem en ik wilde hem niet kwijt als bedpartner. En bovendien wilde ik in de schijnwerpers blijven.

'Einde discussie.'

Een paar tellen later werd er weer aangeklopt. Het was Ruby Reilly. Ze was bezig met een dramafilm waarin ze een jonge non speelde. Ze stond voor onze neus in een zwart habijt en witte scapulier. De kap hield ze in haar hand.

'Heb je het al gehoord?' vroeg Ruby aan mij. 'Ja, natuurlijk heb je het gehoord. Harry staat nota bene naast je.'

Harry moest lachen. 'Jullie beginnen over drie weken met repeteren.'

Ruby gaf Harry een speels stompje op zijn arm. 'Nee, dat bedoel ik niet! Heb je gehoord dat Celia St. James Beth gaat spelen? Die troela zet ons allemaal voor schut.'

'Zie je nou, Harry?' zei ik. 'Celia St. James gaat alles verpesten.'

OP DE EERSTE REPETITIEDAG VAN *LITTLE WOMEN* MAAKTE DON ME
's ochtends wakker met ontbijt op bed: een halve grapefruit en een brandende sigaret. Dat vond ik vreselijk romantisch, want het was precies waar ik zin in had.

'Succes vandaag, lieverd,' zei hij terwijl hij zich aankleedde en op pad ging. 'Ik weet zeker dat je Celia St. James weleens een poepie zult laten ruiken.'

Ik lachte en wenste hem een fijne dag. Ik at de grapefruit op, liet het dienblad op bed liggen en sprong onder de douche.

Toen ik eronder vandaan kwam, was onze werkster Paula in de slaapkamer bezig mijn troep op te ruimen. Ze viste net mijn sigarettenpeuk tussen het dekbed vandaan. Ik had hem op het dienblad gelegd, maar hij was er waarschijnlijk af gerold.

Ik was nogal een sloddervos.

Mijn kleren van de avond ervoor lagen her en der over de grond verspreid. Mijn pantoffels stonden op de kaptafel. Mijn handdoek lag in de gootsteen.

Paula had er een hele kluif aan, en ze was niet bijster van me gecharmeerd. Dat was wel duidelijk.

'Kun je dat straks doen?' vroeg ik haar. 'Het spijt me, maar ik heb nogal haast.'

Ze glimlachte beleefd en ging de kamer uit.

Ik had helemaal niet zo'n haast. Ik wilde me gewoon aankleden en dat deed ik liever niet in Paula's bijzijn. Ze mocht de paars en geel uitgeslagen bloeduitstorting bij mijn ribben niet zien.

Don had me negen dagen daarvoor van de trap geduwd. Zelfs na al die jaren voel ik meteen weer de neiging om hem te verdedigen. Om erbij te zeggen dat het erger klinkt dan het was. Dat we bijna onderaan de trap stonden, en dat hij me een klein duwtje gaf waardoor ik vier treetjes naar beneden kukelde.

Jammer genoeg klapte ik op het tafeltje naast de voordeur waar we onze sleutels en post op legden. Ik kwam op mijn linkerzij terecht en de handgreep van het bovenste laatje raakte me vol tussen mijn ribben.

Toen ik zei dat ik bang was dat ik een rib had gebroken, zei Don: 'Ach, schatje, toch. Gaat het wel?' alsof ik uit mezelf gevallen was.

Ik antwoordde schaapachtig: 'Volgens mij heb ik niks.'

De blauwe plek bleef erg lang.

Even later kwam Paula weer binnenvallen.

'Sorry, Mrs Adler, ik was de...'

Ik schoot in de stress. 'Godsamme, Paula! Ik had je toch gevraagd om weg te gaan!'

Ze draaide zich om en liep naar buiten. En waar ik vooral pissig om kon worden, was dat als ze zo nodig geld wilde verdienen aan een goed verhaal, waarom ze dát dan niet vertelde. Waarom hing ze niet aan de grote klok dat Don Adler zijn vrouw mishandelde? Waarom moest ze míj zo nodig hebben?

Twee uur later stond ik op de set van Little Women. Het decor was omgetoverd tot een ouderwets huis in New England, met alles erop en eraan, tot besneeuwde ramen aan toe.

Ruby en ik hadden samen afgesproken dat we Celia St. James niet de show zouden laten stelen, ook al is Beth nu eenmaal de grote tranentrekker van het verhaal, wie haar ook speelt.

Het heeft geen zin om tegen een actrice te zeggen dat je je aan elkaar kunt optrekken. Zo werkt het niet voor ons.

Maar toen Ruby en ik op de eerste repetitiedag met een kopje koffie bij de catering stonden werd algauw duidelijk dat Celia St. James geen idee had dat we zo'n hekel aan haar hadden.

'O god,' zei ze terwijl ze op ons afliep. 'Ik ga dood van de zenuwen.'

Ze had een grijze broek en een lichtroze truitje met korte mouwen aan. Ze had een wat kinderlijk gezicht en was een beetje het type girl next door, met grote blauwe ogen, lange wimpers, met twee ronde boogjes in haar bovenlip en lang rossig haar. Het toonbeeld van natuurlijke schoonheid.

Ik was dusdanig knap dat vrouwen wisten dat ze nooit aan me zouden kunnen tippen. Mannen wisten dat een vrouw als ik totaal onbereikbaar voor ze was.

Ruby was mooi op een elegante, afstandelijke manier. Ruby was cool. Ruby was chic.

Maar Celia St. James was het type schoonheid dat tastbaarder leek, alsof je als je het slim aanpakte best eens een meisje als zij aan de haak kon slaan.

Ruby en ik waren ons er terdege van bewust hoeveel een toegankelijke uitstraling waard was.

Celia roosterde een boterham bij de cateringtafel, smeerde er pindakaas op en nam een grote hap.

'Waarom zou jij in vredesnaam zenuwachtig zijn?' vroeg Ruby.

'Omdat ik geen idee heb waar ik mee bezig ben!' zei Celia.

'Kom nou, Celia, je denkt toch niet dat we daarin trappen,' zei ik.

Ze keek me aan. En dat deed ze zo indringend dat het voelde alsof nog nooit iemand me echt had aangekeken. Zelfs Don niet. 'Dat vind ik kwetsend,' zei ze.

Ik had een klein beetje medelijden met haar. Maar dat ging ik natuurlijk niet laten merken. 'Ik bedoelde het niet gemeen,' zei ik.

'O, zeker wel,' zei Celia. 'Volgens mij ben jij nogal een cynisch mens.'

Ruby, mijn fijne schijnvriendin, deed alsof ze werd opgeroepen door de regieassistent en maakte zich snel uit de voeten.

'Ik vind het gewoon moeilijk te geloven dat iemand over wie alom ge-zegd wordt dat ze volgend jaar een Oscarnominatie gaat binnenslepen zich zorgen maakt of ze Beth March wel kan spelen. Dat is de makkelijk-ste, sympathiekste rol van de hele film.'

'Als het zo makkelijk scoren is, waarom speel jij haar dan niet?' vroeg ze.

'Daar ben ik te oud voor, Celia. Maar toch bedankt, hè.'

Celia grijnsde, en ik besefte dat ik haar daarmee alleen maar gelijk gaf. Vanaf dat moment begon ik Celia St. James steeds leuker te vinden.

'LATEN WE HET HIER MORGEN WEER OPPAKKEN,' ZEGT EVELYN. DE zon is allang onder. Als ik om me heen kijk, zie ik de restanten van ons ontbijt, onze lunch en ons avondeten her en der verspreid staan.

'Prima,' zeg ik.

'O, trouwens,' zegt ze terwijl ik mijn spullen bij elkaar pak. 'Mijn publiciteitsagent kreeg vandaag een mailtje van jullie hoofdredacteur. Om te vragen of ik een fotoshoot wilde doen voor de cover van het juninummer.'

'O,' zeg ik. Frankie heeft al een paar keer geprobeerd contact met me op te nemen. Ik weet dat ik haar eigenlijk moet terugbellen om haar een update te geven van de situatie. Ik weet gewoon... nog niet precies wat de beste zet is.

'Daar maak ik uit op dat je niet hebt verteld wat het idee is,' zegt Evelyn.

Ik stop mijn laptop in mijn tas. 'Nog niet.' Tot mijn afgrijzen komt het er nogal schaapachtig uit.

'Dat geeft niks,' zegt Evelyn. 'Ik veroordeel je er niet om, hoor, als je daar soms bang voor bent. Als iemand het devies "eerlijkheid duurt het langst" niet naleeft, dan ben ik het wel.'

Ik moet lachen.

'Doe maar gewoon wat je goeddunkt,' zegt ze.

'Zal ik doen,' antwoord ik.

Ik weet alleen nog niet precies wat dat is.

Als ik thuiskom staat het pakket van mijn moeder op me te wachten in het halletje van mijn appartementencomplex. Als ik buk om het op te tillen kom ik erachter dat het loodzwaar is. Uiteindelijk schuif ik het met mijn voet over de tegelvloer, hijs ik het trede voor trede de trap op en sleur ik het mijn flatje in.

Als ik de doos openmaak, blijkt die vol te zitten met fotoalbums van mijn vader.

Op elk omslag staat in de rechterbenedenhoek 'James Grant' in reliëf.

Ik kan mijn nieuwsgierigheid nauwelijks bedwingen, en wie houdt me tegen? Dus ik ga ter plekke op de grond zitten en blader een voor een door de foto's.

Setfoto's van regisseurs, beroemde acteurs, figuranten die zich vervelen, assistenten, noem maar op – er zit van alles tussen. Mijn vader was dol op zijn werk. Hij vond het heerlijk om als een vlieg op de muur foto's van mensen te maken.

Ik weet nog dat hij ongeveer een jaar voor zijn dood twee maanden met een klus in Vancouver bezig was. Mijn moeder en ik gingen twee keer bij hem op bezoek, maar in vergelijking met Los Angeles was het er stervenskoud en voor mijn gevoel bleef hij eindeloos lang weg. Ik vroeg hem waarom. Waarom werkte hij niet gewoon in de buurt? Waarom moest hij die klus per se aannemen?

Hij antwoordde dat hij werk wilde doen waar hij energie van kreeg. Hij zei: 'Dat moet jij ook doen, Monique, later als je groot bent. Je moet een baan vinden waar je hart sneller van gaat kloppen, niet eentje waar het door op slot gaat. Ja? Beloof je dat?' Hij stak zijn hand uit en ik schudde hem, alsof we een deal sloten. Ik was zes. Toen ik acht was, leefde hij niet meer.

Ik droeg zijn woorden altijd met me mee. In mijn tienerjaren was ik naarstig op zoek naar een uitlaatklep, een passie waarmee ik mijn ziel kon verruimen. Dat bleek nog niet zo vanzelfsprekend. Op de middelbare school, toen mijn vader al jaren dood was, ging ik op toneel en bij het schoolorkest. Ik zong een tijdje bij het schoolkoor. Ik zat een tijdje op voetbal en bij de debatclub. Later dacht ik het licht te zien en ging ik me een tijdje met fotografie bezighouden, in de hoop dat ik mijn vaders passie voor dat vak geërfd had.

Pas toen ik tijdens een schrijfcursus aan de universiteit de opdracht kreeg om een profiel over een van mijn klasgenoten te schrijven, voelde ik dat mijn hart iets sneller ging kloppen. Ik vond het leuk om over echte mensen te schrijven. Ik vond het leuk om op zoek te gaan naar indringende interpretaties van de echte wereld. Ik vond het een mooi idee dat ik mensen met elkaar kon verbinden door middel van hun verhalen.

Om gehoor te geven aan die passie ging ik de opleiding journalistiek volgen aan de universiteit van New York. Dat leidde vervolgens tot een stage bij radiogroep WNYC. Door mijn hart te volgen rolde ik in het freelancebestaan, met voornamelijk schrijfklusjes voor gênante blogs. Ik leefde van dag tot dag en van factuur tot factuur, tot ik uiteindelijk bij *Discourse* terechtkwam, waar ik David ontmoette, die daar destijds bezig was met de vernieuwing van het webdesign, en toen kwam *Vivant* op mijn pad, waardoor ik nu bij Evelyn ben beland.

Met één kleine opmerking heeft mijn vader op een kille dag in Vancouver in feite de basis voor mijn hele levensloop gelegd.

Heel even vraag ik me af of ik zijn advies ook zou hebben opgevolgd als hij niet was overleden. Zou ik me zo aan zijn uitspraken hebben vastgeklampt als daar geen limiet aan leek te zitten?

Achter in het laatste album stuit ik op een aantal spontane kiekjes die niet op een filmset zijn gemaakt, maar bij een barbecue. Op een paar ervan zie ik mijn moeder ergens op de achtergrond staan. En dan, op de allerlaatste bladzijde, zie ik een foto van mij met allebei mijn ouders.

Ik zal hooguit een jaar of vier zijn. Ik ben met mijn handen een stuk taart aan het eten en kijk recht in de camera; mijn moeder houdt me vast en mijn vader heeft zijn arm om ons allebei heen geslagen. In die tijd werd ik meestal nog bij mijn eerste naam genoemd, Elizabeth. Elizabeth Monique Grant.

Mijn moeder was er altijd van uitgegaan dat ik later Liz of Lizzy genoemd zou gaan worden. Maar mijn vader vond Monique een erg mooie naam en kon het dus niet laten om me zo te noemen. Ik wees hem er regelmatig op dat mijn roepnaam toch echt Elizabeth was en dan zei hij dat ik dat helemaal zelf mocht bepalen. Toen hij overleed waren mijn moeder en ik het erover eens dat ik me Monique moest gaan noemen. Hem postuum zijn zin geven gaf ons een klein beetje troost. Zodoende werd mijn tweede naam mijn roepnaam. Mijn moeder helpt me er nog vaak aan herinneren dat ik mijn naam dus volledig aan mijn vader te danken heb.

Ik kijk nog eens goed naar de foto en constateer met bewondering wat een mooi stel mijn ouders waren. James en Angela. Ik weet hoeveel ze moesten overwinnen om samen een bestaan op te bouwen en mij te krijgen. Begin jaren tachtig moedigden hun ouders de match tussen een witte vrouw en een zwarte man niet bepaald aan. Voor mijn vader overleed zijn we best vaak verhuisd om een buurt te vinden waar mijn ouders zich allebei thuis voelden.

Pas toen ik naar school ging leerde ik voor het eerst iemand kennen die op me leek. Ze heette Yael. Haar vader was Dominicaans en haar moeder kwam uit Israël. Ze voetbalde graag. Ik hield meer van verkleden. We waren het zelden ergens over eens. Maar ik vond het wel leuk dat als mensen vroegen of ze Joods was, ze altijd antwoordde: 'Ik ben half Joods.' Verder kende ik niemand die half iets was.

Ik voelde me al een eeuwigheid twee helften.

Sinds mijn vader dood is, voelt het alsof ik voor de helft mijn moeder ben en de andere helft ben kwijtgeraakt. Die helft is van me weggerukt, waardoor het voelt alsof ik niet meer heel ben.

Maar als ik die foto zo zie, van ons met z'n drietjes in 1986, ik in een tuinbroekje, mijn vader in een polo en mijn moeder in een spijkerjasje, dan zien we eruit alsof we bij elkaar horen. Ik lijk niet voor de ene helft de één en voor de andere helft de ander, maar gewoon één geheel, hun geliefde kind.

Ik mis mijn vader. Ik mis hem continu. En op dit soort momenten, als ik op het punt sta om iets te doen waar mijn hart sneller van gaat kloppen, wou ik dat ik hem op z'n minst een brief kon sturen om hem te laten weten waar ik mee bezig ben. En dat hij me er ook eentje terug kon sturen.

Eigenlijk weet ik wel wat er in zijn brief zou staan – iets in de trant van: 'Ik ben trots op je. Ik hou van je.' Maar toch zou het fijn zijn om te lezen.

'Goed,' zeg ik. Mijn plekje achter Evelyns bureau voelt inmiddels als een tweede thuis. Ik kan de ochtend niet meer beginnen zonder de koffie van Grace. Die heeft mijn gewoonte om wat te halen bij de Starbucks vervangen. 'Laten we verdergaan waar we gisteren gebleven waren. Jullie gingen net met *Little Women* beginnen. Brand los.'

Evelyn moet lachen. 'Je begint al doorgewinterd te raken.'

'Ik pik dingen altijd snel op.'

NA DE EERSTE REPETITIEWEEK LAGEN DON EN IK SAMEN IN BED. Hij vroeg hoe het ging en ik gaf toe dat Celia inderdaad zo goed was als ik al had verwacht.

'Nou, The People of Montgomery County is deze week weer de best bezochte film. Ik ga weer als een speer. En eind dit jaar loopt mijn contract af. Ari Sullivan wil mij koste wat kost tevreden houden. Dus je hoeft het maar te zeggen, schatje, en dan ligt ze er zo, een-twee-drie, uit.'

'Nee hoor,' antwoordde ik terwijl ik mijn hand op zijn borst legde en mijn hoofd op zijn schouder liet rusten. 'Dat hoeft niet. Ik heb de hoofdrol. Zij maar een bijrol. Ik ga me er niet te druk over maken. En bovendien heeft ze wel iets sympathieks.'

'Jij hebt ook wel iets sympathieks,' zei hij en hij trok me boven op zich. En heel even verdwenen al mijn zorgen als sneeuw voor de zon.

De volgende dag gingen Joy en Ruby tijdens de lunchpauze een kalkoensalade halen. Celia ving mijn blik. 'Je hebt zeker niet toevallig zin om in plaats daarvan ergens een milkshake te gaan drinken?' vroeg ze.

Hoewel de diëtist van Sunset dat absoluut geen goed idee zou hebben gevonden, dacht ik opeens: wat niet weet, dat niet deert.

Tien minuten later reden we in Celia's babyroze Chevy uit 1956 over Hollywood Boulevard. Celia reed echt verschrikkelijk. Ik hield me aan de handgreep van het portier vast alsof mijn leven ervan afhing.

Celia remde voor een rood stoplicht op het kruispunt van Sunset en Cahuenga Boulevard. 'Ik zat te denken om naar Schwab te gaan,' zei ze met een grijns.

Schwab was in die tijd dé plek om overdag rond te hangen. En iedereen wist dat Sidney Skolsky, een verslaggever voor Photoplay, er bijna elke dag te vinden was.

Celia wilde daar gezien worden. Met mij.

'Wat zijn dit voor spelletjes?' vroeg ik.

'Dit is helemáál geen spelletje,' zei ze, zogenaamd beledigd dat ik haar daarvan beschuldigde.

'Ja hoor, Celia,' zei ik en ik gebaarde dat ze zich de moeite kon besparen. 'Ik zit al een paar jaar langer in dit vak dan jij. Jij bent hier degene die net om de hoek komt kijken. Niet ik.'

Het stoplicht sprong op groen en Celia scheurde weg.

'Ik kom uit Georgia,' zei ze. 'Uit de buurt van Savannah.'

'Ja, dus?'

'Ik bedoel dat ik echt geen achterlijke boerentrien ben. Ik ben in mijn thuisstad gescout door iemand van Paramount.'

Ik vond het ietwat intimiderend – bedreigend zelfs – dat er iemand naar de andere kant van het land was gevlogen om haar naar Hollywood te halen. Mij had het bloed, zweet en tranen gekost om daar terecht te komen, maar Hollywood was nota bene naar Celia toe gekomen, nog voordat iemand van haar gehoord had.

'Dat zal best,' zei ik. 'Maar ik heb heus wel door wat jij in je schild voert, wijfie. Niemand gaat naar Schwab omdat ze daar nou zulke lekkere milkshakes hebben.'

'Luister,' zei ze, op een iets andere toon, oprechter. 'Ik kan wel wat aandacht gebruiken. Als ik binnenkort een hoofdrol krijg, heb ik wat naamsbekendheid nodig.'

'Dus dit hele milkshakegebeuren is gewoon een trucje om met mij gezien te worden?' Dat vatte ik op als een belediging – zowel vanwege het feit dat ze me gebruikte als dat ze dacht dat ik het niet door zou hebben.

Celia schudde haar hoofd. 'Nee, helemaal niet. Ik had echt zin om een milkshake met je te gaan drinken. En toen we het terrein af reden dacht ik ineens: laten we naar Schwab gaan.'

Celia trapte keihard op de rem voor de kruising van Sunset en Highland Boulevard. Ik kreeg in de gaten dat dat gewoon haar rijstijl was: of het nu het gaspedaal of de rem was, ze trapte het altijd helemaal in.

'Sla hier rechts af,' zei ik.

'Hè?'

'Rechts afslaan.'

'Hoezo?'

'Celia, ga verdomme naar rechts voor ik uit de auto spring.'

Ze keek me aan alsof ik gestoord was, wat niet zo verwonderlijk was. Ik had er zojuist mee gedreigd om mezelf van kant te maken als ze niet van richting veranderde.

Ze sloeg rechts af, Highland Boulevard op.

'Ga bij het volgende stoplicht links,' zei ik.

Ze sputterde niet tegen. Ze gaf braaf richting aan en draaide Hollywood Boulevard op. Daar droeg ik haar op om langs een zijweg te parkeren. We liepen naar CC Brown.

'Het ijs is hier lekkerder,' zei ik terwijl we er binnenstapten.

Ik wilde even laten zien wie de baas was. Ik liet me alleen samen met haar fotograferen als ik daar zin in had, als het mijn idee was. Ik was absoluut niet van plan om me voor het karretje te laten spannen van iemand die minder beroemd was dan ik.

Celia knikte – de boodschap was duidelijk.

We gingen aan de bar zitten en de man die erachter stond kwam naar ons toe. Hij wist even niks uit te brengen.

'Eh...' begon hij. 'Willen jullie de menukaart?'

Ik schudde mijn hoofd. 'Ik weet al wat ik wil. Jij, Celia?'

Ze keek hem aan. 'Een chocolademilkshake, alstublieft.'

Ik keek toe hoe hij haar in zich opnam, hoe ze zich vooroverboog met haar armen tegen elkaar aan, waardoor haar borsten naar voren werden gedrukt. Ze leek het amper door te hebben, en daardoor kon hij zijn ogen al helemaal niet van haar afhouden.

'En ik wil er graag een met aardbei,' zei ik.

Toen hij mij aankeek, zag ik dat zijn ogen groter werden, alsof hij in één keer zo veel mogelijk tegelijk in zich op wilde nemen.

'Bent u... Evelyn Hugo?'

'Nee,' zei ik, en toen glimlachte ik en keek ik hem recht in de ogen. Het was een spottend, plagerig antwoord dat ik al ontelbaar vaak op precies dezelfde toon had gebruikt als ik op straat herkend werd.

Hij maakte zich snel uit de voeten.

'Kop op, zonnestraaltje,' zei ik, Celia lachend aankijkend. Ze hield haar blik omlaag gericht, op het glanzende tafelblad. 'Je houdt er een betere milkshake aan over.'

'Je vond het echt vervelend,' zei ze. 'Dat Schwabgedoe. Sorry.'

'Celia, als je het echt zo ver wilt schoppen als je duidelijk voor ogen hebt, dan moet je twee dingen in je oren knopen.'

'Namelijk?'

'Ten eerste moet je bereid zijn om andermans grenzen op te zoeken zonder je daar bezwaard over te voelen. Niemand gaat je zomaar iets geven als je er niet om vraagt. Je hebt een poging gewaagd, maar niet je zin gekregen. Laat het los.'

'En ten tweede?'

'Als je anderen gebruikt, moet je het goed doen.'

'Het was helemaal niet mijn bedoeling om...'

'Natuurlijk wel, Celia. En dat vind ik helemaal niet erg. Ik zou er geen seconde over aarzelen om jou te gebruiken als ik daar beter van werd. En ik vind het volkomen normaal dat jij dat andersom ook doet. Weet je wat het verschil is tussen jou en mij?'

'Er zijn allerlei verschillen tussen jou en mij.'

'Weet je waar ik specifiek op doel?' vroeg ik.

'Wat dan?'

'Dat ik mensen bewust gebruik. En daar heb ik totaal geen moeite mee. Alle energie die jij verspilt met jezelf wijsmaken dat je mensen níét gebruikt, die stop ik in er beter in worden.'

'En daar ben je trots op?'

'Ik ben trots op wat ik ermee bereikt heb.'

'Gebruik jij mij? Op dit moment?'

'Als het zo was, zou je het niet merken.'

'Daarom vraag ik het.'

De man achter de bar kwam onze milkshakes brengen. Hij leek zichzelf eerst even moed te hebben ingepraat.

'Nee,' zei ik tegen Celia toen hij weer weg was.

'Wat, nee?'

'Nee, ik gebruik je niet.'

'Oké, gelukkig maar,' zei Celia. Ik vond het nogal naïef dat ze het zomaar van me aannam. Ik sprak de waarheid, maar dan nog.

'Weet je ook waaróm ik je niet gebruik?'

'Nu gaan we het krijgen, hoor,' zei Celia en ze nam een slokje van haar milkshake. Ik moest lachen door haar verrassend gezapige toon en de gevatheid waarmee ze reageerde.

Uiteindelijk zou Celia van alle acteurs uit onze kring veruit de meeste Oscars winnen, steevast voor heftige, dramatische rollen. Maar ad rem als ze was heb ik altijd gedacht dat ze het ook geweldig zou doen in comedy's.

'Ik gebruik jou niet omdat je me niks te bieden hebt. Nog niet, tenminste.'

Celia nam verontwaardigd nog een slok en ik boog me over mijn eigen milkshake.

'Volgens mij is dat niet waar,' zei Celia. 'Ik geef toe dat je beroemder bent dan ik. Dat krijg je als je getrouwd bent met Mr Hollywood Himself. Maar verder staan we gelijk, Evelyn. Jij hebt een paar mooie rollen gespeeld. Ik ook. En nu zitten we samen in een film die we allebei hebben aangenomen omdat we een Oscar willen winnen. En laten we wel wezen, in dat opzicht heb ik een streepje voor.'

'Hoezo dan?'

'Omdat ik beter kan acteren.'

Ik hield even op met aan het rietje zuigen en keek opzij naar haar.

'Waar baseer je dat op?'

Celia haalde haar schouders op. 'Het is natuurlijk niet echt meetbaar, maar het is wel zo. Ik heb One More Day gezien. Je bent goed, hoor, maar ik ben beter. En dat weet jij net zo goed. Daarom hadden jij en Don me bijna uit het project laten knikkeren.'

'Niet waar.'

'Wel waar. Dat heeft Ruby me verteld.'

Ik nam het Ruby niet kwalijk dat ze dat aan Celia had doorverteld, zoals je het een hond ook niet kwalijk neemt als hij naar de postbode blaft. Dat doen ze nou eenmaal.

'Oké, best. Jij kunt beter acteren dan ik. En ja, misschien hebben Don en ik het er wel over gehad om je eruit te gooien. Maar wat dan nog? Lekker boeiend.'

'Nee, dat bedoel ik nou juist. Ik heb meer talent dan jij, maar jij hebt meer macht dan ik.'

'Dus?'

'Dus je hebt gelijk, ik ben inderdaad niet zo goed in mensen gebruiken voor mijn eigen gewin. Daarom probeer ik het op een andere manier. Laten we elkaar daarbij helpen.'

Mijn belangstelling was wel enigszins gewekt en dus vroeg ik: 'Hoe dan?', terwijl ik nog een slok van mijn milkshake nam.

'Buiten werktijd help ik jou met je spel. Ik leer je al mijn trucjes.'

'En dan ga ik met jou naar Schwab?'

'Jij helpt mij om te bereiken wat jij hebt bereikt. Sterrenstatus.'

'Maar waar leidt dat dan toe?' vroeg ik. 'Dat we straks allebei steengoed en beroemd zijn? En met elkaar om elke rol moeten vechten?'

'Dat is natuurlijk de ene mogelijkheid.'

'En de andere?'

'Ik mag je erg graag, Evelyn.'

Ik keek haar argwanend aan.

Ze grijnsde naar me. 'Ik weet best dat weinig actrices het menen als ze dat over elkaar zeggen, maar ik wil niet zijn zoals alle anderen. Ik mag je echt graag. En ik kijk graag naar je op beeld. Zodra jij een scène binnenstapt, kan ik nergens anders meer naar kijken. Ik vind het mooi dat je huid eigenlijk te donker is voor je blonde haarkleur; het past niet bij elkaar, maar het ziet er bij jou toch heel natuurlijk uit. En eerlijk gezegd vind ik het ook wel leuk dat je zo uitgekookt en gemeen bent.'

'Ik ben niet gemeen!'

Celia moest lachen. 'Echt wel. Iemand uit een film laten gooien omdat je bang bent om een modderfiguur te slaan? Dat is toch gemeen, Evelyn! En een beetje zitten pochen over hoe goed je bent in mensen gebruiken? Supergemeen. Maar ik hoor je er toch graag over praten. Ik vind het leuk dat je zo eerlijk bent, zo schaamteloos. Er lopen hier genoeg vrouwen rond die de hele boel bij elkaar liegen. Jij doet dat alleen als het je iets oplevert, en dat bevalt me wel.'

'Voor mijn gevoel zitten er stiekem toch wel veel beledigingen tussen deze waslijst aan complimenten,' zei ik.

Celia knikte; ze snapte mijn punt. 'Je weet wat je wilt, en daar ga je voor. Volgens mij twijfelt niemand in Hollywood eraan dat Evelyn Hugo binnenkort de grootste filmster van het moment is. En niet alleen door je uiterlijk. Jij hebt je gewoon voorgenomen om wereldberoemd te worden en je gaat het nog voor elkaar krijgen ook. Met zo iemand wil ik vriendinnen zijn. Dat bedoel ik. Echte vriendinnen. Niet het soort nepvriendinnen als Ruby Reilly, die doodleuk achter je rug om over je roddelt. Een echte vriendschap. Waar we allebei beter van worden en een leuker leven door krijgen.'

Ik keek haar even peinzend aan. 'Moeten we dan ook elkaars haar doen en dat soort dingen?'

'Daar huurt Sunset mensen voor in. Dus nee.'

'Moet ik je relatieproblemen aanhoren?'

'Zeker niet.'

'Wat dan wel? Spreken we dan gewoon af dat we tijd met elkaar doorbrengen en ons best doen om er voor elkaar te zijn?'

'Evelyn, heb je soms nog nooit goeie vrienden gehad?'

'Natuurlijk heb ik wel vrienden gehad.'

'Maar een écht goeie vriend? Een hechte vriendschap?'

'Ik heb heus wel een goeie vriend, hoor.'

'Wie dan?'

'Harry Cameron.'

'Jij bent goede vrienden met Harry Cameron?'

'Hij is mijn beste vriend.'

'Nou, prima,' zei Celia. Ze stak haar hand uit. 'Dan word ik je op een na beste vriendin, na Harry Cameron.'

Ik gaf haar een ferme hand. 'Prima. Dan gaan we morgen samen naar Schwab. En na afloop kunnen we onze tekst oefenen.'

'Dank je wel,' zei ze met een stralende glimlach, alsof haar liefste wens zojuist in vervulling was gegaan. Ze gaf me een knuffel, en toen we elkaar loslieten, stond de man achter de bar ons aan te gapen.

Ik vroeg om de rekening.

'U krijgt ze van het huis,' zei hij, wat ik raar vond, want rijke mensen hoef je nou juist geen gratis eten te geven.

'Wilt u tegen uw man zeggen dat ik *The Gun at Point Dume* een geweldige film vond?' vroeg hij toen Celia en ik op het punt stonden om te vertrekken.

'Welke man?' vroeg ik zo quasi-onschuldig als ik kon.

Celia moest lachen en ik grijnsde naar haar.

Maar eigenlijk dacht ik: zoiets mag ik echt niet zeggen waar Don bij is. Dan denkt hij dat ik hem belachelijk maak en krijg ik een klap voor m'n kop.

Sub Rosa

22-6-1959

ZO KOUD ALS EEN KIKKER, DIE EVELYN

Waarom zou een prachtkoppel met een kast van een huis dat niet willen vullen met een schare kinderen? Dat zou je eens aan Don Adler en Evelyn Hugo moeten vragen.

Of misschien alleen aan Evelyn.

Don wil dolgraag kinderen, en we wachten allemaal in spanning af wanneer die twee bloedmooie mensen hun nageslacht op de wereld gaan zetten. Ze zouden ons ongetwijfeld doen smelten.

Maar Evelyn houdt de boot af.

La Hugo heeft het alleen maar over haar carrière, waaronder haar nieuwste film *Little Women*.

Bovendien neemt Evelyn niet eens de moeite om het thuis een beetje netjes te houden, weigert ze als haar man haar vraagt om iets eenvoudigs voor hem te doen en vindt ze het blijkbaar niet nodig om vriendelijk te zijn tegen haar personeel.

Nee hoor, zij zit gezellig bij Schwab met vrijgezelle dames als Celia St. James!

Die arme Don zit thuis te smachten naar een kind terwijl Evelyn de bloemetjes buitenzet.

Het draait in dat huishouden alleen maar om Evelyn, Evelyn en nog eens Evelyn.

En daar krijg je érg ontevreden echtgenoten van.

'MENEN ZE DIT NOU?' VROEG IK TERWIJL IK HET TIJDSCHRIFT OP Harry's bureau smeet. Maar hij had het natuurlijk allang gelezen.

'Zo erg is het niet.'

'Maar het is ook zeker niet goed.'

'Nee, dat niet.'

'Waarom heeft niemand hier een stokje voor gestoken?' vroeg ik.

'Omdat *Sub Rosa* niet meer naar ons luistert.'

'Hoe bedoel je?'

'Ze zijn helemaal niet geïnteresseerd in de waarheid of in de kans om rechtstreeks met sterren te praten. Ze zetten gewoon in hun blad wat ze willen.'

'Maar in geld zijn ze toch nog wel geïnteresseerd?'

'Ja, maar met een beetje speculeren over jullie huwelijksperikelen verdienen ze veel meer dan wij ze kunnen betalen.'

'Dit is toch Sunset Studios.'

'En mocht het je ontgaan zijn, we verdienen lang niet meer zoveel als vroeger.'

Ik liet mijn schouders hangen en ging op een van de stoelen tegenover Harry's bureau zitten. Er werd aangeklopt.

'Ik ben het, Celia,' zei ze van achter de deur.

Ik liep de kamer door en deed open.

'Ik neem aan dat je het stuk gelezen hebt,' zei ik.

Celia keek me aan. 'Het kon erger.'

'Het kon ook beter,' zei ik.

'Dat is waar.'

'Bedankt. Aan jullie heb ik echt wat.'

De week daarvoor hadden Celia en ik de opnames van Little Women afgerond. Samen met Harry en Gwendolyn waren we de avond daarop bij Musso & Frank steaks gaan eten en cocktails gaan drinken om het te vieren.

Harry had Celia en mij tot onze grote vreugde verteld dat Ari dacht dat we allebei een grote kanshebber voor een Oscarnominatie waren.

Na de opnames bleven Celia en ik elke avond tot diep in de nacht in mijn trailer hangen om onze scènes te oefenen. Celia was van de methodacting. Ze probeerde haar personage te 'worden'. Dat was niet helemaal mijn ding. Maar ze leerde me wel hoe ik onder kunstmatige omstandigheden toch af en toe waarachtige emoties kon oproepen.

Het waren rare tijden in Hollywood. Er leken in die periode twee stromingen parallel aan elkaar te bestaan.

Enerzijds had je de studiowereld met studioacteurs en -dynastieën. En dan had je anderzijds het Nieuwe Hollywood dat de harten van het publiek voor zich won met methodacteurs in rauwe films met antihelden, waarin niet alles op het einde goed afloopt.

Tijdens die avondjes met Celia, waarop we bij wijze van avondeten een pakje sigaretten en een fles wijn deelden, kreeg ik eigenlijk pas in de gaten dat die nieuwe richting bestond.

Maar ze had duidelijk een positieve invloed op me, want Ari Sullivan dacht dat ik kans maakte op een Oscar. En daardoor ging ik Celia nog leuker vinden.

Onze wekelijkse uitstapjes naar populaire plekken als Rodeo Drive voelden niet eens meer als een gunst aan haar. Ik vond het geen straf om haar te helpen in de belangstelling te komen omdat ik gewoon graag met haar omging.

Dus terwijl ik daar in Harry's kantoor zat te doen alsof ik boos op hen was omdat ze niets beters konden verzinnen om me te helpen, was ik me er wel degelijk van bewust dat ik mijn twee liefste vrienden bij me had.

'Wat zegt Don ervan?' vroeg Celia.

'Die speurt waarschijnlijk het hele terrein af om me te zoeken.'

Harry wierp me een veelbetekenende blik toe. Hij wist wat er kon gebeuren als Don in een slechte bui het artikel las. 'Moet jij vandaag draaien, Celia?' vroeg hij.

Ze schudde haar hoofd. 'We beginnen volgende week pas met *The Pride of Belgium*. Ik hoef alleen naar een kostuumpas na de lunch.'

'Die verplaats ik wel voor je. Waarom ga je niet lekker winkelen met Evelyn? Dan licht ik *Photoplay* even in dat jullie op Robertson Boulevard zullen zijn.'

'Zodat ik weer in de stad gespot kan worden met de vrijgezelle dame Celia St. James?' vroeg ik. 'Dat lijkt me nou echt een heel slecht idee.'

Een zin uit dat stomme artikeltje maalde voortdurend door mijn gedachten. *Ze vindt het blijkbaar niet nodig om vriendelijk te zijn tegen haar personeel.*

'Die vuile verraadster,' siste ik toen ik het doorkreeg. Ik sloeg met mijn vuist tegen de armleuning.

'Waar heb je het over?' vroeg Harry.

'Die trut van een werkster.'

'Denk je dat jullie werkster met *Sub Rosa* is gaan praten?'

'Ik weet het wel zeker.'

'Oké, nou, die is dus haar baan kwijt,' zei Harry. 'Ik kan Betsy zo naar jullie huis sturen om het te regelen. Dan is ze weg voor je thuis bent.'

Ik dacht even na over wat ik het beste kon doen.

Wat ik natuurlijk niet wilde was dat Amerika niet meer naar mijn films zou komen omdat ik weigerde Dons kinderwens te vervullen. Ik wist natuurlijk dat de meeste bioscoopbezoekers het nooit hardop zouden uitspreken. Misschien zouden ze het niet eens dénken. Maar als ze zoiets lazen, dan zouden ze bij mijn eerstvolgende film toch onwillekeurig het gevoel krijgen dat er iets aan me was wat ze altijd had tegengestaan, iets waarop ze niet precies de vinger konden leggen.

Mensen kunnen zelden sympathie of genegenheid opbrengen voor een vrouw die zichzelf op de eerste plaats zet. En ze hebben zelden respect voor een man die zijn vrouw niet in het gareel weet te houden. Dus op Don straalde het ook niet bepaald gunstig af.

'Ik moet Don spreken,' zei ik, meteen opstaand. 'Harry, kun je dokter Lopani vragen om me vanavond thuis te bellen? Rond een uur of zes?'

'Hoezo?'

'Vraag of hij me belt en of hij, als Paula opneemt, zijn best doet ernstig te klinken, alsof hij me iets heel belangrijks moet vertellen. Zelfs zorgelijk, om haar nieuwsgierigheid te wekken.'

'Oké...'

'Evelyn, wat zit je te bekokstoven?' Celia keek me vragend aan.

'Zodra hij mij aan de lijn krijgt, moet hij precies dit zeggen,' zei ik, en ik pakte een blaadje en begon snel een bericht op te schrijven.

Harry las het en gaf het blaadje toen aan Celia door. Ze keek me aan.

Er werd op de deur geklopt en zonder op een reactie te wachten stormde Don binnen.

'Ik heb je overal gezocht,' zei hij, op een toon die niet uitgesproken boos of lief klonk. Maar ik kende Don, en ik wist dat hij nooit ergens lauw op reageerde. Er liep een koude rilling over mijn rug door het gebrek aan warmte in zijn stem. 'Ik neem aan dat je deze onzin hebt gelezen?' Hij hield het tijdschrift omhoog.

'Ik heb een plan,' zei ik.

'Dat is je verdomme geraden, ja! Ik laat me niet wegzetten als een of andere slapjanus die bij zijn vrouw onder de plak zit. Cameron, hoe heeft dit kunnen gebeuren?'

'Ik ben ermee bezig, Don.'

'Mooi zo.'

'Maar in de tussentijd moet je misschien even horen wat Evelyn bedacht heeft. Volgens mij is het belangrijk dat jij akkoord bent voor ze alles in gang zet.'

Don ging tegenover Celia zitten. Hij knikte naar haar. 'Celia.'

'Don.'

'Met alle respect, maar is dit niet iets tussen ons drieën?'

'Natuurlijk,' zei Celia, overeind schietend uit haar stoel.

'Nee,' zei ik en ik hield haar tegen. 'Blijf hier.'

Don wierp mij een blik toe.

'Ze is een goeie vriendin van me.'

Hij rolde met zijn ogen en haalde zijn schouders op. 'Nou, wat is het plan, Evelyn?'

'Ik ga doen alsof ik een miskraam heb gehad.'

'Waarom in godsnaam?'

'Als ze denken dat ik geen kinderen met jou wil, krijgen de mensen een hekel aan mij en waarschijnlijk een stuk minder respect voor jou,' zei ik, ook al was dat precies wat er speelde. Op dat moment durfde niemand het natuurlijk te benoemen, maar we wisten het allemaal: de schrijvers van dat stukje hadden het bij het goede eind.

'Maar als ze denken dat het niet lúkt, hebben ze juist medelijden met jullie,' zei Celia.

'Medelijden? Hoe bedoel je, medelijden? Ik wil toch helemaal geen medelijden. Medelijden is een vorm van zwakte. Daar verkoop je geen films mee.'

Daarop brak Harry in. Hij zei: 'O, zeker wel.'

Om tien over zes ging de telefoon. Paula nam op en kwam naar de slaapkamer gerend om te melden dat de dokter aan de lijn was.

Ik nam op met Don naast me.

Dokter Lopani las braaf de tekst voor die ik had uitgeschreven.

Ik begon te huilen, zo luidruchtig als ik kon voor het geval Paula ineens had besloten om haar neus niet in onze zaken te steken.

Een halfuur later ging Don naar beneden om aan Paula te laten weten dat ze ontslagen was. Hij bracht het niet op een aardige manier; sterker nog, hij deed het juist zo onaardig dat ze flink pissig werd.

Want als je werkgever een miskraam heeft gehad, is er een kans dat je naar de roddelpers stapt. Maar als de mensen die je zojuist de laan uit hebben gestuurd een miskraam hebben gehad, doe je dat sowieso.

Sub Rosa

29-6-1959

VEEL STERKTE VOOR DON EN EVELYN – ZE KUNNEN HET GEBRUIKEN!

Het stel dat alles heeft, maar niet kan krijgen wat ze het liefste willen...

Bij Don Adler en Evelyn Hugo thuis is niet alles wat het lijkt. Het lijkt misschien alsof Evelyn de boot afhoudt wat betreft Dons wens om aan kinderen te beginnen, maar in werkelijkheid zit de vork toch echt anders in de steel.

Wij dachten de hele tijd dat Evelyn Don op afstand hield, maar blijkbaar deed ze juist keihard haar best. Evelyn en Don willen allebei dolgraag kinderen, maar tot nu toe is het hun nog niet gegund.

Steeds als ze in verwachting is, loopt het slecht af – dat is deze maand al voor de derde keer gebeurd.

Laten we Don en Evelyn veel sterkte wensen.

Dat bewijst maar weer eens dat geluk niet te koop is, beste lezers.

DE AVOND NADAT HET TWEEDE STUKJE WERD GEPUBLICEERD WAS
Don er nog niet van overtuigd dat we het slim hadden aangepakt, en
Harry had iets anders, maar wou niet zeggen wat, waardoor ik wist dat
hij een afspraakje had.

Maar ik had zin om het te vieren, dus kwam Celia langs en maakten
we met z'n tweeën een fles wijn soldaat.

'Je hebt geen werkster meer,' zei Celia terwijl ze de keuken afspeurde
naar een kurkentrekker.

'Nee,' zei ik met een zucht. 'Pas weer als de studio alle sollicitanten
heeft nagetrokken.'

Celia vond onze kurkentrekker en ik reikte haar een fles cabernet aan.

Ik kwam eigenlijk zelden in de keuken, dus het voelde een beetje
vreemd om daar te zijn zonder dat er iemand op mijn vingers stond te
kijken en aanbood om een broodje voor me klaar te maken of naar iets
te helpen zoeken. Als je rijk bent, voelen sommige delen van je huis niet
echt als jouw territorium. Dat gold bij mij dus onder andere voor de keuken.

Ik keek in mijn eigen keukenkastjes en probeerde te bedenken waar
de wijnglazen ook alweer stonden. 'Aha,' zei ik toen ik ze aantrof. 'Hier.'

Celia keek naar het glas dat ik haar aangaf. 'Dit zijn champagneflûtes.'

'O ja, natuurlijk,' zei ik, ze terug op hun plek zettend. We hadden nog twee andere maten. Ik hield beide varianten omhoog. 'Welke van de twee?'

'Die rondere. Weet je zo weinig van glazen?'

'Glazen, servies, schat, al sla je me dood. Vergeet niet dat ik bij de nouveau riche hoor, hè.'

Celia schonk grinnikend de wijn in.

'Eerst kon ik het me niet veroorloven en toen werd ik in één klap zo rijk dat ik het iemand anders kon laten uitzoeken. Er zat geen fase tussen.'

'Dat vind ik nou zo leuk aan jou,' zei Celia terwijl ze me een van de volle glazen aanreikte. Het andere pakte ze zelf. 'Ik heb mijn hele leven geld gehad. Mijn ouders doen alsof Georgia een eigen adelstand heeft. En afgezien van mijn oudste broer Robert zijn al mijn broers en zussen precies hetzelfde. Mijn zus Rebecca vindt het een schande voor de familie dat ik in films speel. Niet zozeer vanwege het Hollywoodaspect, maar omdat ik "werk" voor mijn geld. Dat vindt ze te min. Ik hou van ze, maar ze zijn ook vreselijk. Ach, zo zal iedereen wel over zijn eigen familie denken.'

'Ik weet het niet, hoor,' zei ik. 'Ik... heb niet zoveel familie. Geen, eigenlijk.' Mijn vader en andere familieleden die nog in Hell's Kitchen woonden waren er niet in geslaagd contact met me te leggen, als ze het al hadden geprobeerd. En ik had er geen minuut wakker van gelegen.

Celia keek me aan. Ze leek geen medelijden met me te hebben of het ongemakkelijk te vinden dat zij onder veel betere omstandigheden was opgegroeid dan ik. 'Daardoor heb ik alleen maar meer bewondering voor je,' zei ze. 'Jij hebt keihard gewerkt voor alles wat je hebt.' Celia tikte met haar glas tegen het mijne. 'Op jou,' zei ze. 'Omdat je niet te stoppen bent.'

Ik moest lachen en nam ook een slok. 'Kom mee,' zei ik, en ik ging haar voor van de keuken naar de woonkamer. Ik zette mijn glas op het salontafeltje met de dunne poten en liep naar de platenspeler. Daar haalde ik *Lady in Satin* van Billie Holiday tevoorschijn van onder op de stapel. Don had een hekel aan Billie Holiday. Maar Don was niet thuis.

'Wist je dat ze eigenlijk Eleanora Fagan heet?' vroeg ik aan Celia. 'Maar

Billie Holiday klinkt wel een stuk mooier.'

Ik ging op een van onze zachte blauwe banken zitten. Celia ging tegenover me zitten. Ze vouwde haar benen onder zich en legde haar vrije hand op haar voeten.

'Hoe heet jij eigenlijk?' vroeg ze. 'Is Evelyn Hugo je echte naam?'

Ik pakte mijn wijn en gaf eerlijk toe dat ik Herrera heette. 'Evelyn Herrera.'

Celia gaf niet echt antwoord. Ze zei niet: 'Dus je bent toch latina.' Of: 'Ik wist wel dat je deed alsof,' zoals ik vreesde dat ze dacht. Ze beweerde niet dat dat verklaarde waarom mijn huid zoveel donkerder was dan die van haar en van Don. Ze zei eigenlijk helemaal niks, tot ze na een tijdje opmerkte: 'Wat een mooie naam.'

'En jij?' vroeg ik. Ik stond op en ging naast haar zitten, zodat er niet zo'n gat tussen ons in zat. 'Celia St. James...'

'Jamison.'

'Wat?'

'Cecelia Jamison. Zo heet ik echt.'

'Dat is toch een prachtige naam. Waarom moest je die veranderen?'

'Dat wilde ik zelf.'

'Waarom?'

'Omdat het klinkt alsof ik je buurmeisje zou kunnen zijn. En ik heb altijd het soort meisje willen zijn dat maakt dat je je al gelukkig prijst als je een glimp van haar opvangt.' Ze sloeg haar glas achterover en dronk het leeg. 'Zoals jij.'

'O, hou toch op.'

'Hou zelf op. Je weet donders goed hoe je eruitziet. Wat voor uitwerking je hebt op anderen. Ik zou een moord doen voor zulke borsten en zulke volle lippen. Als jij ergens binnenloopt met je kleren aan stelt iedereen zich onmiddellijk voor hoe het zou zijn om je uit te kleden.'

Ik kreeg het er warm van. Van wat ze allemaal zei. Over wat ik bij mannen teweegbracht. Zo had ik een vrouw nog nooit over me horen praten.

Celia pakte mijn glas van me af. Ze dronk het in één teug leeg, zwaaide ermee en zei: 'Meer wijn.'

Ik glimlachte en liep met beide glazen naar de keuken. Celia kwam achter me aan. Terwijl ik de wijn inschonk, leunde ze tegen het formica aanrechtblad.

'De eerste keer dat ik *Father and Daughter* zag, weet je wat ik toen dacht?' vroeg ze. Billie Holiday klonk nog vaag op de achtergrond.

'Wat dan?' vroeg ik terwijl ik haar haar glas aanreikte. Ze pakte het aan, zette het even neer om op het aanrecht te springen en pakte haar glas toen weer op. Ze had een donkerblauwe driekwartbroek aan en een wit coltruitje zonder mouwen.

'Dat je de mooiste vrouw was die ooit op aarde heeft rondgelopen en dat de rest wel kan inpakken.' Ze klokte de helft van haar glas naar binnen.

'Niet waar,' zei ik.

'Echt wel.'

Ik nam een slokje wijn. 'Dat slaat nergens op,' zei ik. 'Dat je mij bewondert alsof jij van een heel andere orde bent. Je bent een regelrechte spetter. Met je grote blauwe ogen en je zandloperfiguur... Volgens mij maken wij allebei de jongens echt gek.

Celia glimlachte. 'Dank je wel.'

Ik dronk mijn glas leeg en zette het op het aanrecht. Dat beschouwde Celia als een uitdaging om mijn voorbeeld te volgen. Toen ze haar wijn ophad, veegde ze haar mond af met haar vingertoppen. Ik schonk onze glazen weer vol.

'Waar heb je al die stiekeme, achterbakse trucjes geleerd?' vroeg Celia.

'Ik zou niet weten waar je het over hebt,' zei ik quasi-onschuldig.

'Je bent slimmer dan je de meeste mensen doet geloven.'

'Ik?' vroeg ik.

Celia had kippenvel gekregen, dus ik stelde voor om weer in de woonkamer te gaan zitten, waar het warmer was. Er was een stevige bries vanuit de woestijn komen aanwaaien, waardoor het voor juni een frisse avond was. Toen ik het ook koud begon te krijgen, vroeg ik of ze wist hoe je een haardvuur aansteekt.

'Ik heb het anderen zien doen,' zei ze, haar schouders ophalend.

'Ik ook. Ik heb het Don zien doen. Maar ik heb het zelf nog nooit gedaan.'

'We kunnen het wel,' zei ze. 'Wij kunnen alles.'

'Top!' zei ik. 'Ga jij nog een fles wijn openmaken, dan probeer ik uit te vogelen hoe we dit het beste aan kunnen pakken.'

'Goed plan!' Celia gooide haar dekentje van zich af en snelde naar de keuken.

Ik hurkte voor de open haard en begon met een pook door de as te woelen. Toen pakte ik twee houtblokken en legde ze loodrecht op elkaar.

'We hebben kranten nodig,' zei ze toen ze terugkwam. 'En ik heb besloten dat die glazen onzin zijn.'

Ik keek op en zag dat ze een flinke slok uit de fles nam.

Ik moest lachen, pakte de krant van het tafeltje en gooide die in de haard. 'Ik weet iets nog beters!' zei ik en ik rende naar boven om de *Sub Rosa* te pakken waarin ik een kille trut werd genoemd. Ik sprintte weer naar beneden en hield het blad omhoog. 'Laten we dit verbranden!'

Ik gooide het tijdschrift in de open haard en streek een lucifer af.

'Lekker doen!' riep Celia. 'De fik erin, stelletje eikels.'

De hoeken krulden om door de vlammen, en het papier bleef even branden, maar ging toen weer uit. Ik streek nog een lucifer af en gooide die er weer bij.

Vraag me niet hoe, maar ik kreeg het voor elkaar om met de brandende kranten een vuurtje te maken.

'Oké,' zei ik. 'Volgens mij begint dit wel ergens op te lijken.'

Celia kwam naast me zitten en reikte me de fles wijn aan. Ik pakte hem aan en nam een slok. 'Je hebt wat in te halen,' zei ze toen ik hem terug wilde geven.

Ik moest lachen en zette de fles weer aan mijn mond.

Het was dure wijn. Ik dronk hem het liefst alsof het limonade was, alsof het me niks deed. *Armeluiskindjes uit Hell's Kitchen kunnen dit soort wijn niet drinken alsof het niks is.*

'Ho, geef die maar weer gauw hier,' zei Celia.

Ik hield de fles stevig vast en weigerde plagerig hem af te staan.

Haar hand lag op die van mij. Ze trok net zo hard als ik. En toen zei ik: 'Oké, neem jij hem dan maar.' Maar ik zei het te laat en liet te snel los.

De wijn klotste over haar witte truitje.

'O, god,' zei ik. 'Sorry.'

Ik pakte de fles van haar over, zette hem op tafel, pakte haar hand en trok haar achter me aan de trap op. 'Je mag wel iets van mij lenen. Ik heb het perfecte bloesje voor je.'

Ik nam haar mee naar de slaapkamer en liep linea recta naar mijn kledingkast. Ik zag dat Celia om zich heen keek om de slaapkamer die ik met Don deelde in zich op te nemen.

'Mag ik je wat vragen?' vroeg ze. Het klonk vrij luchtig, maar had ook iets weemoedigs. Ik dacht dat ze wilde vragen of ik in spoken geloofde of in liefde op het eerste gezicht.

'Ga je gang,' zei ik.

'Beloof je dat je eerlijk antwoord geeft?' vroeg ze terwijl ze op een hoekje van het bed ging zitten.

'Nee, niet per se,' zei ik.

Celia moest lachen.

'Maar vraag maar wat je wilde vragen,' zei ik. 'Dan zien we wel.'

'Hou je van hem?' vroeg ze.

'Van Don?'

'Van wie anders?'

Ik dacht er even over na. Ik was zeker verliefd op hem geweest. Heel erg, zelfs. Maar of die liefde er nog zat? 'Ik weet het niet,' zei ik.

'Doe je het allemaal voor de publiciteit? Gewoon om bij de familie Adler te horen?'

'Nee,' antwoordde ik. 'Ik geloof het niet.'

'Waarom dan wel?'

Ik liep op haar af en ging naast haar op het bed zitten. 'Ik vind het moeilijk om te zeggen of ik van hem hou, ja of nee, of dat ik om een bepaalde reden met hem getrouwd ben. Ik hou van hem, maar heel vaak heb ik ook een hekel aan hem. Ik ben met hem samen om zijn naam, maar ook omdat we het gezellig hebben met z'n tweeën. Eerst was het altijd gezellig en nu af en toe nog. Ik vind het moeilijk uit te leggen.'

'Voel je je seksueel tot hem aangetrokken?'

'Ja, heel erg zelfs. Soms verlang ik zo naar hem dat het gênant is. Ik weet niet of vrouwen zoveel zin in een man horen te hebben als ik soms in Don heb.'

Don had me misschien geleerd dat ik in staat was om seks te willen met iemand van wie ik hield. Maar hij had me ook geleerd dat je kon verlangen naar seks met iemand die je niet eens mag, dat je dan júíst zin in iemand kan krijgen. Ik geloof dat ze dat tegenwoordig haatseks noemen. Maar dat vind ik wel een erg grove term voor iets wat zo menselijk en sensueel kan zijn.

'Laat maar zitten,' zei Celia, en ze stond op. Ze vond het duidelijk geen prettig gesprek.

'Ik ga dat bloesje wel even halen,' zei ik en ik liep mijn inbouwkast in.

Het was een van mijn lievelingsbloesjes, lila, met knoopjes en een soort zilveren gloed. Maar het paste me niet goed. Bij mijn boezem kreeg ik het nauwelijks dicht.

Celia was kleiner gebouwd dan ik, tengerder.

'Hier. Pas maar eens.'

'Wat een mooie kleur.'

'Weet ik,' zei ik. 'Ik heb het gestolen van de set van *Father and Daughter*. Niet doorvertellen, hoor.'

'Je hebt inmiddels hopelijk wel in de gaten dat ik jouw geheimen nooit zou doorvertellen,' antwoordde Celia terwijl ze de knoopjes losmaakte.

Voor haar was dat waarschijnlijk een vrij terloopse opmerking, maar voor mij betekende die heel veel. Niet zozeer door het feit dát ze het zei, maar door het moment waarop. Ik besefte dat ik haar echt geloofde.

'Dat heb ik in de gaten, ja,' antwoordde ik.

Mensen denken vaak dat intimiteit puur een seksuele kwestie is.

Maar intimiteit is vooral een kwestie van eerlijkheid.

Als je weet dat je iemand de waarheid kunt vertellen, dat je niks hoeft achter te houden, dat als je je helemaal blootgeeft, hij of zij zal zeggen: 'Bij mij ben je veilig.' Dát is intimiteit.

En als je het zo bekijkt, was dat moment met Celia het intiemste wat ik ooit met een ander had meegemaakt.

Dat vulde me met zoveel waardering en dankbaarheid dat ik het liefst mijn armen om haar heen had geslagen en haar nooit meer had losgelaten.

'Ik weet niet of het wel past,' zei Celia.

'Probeer maar. Ik durf te wedden van wel, en zo ja, dan mag je het hebben.'

Ik wilde haar van alles geven. Ik wilde alles met haar delen wat ik had. Ik vroeg me af of dit nou echte liefde was. Ik wist al hoe het voelde om verliefd op iemand te zijn. Dat had ik ervaren én gespeeld. Maar echt van een ander houden. Om iemand geven. Je leven met hem of haar willen delen en denken: wat er ook gebeurt, samen staan we sterk.

'Oké,' zei Celia. Ze gooide het bloesje op het bed. Toen ze haar eigen truitje uittrok, gleed mijn blik onwillekeurig naar de blanke huid die strak over haar ribbenkast lag. Ik staarde naar haar hagelwitte beha. Ik zag dat haar borsten in tegenstelling tot de mijne niet door de beha omhoog werden geduwd, maar dat het eerder leek alsof ze haar beha enkel droeg voor de sier.

Ik volgde het rijtje donkerbruine sproeten dat over haar rechterheup liep.

'Ook hallo,' zei Don.

Ik draaide me met een ruk om. Celia hapte naar adem en griste haar truitje weer van de grond.

Don barstte in lachen uit. 'Waar zijn jullie in vredesnaam mee bezig?' vroeg hij plagerig.

Ik liep op hem af en antwoordde: 'Nergens mee.'

PhotoMoment

2-11-1959

ALTIJD VAN DE PARTIJ

Celia St. James staat steeds meer in de schijnwerpers! En niet alleen omdat ze heeft laten zien dat ze geweldig kan acteren. Het Snoepje uit Georgia weet ook precies met wie je in Hollywood bevriend moet zijn.

Haar beroemdste vriendin is ieders favoriete filmster: Evelyn Hugo. Celia en Evelyn zetten in heel Hollywood de bloemetjes buiten: ze gaan regelmatig samen winkelen of pakken een terrasje, en soms zien ze zelfs kans om een paar damesballetjes te slaan op de Beverly Hills Golf Club.

En om het plaatje helemaal compleet te maken, lijkt het er nu op dat de twee hartsvriendinnen in de nabije toekomst naar hartenlust kunnen dubbeldaten. Celia is in de Trocadero gesignaleerd met niemand minder dan Robert Logan, een goede vriend van Evelyns man Don Adler.

Een knap vriendje, beroemde vrienden en zo'n felbegeerd gouden beeldje in het verschiet – het lijkt ons geen straf om Celia St. James te zijn!

'IK ZIE DIT ECHT NIET ZITTEN,' ZEI CELIA. Ze had een strak zwart jurkje aan met een diep uitgesneden hals. Het was het soort jurkje dat ik nooit buitenshuis aan zou trekken, omdat ik meteen zou worden aangehouden op verdenking van prostitutie. Ze droeg een diamanten ketting die ze op aandringen van Don te leen had gekregen van Sunset.

Sunset stak doorgaans geen poot uit om zelfstandige actrices te helpen, maar Celia wilde die ketting graag en ik wilde dat Celia alles had wat haar hartje begeerde. En Don wilde op zijn beurt dat ik alles had wat mijn hartje begeerde – meestal, tenminste.

Dons tweede western, The Righteous, was net uitgekomen, nadat hij Ari Sullivan had overgehaald om hem nog een kans te geven. Deze keer waren de recensies heel anders. Don had zich 'vermand'. Met zijn tweede poging wist hij iedereen ervan te overtuigen dat hij wel degelijk een stoere actieheld was.

Door die respons werd Dons film de grote bioscoophit van het moment, wat betekende dat Ari Sullivan Don niets kon weigeren.

Zo kwamen die diamanten om Celia's hals terecht, met een grote robijn in het midden, vlak boven haar decolleté.

Ik droeg weer smaragdgroen. Het begon mijn handelsmerk te worden. Die avond was het een asymmetrische jurk van tafzijde, strak om de taille, met een wijde rok en glitters langs de hals. Ik droeg mijn haar los in een omgekrulde bob.

Ik keek naar Celia, die aan mijn kaptafel in de spiegel keek en aan haar opgestoken haar zat te plukken.

'Je moet wel,' zei ik.

'Maar ik wil niet. Maakt dat dan helemaal niks uit?'

Ik pakte mijn handtasje, dat speciaal bij mijn jurk was gemaakt. 'Eigenlijk niet, nee.'

'Je hoeft niet zo de baas over me te spelen, hoor,' zei ze.

'Waarom zijn wij vriendinnen?' vroeg ik.

'Ik zou het eerlijk gezegd niet meer weten,' zei ze.

'Omdat we samen sterker staan dan alleen.'

'Ja, dus?'

'Dus, als het gaat om welke rollen we aannemen en hoe we die spelen, wie is er dan de baas?'

'Ik.'

'En zoals nu, bij de première van onze film? Wie is er dan de baas?'

'Dat zul jij dan wel zijn.'

'Dat ben ik inderdaad.'

'Ik vind het echt een kwal, Evelyn,' zei Celia. Ze was haar make-up aan het verpesten.

'Leg die rouge neer,' zei ik. 'Gwen heeft je prachtig opgemaakt. Daar moet je verder afblijven.'

'Hoorde je wat ik zei? Ik vind hem een kwal.'

'Natuurlijk vind je dat. Het ís ook een kwal.'

'Kunnen we niemand anders verzinnen?'

'Nu niet meer, nee.'

'En ik kan niet alleen gaan?'

'Naar je eigen première?'

'Waarom kunnen wij niet gewoon samen gaan?'

'Ik ga al met Don. En jij gaat met Robert.'

Celia fronste en draaide zich weer om naar de spiegel. Ik zag dat ze haar ogen tot spleetjes kneep en haar lippen tuitte, alsof ze zat te bedenken hoe boos ze was en hoe ze er nog onderuit kon komen.

Ik pakte haar handtas en reikte hem haar aan. We moesten weg.

'Is het nou klaar, Celia? Als je niet bereid bent om tot het uiterste te gaan om met je naam in de krant te komen, wat heb je hier dan in vredesnaam te zoeken?'

Ze stond op, griste het tasje uit mijn hand en beende de kamer uit. Ik keek toe hoe ze de trap af liep, met een brede glimlach de woonkamer in stapte en Robert om de hals vloog alsof hij eigenhandig de wereld had gered.

Ik liep naar Don toe. Smokings stonden hem altijd goed. Hij zou die avond geheid de knapste man in de zaal zijn, daar was geen ontkennen aan. Maar ik begon hem zat te worden. Wat zeggen ze ook alweer? Achter elke mooie vrouw staat een man die niet meer met haar naar bed wil? Tja, dat geldt andersom dus ook. Dat wordt er nooit bij gezegd.

'Zullen we gaan?' vroeg Celia alsof ze niet kon wachten om aan Roberts arm op de rode loper te verschijnen. Ze kon geweldig acteren. Dat stond altijd buiten kijf.

'Ik wil geen minuut langer wachten,' zei ik terwijl ik mijn arm door die van Don stak en me stevig aan hem vastklampte. Hij keek naar mijn arm en toen naar mijn gezicht, alsof hij aangenaam verrast was door mijn hartelijkheid.

'Laten we maar eens gaan kijken hoe onze dametjes het doen in Little Women, hè?' zei Don. Ik had hem bijna een klap verkocht. Hij had sowieso nog een klap of twee tegoed. Of vijftien.

We werden met twee auto's opgehaald en naar het Grauman's Chinese Theatre gebracht.

Er waren stukken van Hollywood Boulevard voor ons afgezet. De chauffeur bleef vlak achter de auto van Celia en Robert staan voor de ingang van de bioscoop. We stonden achteraan in een rij van vier auto's.

Als je onderdeel uitmaakt van een vrouwelijke sterrencast en de studio wil een groot spektakel van de première maken, dan zorgen ze ervoor dat jullie alle vier tegelijk aankomen, alle vier met een eigen auto, alle vier met een knappe vrijgezelle vent – al was die in mijn geval getrouwd, namelijk met mij.

De mannen stapten eerst uit en bleven vervolgens staan om ons uit de auto te helpen. Terwijl ik mijn beurt afwachtte zag ik eerst Ruby uitstappen, toen Joy en toen Celia. Ik wachtte net een paar tellen langer dan de anderen. En toen stak ik eerst een been uit de auto en stapte ik de rode loper op.

'Je bent de mooiste vrouw van de avond,' fluisterde Don in mijn oor toen ik naast hem kwam staan. Maar ik wist al dat hij dat vond. Ik wist donders goed dat als hij dat niet had gevonden, hij daar niet met mij zou zijn.

Het was de mannen in mijn leven zelden om mijn persoonlijkheid te doen.

Daar wil ik niet mee zeggen dat meisjes met een leuk karakter medelijden zouden moeten hebben met mooie meisjes. Ik bedoel gewoon dat het best jammer is als iemand alleen van je houdt om iets waar je geen invloed op hebt.

De fotografen begonnen meteen onze namen te roepen toen we binnenkwamen. Mijn hoofd tolde van het geschreeuw dat ons om de oren vloog. 'Ruby! Joy! Celia! Evelyn!' 'Mr en Mrs Adler! Hierzo!'

Boven het geklik van de camera's en het gejoel van de menigte uit kon ik mezelf nauwelijks horen denken. Maar zoals ik mezelf al lang daarvoor had aangeleerd, deed ik alsof ik vanbinnen de rust zelve was, alsof ik het totaal niet ongemakkelijk vond om te worden behandeld als een tijger in de dierentuin.

Hand in hand liepen Don en ik de loper af, met een brede glimlach voor elke flits. Aan het einde van de rode loper stonden een paar mannen met microfoons klaar. Ruby was met een van hen in gesprek. Joy en Celia met een ander. De derde stak zijn microfoon onder mijn neus.

Het was een klein mannetje met kraalogen en een stompe drankneus. Een goeie kop voor de radio, zeggen ze dan.

'Miss Hugo, bent u blij dat deze film vandaag uitkomt?'

Ik zette mijn vriendelijkste glimlach op om te verbloemen wat een domme vraag dat was. 'Ik heb er mijn hele leven naar uitgekeken om Jo March te spelen. Dus ik ben ontzettend blij.'

'En u hebt blijkbaar een mooie vriendschap aan de draaiperiode overgehouden,' zei hij.

'Hoe bedoelt u?'

'Celia St. James en u. Jullie lijken dikke vriendinnen te zijn geworden.'

'Het is een schat van een meid. En ze speelt haar rol geweldig. Zeker.'

'Het wil wel tussen haar en Robert Logan, hè?'

'O, dat moet u echt aan hen vragen. Daar weet ik het fijne niet van.'

'Maar u hebt ze toch aan elkaar gekoppeld?'

Don schoot me te hulp. 'Volgens mij waren dat wel weer genoeg vragen,' zei hij.

'Don, wanneer gaan uw vrouw en u aan een gezin beginnen?'

'Ik zei dat het genoeg was, maat. Genoeg is genoeg. Dank u wel.'

Don duwde me vooruit.

We bereikten de ingang en ik zag eerst Ruby en toen Joy met hun dates naar binnen gaan.

Don hield de deur voor me open. Robert deed hetzelfde voor Celia met de andere deur.

Toen kreeg ik een idee.

Ik pakte Celia's hand, draaide me om en trok haar mee.

'Zwaaien, verdomme,' zei ik met een glimlach. 'Alsof je de koningin van Engeland bent.'

Celia zette een stralende glimlach op en volgde mijn voorbeeld. Daar stonden we dan, naast elkaar, in zwart en groen, een roodharige en een blondine, de een rondborstig en de ander rondbillig, te zwaaien naar de menigte alsof ze onze onderdanen waren.

Ruby en Joy waren nergens te bekennen. De menigte juichte alleen voor ons.

We draaiden ons weer om en liepen de bioscoop in. We gingen naar onze plekken.

'Belangrijk moment,' zei Don.

'Zeg dat wel.'

'Over een paar maanden win jij hiervoor een Oscar en ik voor The Righteous. En dan ligt de wereld aan onze voeten.'

'Ze gaan Celia sowieso ook nomineren,' fluisterde ik in zijn oor.

'Iedereen heeft het alleen nog over jou als ze deze film gezien hebben,' zei hij. 'Dat weet ik zeker.'

Ik keek opzij en zag dat Robert iets in Celia's oor fluisterde. Ze giechelde alsof hij zogenaamd iets grappigs te melden had. Maar ík had die diamanten voor haar geregeld, ík had ervoor gezorgd dat we de volgende ochtend met een geweldige foto op de voorpagina's zouden staan. Ondertussen zat zij te doen alsof ze hem om op te eten vond. Ik moest steeds denken aan dat rijtje sproetjes op haar heup, waar hij niks van wist. Ik lekker wel.

'Ze is echt heel goed, Don.'

'Ach, hou toch op over haar,' zei Don. 'Ik ben het spuugzat om steeds dat gewauwel over haar te moeten aanhoren. Ze zouden jou geen vragen over haar moeten stellen, maar over óns.'

'Don, ik...'

Hij gebaarde dat ik mijn mond moest houden, alsof hij al bij voorbaat wist dat wat ik te melden had hem niet kon schelen.

Het licht ging uit. Het geroezemoes verstomde. De begintitels kwamen in beeld. En toen verscheen mijn gezicht op het witte doek.

Alle ogen waren op mij gericht terwijl ik zei: 'Zonder cadeautjes voelt het niet echt als Kerstmis!'

Maar toen we eenmaal bij Celia's eerste zin waren aanbeland – 'We hebben vader en moeder toch, en elkaar' – was het duidelijk dat ik wel kon inpakken.

Als iedereen straks de bioscoop uit liep, zou Celia St. James de naam op ieders lippen zijn.

Eigenlijk had ik daar bang, jaloers of onzeker van moeten worden. Ik had meteen een plannetje moeten smeden om haar neer te halen, bijvoorbeeld door het gerucht te verspreiden dat ze heel preuts was of juist met Jan en alleman naar bed ging. Dat is immers de makkelijkste manier om de reputatie van een vrouw te schaden – je suggereert dat ze de kunst niet verstaat van het seksueel bevredigen zonder zelf zichtbaar naar bevrediging te verlangen.

Maar in de ruim anderhalf uur die volgde was ik niet bezig mijn wonden te likken; integendeel, ik moest juist voortdurend een glimlach onderdrukken.

Celia ging een Oscar winnen. Dat stond als een paal boven water. En dat maakte me niet jaloers, maar dolblij.

Toen Beth doodging, moest ik huilen. Ik reikte over Robert en Don heen naar Celia's hand en gaf er een kneepje in.

Don rolde met zijn ogen naar me.

En ik dacht: hij vindt straks wel een andere aanleiding om me te slaan. Maar eigenlijk zal het hierom zijn.

Ik stond midden in de woonkamer van Ari Sullivans villa aan de rand van Benedict Canyon. Don en ik hadden op de kronkelende weg ernaartoe nauwelijks een woord gewisseld.

Ik vermoedde dat hij tot dezelfde slotsom was gekomen toen hij Celia zag spelen. Dat zij de enige was die ertoe deed.

Nadat de chauffeur ons had afgezet en we naar binnen waren gegaan, zei Don meteen: 'Ik moet naar de plee,' en maakte zich uit de voeten.

Ik ging op zoek naar Celia, maar kon haar niet vinden.

Intussen werd ik omringd door sneue slijmballen die even met me hoopten te kunnen socializen terwijl ze mierzoete cocktails dronken en ouwehoerden over Eisenhower.

'Neem me niet kwalijk, ik moet even...' zei ik tegen een vrouw met een foeilelijk suikerspinkapsel. Ze wauwelde aan één stuk door over de Hopediamant.

Vrouwen die zeldzame edelstenen verzamelden zaten in mijn ogen precies hetzelfde in elkaar als alle mannen die dolgraag een nachtje met me naar bed wilden. Voor hen draaide het leven om spullen; hun enige doel was dingen bezitten.

'O, daar ben je, Ev,' zei Ruby toen ze me op de gang tegen het lijf liep. Ze had in beide handen een knalgroene cocktail. Ze klonk lauwtjes, en ik kon haar moeilijk peilen.

'Heb je een leuke avond?' vroeg ik.

Ze keek over haar schouder, nam de twee glazen in dezelfde hand en trok me aan mijn elleboog achter zich aan, waarbij de helft van haar drankjes over de rand klotste.

'Au, Ruby,' zei ik met hoorbare ergernis.

Ze knikte naar het washok aan onze rechterhand.

'Wat ben je in godsnaam...'

'Doe nou verdomme die deur even open, Evelyn!'

Ik duwde de klink naar beneden, Ruby ging naar binnen en sleurde me mee. Ze deed de deur achter ons dicht.

'Hier,' zei ze en ze reikte me in het donker een van de cocktails aan. 'Die was eigenlijk voor Joy, maar neem jij hem maar. Hij past toch bij je jurk.'

Terwijl mijn ogen aan het donker wenden, pakte ik het drankje van haar aan. 'Wees blij dat hij bij mijn jurk past. Je hebt bijna de helft eroverheen gemorst.'

Nu ze een van haar handen vrij had, trok Ruby aan het koordje van de plafondlamp. De kleine ruimte was plots hel verlicht en even werd ik verblind.

'Je bent wel lekker lomp bezig vanavond, Ruby.'

'Denk je nou echt dat het mij iets kan schelen wat jij van me vindt, Evelyn Hugo? Oké, luister, hoe gaan we dit aanpakken?'

'Hoe gaan we wat aanpakken?'

'Hoe gaan we wát aanpakken? Celia St. James natuurlijk!'

'Hoezo?'

Ruby liet haar hoofd getergd voorovervallen. 'Godsamme, Evelyn.'

'Ze speelt fantastisch. Wat wou je daaraan doen?' vroeg ik.

'Ik zei nog tegen Harry dat dit zou gebeuren. Maar hij dacht van niet.'

'Tja, ik kan er ook niks aan doen.'

'Jij wordt hier ook de dupe van, voor het geval je dat niet in de gaten hebt.'

'Natuurlijk heb ik dat in de gaten!' Natuurlijk hield het me bezig. Maar ik wist ook dat ik nog steeds in de running was voor Beste Vrouwelijke Hoofdrol. Celia en Ruby moesten het tegen elkaar opnemen voor Beste Vrouwelijke Bijrol. 'Ik weet niet wat er nog over te zeggen valt, Ruby. We hebben allemaal gelijk gekregen wat Celia betreft. Ze heeft talent, ze is knap en ze weet mensen voor zich te winnen. Soms is het het beste om gewoon onder ogen te zien dat je van de troon gestoten bent en verder te gaan met je leven.'

Ruby keek me aan alsof ik haar een klap in haar gezicht had gegeven.

Ik wilde er verder geen woorden aan vuilmaken, maar ze versperde me de weg naar buiten. Dus ik bracht het glas naar mijn lippen en dronk het in twee slokken leeg.

'Evelyn, zo ken ik je niet en het bevalt me niks,' zei Ruby.

'O, Ruby, hou toch je smoel.'

Ze dronk haar cocktail op. 'Er doen allerlei geruchten over jou en Celia de ronde. Ik dacht steeds dat het onzin was, maar nu... weet ik het nog zo net niet.'

'Wat voor geruchten doen er dan de ronde?'

'Dat weet je best.'

'Ik kan je verzekeren dat ik geen idee heb.'

'Waarom moet je overal altijd zo moeilijk over doen?'

'Ruby, jij trekt mij tegen mijn zin een washok in en maakt me allerlei verwijten waar ik niks aan kan doen. Ik ben hier niet degene die moeilijk doet.'

'Ze is lésbisch, Evelyn.'

Tot dan toe drongen de geluiden van het feestje dat om ons heen gaande was nog duidelijk in de ruimte door, zij het wat gedempt. Maar zodra Ruby dat had gezegd, zodra het woord *lesbisch* mijn oren bereikte, begon mijn hart zo hard te bonzen dat ik alleen nog mijn eigen hartslag hoorde. Ik had geen aandacht meer voor de woordenbrij die uit Ruby's mond kwam. Ik ving alleen nog losse woorden op, waaronder *vrouwen*, *pot* en *gestoord*.

Mijn borst gloeide. Mijn oren werden vuurrood.

Ik deed mijn best om mezelf tot bedaren te brengen. Toen dat eenmaal gelukt was en ik me weer kon concentreren op wat Ruby zei, hoorde ik pas wat Ruby verder nog te melden had.

'Je moet trouwens echt proberen je man een beetje in toom te houden. Hij wordt op dit moment op Ari's slaapkamer gepijpt door een of ander MGM-snolletje.'

Toen ze dat zei, was mijn eerste gedachte niet: o mijn god, mijn man gaat vreemd. Ik dacht: ik moet met Celia praten.

EVELYN STAAT OP VAN DE BANK EN PAKT DE TELEFOON OM AAN Grace te vragen of ze eten voor ons wil bestellen bij het mediterrane restaurant op de hoek.

'Waar heb jij zin in, Monique? Rundvlees of kip?'

'Doe maar kip.' Ik volg haar met mijn blik en wacht tot ze verdergaat met haar verhaal. Maar als ze weer gaat zitten, kijkt ze me enkel zwijgend aan. Ze gaat niet dieper in op wat ze zojuist gezegd heeft en bevestigt ook niet wat ik al een tijdje vermoed. Er zit niks anders op dan het haar recht voor z'n raap te vragen. 'Wist je het al?'

'Wist ik wat al?'

'Dat Celia St. James lesbisch was?'

'Ik vertel je alles zoals ik het toen beleefde.'

'Ja, oké,' antwoord ik. 'Maar...'

'Maar wat?' Evelyn verblikt of verbloost niet. Het is me niet duidelijk of dat komt doordat ze in de gaten heeft wat ik vermoed en er eindelijk aan toe is om open kaart te spelen of omdat ik er gigantisch naast zit en ze dus geen idee heeft wat er in mijn hoofd omgaat.

Ik weet niet zo goed of ik de vraag durf te stellen voordat ik zeker ben van het antwoord.

Evelyns mond is een dunne, rechte streep. Ze houdt haar blik strak op mij gericht. Maar terwijl ze wacht tot ik iets zeg, valt me op dat haar borst heel vlug op en neer gaat. Ze is gespannen. Ze is niet zo zeker van haar zaak als ze doet voorkomen. Ze is en blijft natuurlijk actrice. Inmiddels zou ik toch moeten weten dat bij Evelyn niet alles is wat het lijkt.

Dus ik vraag het zo dat ze zelf kan bepalen hoeveel ze wil vertellen: 'Wie was de liefde van je leven?'

Evelyn kijkt me recht in de ogen, en ik weet dat ze nog een klein duwtje nodig heeft.

'Het is goed, Evelyn. Toe maar.'

Het is een grote stap. Maar het is goed. We leven in een hele andere tijd dan toen. Al moet ik toegeven dat het nog steeds niet helemaal zonder risico's is.

Maar toch.

Nu kan ze het zeggen.

Ze kan het eindelijk zeggen.

Ze kan er nu openlijk voor uitkomen. Tegenover mij.

'Evelyn, wie was de liefde van je leven? Vertel het maar gewoon.'

Evelyn kijkt uit het raam, haalt diep adem en zegt dan: 'Celia St.James.'

Er valt een stilte terwijl Evelyn tot zich laat doordringen wat ze zojuist heeft gezegd. En dan glimlacht ze – een brede, welgemeende glimlach. Ze begint een beetje te grinniken en richt haar aandacht dan weer op mij. 'Voor mijn gevoel hou ik al een heel mensenleven van haar.'

'Dus door middel van dit boek, van deze biografie... wil je aan de wereld laten weten dat je lesbisch bent?'

Evelyn doet haar ogen even dicht, en in eerste instantie denk ik dat ze op zich laat inwerken hoe beladen die vraag is, maar als ze haar ogen weer opendoet, besef ik dat ze probeert te verwerken hoe stompzinnig ik ben.

'Heb je dan niks van mijn hele verhaal meegekregen? Ik was verliefd op Celia, maar ik was daarvoor ook al verliefd geweest op Don. Sterker nog, als Don niet zo'n ongelooflijke eikel was gebleken, was ik waarschijnlijk nooit meer op iemand anders verliefd geworden. Ik ben biseksueel. Je moet niet zomaar de helft van wie ik ben negeren zodat ik beter in een bepaald hokje pas, Monique. Niet doen.'

Dat doet pijn. En flink ook. Ik weet hoe het voelt als mensen bepaalde vooroordelen over je hebben, als je een label opgeplakt krijgt op basis van je uiterlijk of je uitstraling. Ik probeer al mijn hele leven aan mensen uit te leggen dat ik weliswaar zwart lijk, maar eigenlijk een gemengde achtergrond heb. Ik ben er al mijn hele leven van doordrongen hoe belangrijk het is om mensen zelf te laten vertellen wie ze zijn in plaats van ze in hokjes te stoppen.

En nu doe ik zelf bij Evelyn wat iedereen altijd bij mij doet.

Ik vatte haar verhouding met een vrouw op als een teken dat ze lesbisch is en heb haar niet de kans gegeven om zelf te vertellen dat ze biseksueel is.

Daar gaat het haar nou juist om. Daarom hamert ze er zo op dat ik precies begrijp wat ze bedoelt en is ze zo bezig met de juiste woordkeuze. Omdat ze wil worden gezien zoals ze is, in al haar bonte verscheidenheid. Net als ik altijd heb gewild.

Dus nu heb ik het verkloot. Hiermee heb ik het verkloot. En al zou ik dolgraag doen alsof ik niks heb gezegd of het terzijde schuiven, ik besef ook dat het sterker is om haar mijn excuses aan te bieden.

'Het spijt me,' zeg ik. 'Je hebt helemaal gelijk. Ik had moeten vragen hoe je je eigen geaardheid zou beschrijven in plaats van zelf een conclusie te trekken. Laat ik het anders stellen: ben je bereid om in dit boek als biseksueel uit de kast te komen?'

'Ja,' zegt ze en ze knikt. 'Jazeker.' Evelyn lijkt genoegen te nemen met mijn verontschuldiging, al kijkt ze nog steeds wat verontwaardigd. Maar we hebben in ieder geval de draad weer opgepakt.

'En hoe kwam je daar precies achter?' vraag ik. 'Dat je verliefd op haar was? Dat je hoorde dat zij op vrouwen viel, hoefde natuurlijk niet automatisch te betekenen dat je besefte dat je gevoelens voor haar had.'

'Nou ja, het hielp wel dat mijn man boven met een andere vrouw in bed lag. Want ik was in beide opzichten stikjaloers. Ik was jaloers toen ik hoorde dat Celia lesbisch was, omdat dat betekende dat er andere vrouwen in haar leven waren of waren geweest, dat haar leven niet alleen om mij draaide. En ik was ook jaloers dat mijn man vreemdging op een feestje waar ik nota bene ook rondliep, omdat het beschamend was en het leven waar ik aan gewend was geraakt in gevaar bracht. Ik leefde in een soort bubbel waarin ik een hechte band met Celia dacht te kunnen hebben én Don op veilige afstand dacht te kunnen houden zonder dat een van beiden zijn heil bij een ander zou zoeken. Maar nu was ik in één klap twee illusies armer.'

'Het lijkt me dat je in die tijd niet zomaar tot dat inzicht zou komen – dat je op iemand van hetzelfde geslacht viel.'

'Natuurlijk niet! Als ik al mijn hele leven had geworsteld met mijn gevoelens voor vrouwen, dan had ik het misschien makkelijker kunnen plaatsen. Maar dat was niet het geval. Ik had geleerd om op mannen te vallen, en had – zij het tijdelijk – liefde en lust gevoeld voor een man. Het feit dat ik voortdurend bij Celia in de buurt wilde zijn, het feit dat ik zoveel om haar gaf dat ik haar geluk belangrijker vond dan het mijne, het feit dat ik vaak terugdacht aan dat moment dat ze in haar beha voor me had gestaan – als je dat nu allemaal bij elkaar optelt, dan denk je natuurlijk meteen: die is verliefd op een vrouw. Maar destijds was die conclusie voor mij helemaal niet zo vanzelfsprekend. En als je amper in de gaten hebt dat de signalen er zijn, zie dan maar eens tot een logische verklaring te komen.'

Ze is nog niet klaar. 'Ik dacht dat ik voor het eerst bevriend was geraakt met een vrouw. En ik dacht dat mijn huwelijk op instorten stond omdat mijn man een klootzak was. Dat klopte overigens allebei. Maar het had wel wat meer voeten in de aarde.'

'Dus wat deed je toen?'

'Op dat feestje?'

'Ja, naar wie ging je als eerste toe?'

'Nou,' zegt Evelyn, 'een van de twee kwam naar mij toe.'

RUBY LIET ME DAAR ACHTER, NAAST DE DROGER, MET EEN LEEG cocktailglas in mijn hand.

Ik moest me weer in het feestgedruis mengen. Maar ik bleef als aan de grond genageld staan en dacht alleen maar: wegwezen hier. Ik kon me er niet toe zetten de deur open te doen. En toen kwam Celia binnen. Achter haar denderde het feestje vrolijk voort.

'Evelyn, wat sta je hier te doen?'

'Hoe heb je me gevonden?'

'Ik kwam Ruby tegen, en die zei dat je het washok onveilig aan het maken was. Ik dacht dat ze dat figuurlijk bedoelde.'

'Nee, dus.'

'Dat zie ik.'

'Heb jij seks met vrouwen?' vroeg ik.

Celia trok verschrikt de deur achter zich dicht. 'Waar heb je het over?'

'Ruby zegt dat je lesbisch bent.'

Celia staarde langs me heen. 'Ruby zegt zoveel.'

'Maar is het waar?'

'Wil je nu geen vriendinnen meer met me zijn? Is dat wat er aan de hand is?'

'Nee,' zei ik hoofdschuddend. 'Natuurlijk niet. Zo... zo ben ik niet. Echt niet.'

'Wat is er dan wel?'

'Ik wil het gewoon weten.'

'Waarom?'

'Vind je niet dat ik daar recht op heb?'

'Dat hangt ervan af.'

'Dus het is zo?' vroeg ik.

Celia legde haar hand op de deurklink en stond op het punt om weg te lopen. Voor ik goed en wel besefte wat ik deed boog ik voorover en pakte haar bij haar pols vast.

'Wat doe je nou?'

Haar huid voelde zacht aan. Haar parfum vulde op een prettige manier de ruimte. Ik boog verder naar voren en kuste haar.

Ik had geen idee waar ik mee bezig was. En daarmee bedoel ik dat ik mezelf niet helemaal in de hand had en dat ik ook niet zo goed wist hoe het praktisch gezien in zijn werk ging. Moest je hetzelfde doen als wanneer je een man kuste, of werkte het met een vrouw anders? Ik was me er daarnaast ook totaal niet van bewust wat mijn gedrag in emotioneel opzicht betekende, welke gevolgen en gevaren eraan verbonden waren.

Ik was een beroemde vrouw die in het huis van een van de grootste studiobonzen van Hollywood stond te zoenen met een andere beroemde vrouw, omringd door producenten en filmsterren, en door een flink aantal mensen die elke roddel maar al te graag aan de Sub Rosa zouden doorspelen.

Maar op dat moment was het enige wat me iets kon schelen hoe zacht haar lippen waren. Haar huid was nergens ruw of oneffen. Het enige wat me kon schelen was dat ze mijn kus beantwoordde, dat ze de deurklink losliet en haar hand op mijn heup legde.

Ze rook bloemig, naar babypoeder en seringen, en haar lippen voelden vochtig aan. Haar adem was zoet, en ik proefde sigaretten en crème de menthe.

Toen ze dichter tegen me aan kwam staan, haar borsten tegen de mijne aan drukte en met haar bekken het mijne raakte, was mijn enige gedachte dat het niet eens zo anders was, maar tegelijkertijd totaal anders.

Waar Don plat was, had zij rondingen. En zij was plat waar bij Don een bolling zat.

Aan de andere kant was de beleving – dat je hart bonst in je keel, dat je lichaam snakt naar meer, dat je verdrinkt in hoe de ander ruikt, smaakt en voelt – precies hetzelfde.

Celia trok zich als eerste terug. 'We moeten hier weg,' zei ze. Ze veegde haar mond af aan de rug van haar hand. Ze wreef met haar duim over mijn onderlip.

'Celia, wacht,' zei ik, in een poging haar tegen te houden.

Maar ze stapte naar buiten en deed de deur achter zich dicht.

Ik sloot mijn ogen en probeerde mijn gedachten op een rijtje te zetten, om wat grip op mezelf te krijgen.

Ik ademde diep in. Ik deed de deur open en liep rechtstreeks de trap op, met twee treden tegelijk.

Op de eerste verdieping trok ik een voor een alle deuren open tot ik vond wie ik zocht.

Don was zich net aan het aankleden. Hij propte zijn overhemd in zijn broek, terwijl naast hem een vrouw in een gouden glitterjurkje haar schoenen aantrok.

Ik spurtte ervandoor. Don kwam achter me aan.

'Laten we het hier thuis over hebben,' zei hij terwijl hij me bij mijn elleboog pakte.

Ik trok me los en speurde het feestje af naar Celia. Ze was nergens te bekennen.

Harry stapte net het huis binnen, met een frisse, nuchtere blik. Ik rende naar hem toe en liet Don achter op de trap, waar hij meteen door een dronken producent werd aangeklampt die hem wilde polsen voor een melodrama.

'Waar hing jij al die tijd uit?' vroeg ik aan Harry.

Hij glimlachte. 'Dat hou ik liever voor me.'

'Wil je me alsjeblieft naar huis brengen?'

Harry keek naar mij en toen naar Don, die nog op de trap stond. 'Ga je niet samen met je man naar huis?'

Ik schudde mijn hoofd.

'Weet hij dat ook?'

'Als hij dat niet begrijpt, is hij niet goed snik.'

'Oké,' zei Harry met een bemoedigend, gehoorzaam knikje. Mijn wens was zijn bevel.

Ik ging voorin zitten in Harry's Chevy en hij wilde net achteruit wegrijden toen Don het huis uit kwam gestormd. Hij snelde op mijn kant van de auto af. Ik liet demonstratief het raampje dicht.

'Evelyn!' brulde hij.

Het beviel me wel dat het glas tussen ons in het scherpe randje van zijn stem haalde, dat hij dusdanig gedempt klonk dat het leek alsof hij ver weg was. Het beviel me wel dat ik zelf kon bepalen of ik hem op volle sterkte hoorde of niet.

'Het spijt me,' zei hij. 'Het is niet wat je denkt.'

Ik keek strak voor me uit. 'Kom, we gaan.'

Ik dwong Harry in een lastige positie door hem een kant te laten kiezen. Maar hij vertrok geen spier, wat enorm voor hem pleitte.

'Cameron, waag het niet om weg te rijden met mijn vrouw!'

'We hebben het er morgen wel over, Don,' riep Harry door het raampje heen, en toen stoof hij weg, het dal in.

Toen we eenmaal op Sunset Boulevard reden en mijn hart wat minder tekeerging, draaide ik me opzij naar Harry en begon ik te praten. Toen ik zei dat Don op het feestje was vreemdgegaan, knikte hij alsof hij niet anders had verwacht.

'Waarom lijkt dat je niet te verbazen?' vroeg ik terwijl we het kruispunt met Doheny Drive passeerden, vanaf waar Beverly Hills echt mooi werd. De straten werden breder, met bomen aan weerszijden, keurig gemaaide gazons en schone trottoirs.

'Don heeft altijd een zwak gehad voor vrouwen die hij net heeft ontmoet,' zei Harry. 'Ik wist niet zeker of je dat wist. En of het je iets kon schelen.'

'Ik wist nergens van. En het kan me zeker schelen.'

'Dat spijt me dan,' zei hij, me even aankijkend voor hij zijn blik weer op de weg richtte. 'Dan had ik het je moeten vertellen.'

'We vertellen elkaar wel meer niet, toch?' zei ik, uit het raampje starend. Op straat was een man zijn hond aan het uitlaten.

Ik had iemand nodig.

Ik had op dat moment heel veel behoefte aan een vriend. Iemand aan wie ik alles eerlijk kon vertellen, iemand die me niet zou veroordelen, iemand die zou zeggen dat alles wel goed zou komen.

'Wat nou als we dat wel gaan doen?' vroeg ik.

'Elkaar alles vertellen?'

'Elkaar eerlijk alles vertellen.'

Harry keek me aan. 'Volgens mij belast ik je daar liever niet mee.'

'Misschien zou het voor jou ook wel een last zijn,' zei ik. 'Ik heb de nodige geheimen, hoor.'

'Je bent eigenlijk van Cubaanse afkomst, en je bent een aandachtsgeil, berekenend kreng,' zei Harry met een grijns. 'Dat zijn toch vrij onschuldige geheimen.'

Ik gooide mijn hoofd in mijn nek en gierde van het lachen.

'En jij weet al wat ik ben.'

'Klopt.'

'Hoewel je dat tot nu toe nog prima kunt ontkennen. Je hoeft het niet te zien en hoeft er niks over te horen.'

Harry sloeg links af, de heuvels uit, het vlakke land in. Hij bracht me niet naar huis, maar nam me mee naar zijn villa. Hij was bang dat Don me iets aan zou doen. Ik eigenlijk ook.

'Misschien ben ik daar juist wel klaar voor. Om een echte vriendin te zijn. Door dik en dun,' zei ik.

'Ik weet niet of ik je wel met dat geheim wil opzadelen, schat. Het is nogal een ding.'

'Volgens mij komt het veel vaker voor dan wij nu doen voorkomen,' zei ik. 'Volgens mij dragen we dat geheim allemaal tot op zekere hoogte met ons mee. Ik volgens mij net zo goed.'

Harry reed zijn oprit op. Hij zette de auto op de handrem en wendde zich tot mij. 'Jij bent niet zoals ik, Evelyn.'

'Misschien wel een beetje,' zei ik. 'En Celia misschien ook wel.'

Harry draaide zich peinzend terug naar het stuur. 'Ja,' zei hij na een tijdje. 'Celia misschien ook wel.'

'Wist jij het al?'

'Ik had zo mijn vermoedens,' zei hij. 'En ik dacht ook dat ze misschien wel... gevoelens voor jou heeft.'

Het voelde alsof ik de enige persoon op aarde was die niet doorhad wat er vlak voor mijn neus gebeurde.

'Ik ga weg bij Don,' zei ik.

Harry knikte; hij had het duidelijk zien aankomen. 'Dat hoor ik graag,' zei hij. 'Maar ik hoop wel dat je beseft wat de gevolgen zullen zijn.'

'Ik weet wat ik doe, Harry.' Daar vergiste ik me in. Ik had geen flauw idee.

'Don zal het niet zomaar over zijn kant laten gaan,' zei Harry. 'Dat is het enige wat ik bedoel te zeggen.'

'Dus moet ik deze hele poppenkast maar in stand blijven houden? Hem lekker laten vreemdgaan en me laten aftuigen als hij daar zin in heeft?'

'Natuurlijk niet. Je weet best dat ik zoiets nooit zou zeggen.'

'Wat bedoel je dan wel?'

'Ik wil dat je weet waar je aan begint.'

'Ik wil het er nu niet meer over hebben,' zei ik.

'Prima,' zei Harry. Hij stapte uit de auto, liep eromheen en hield mijn portier voor me open. 'Kom, Ev,' zei hij op vriendelijke toon. Hij stak zijn hand uit. 'Je hebt een lange avond achter de rug. Rust maar wat uit.'

Plotseling was ik doodmoe, alsof ik dat pas kon toelaten nu hij het had benoemd. Ik liep achter Harry aan zijn huis in.

Zijn woonkamer was sober maar stijlvol ingericht, met houten en leren meubels. Alle nissen en deurposten waren rond, alle muren waren spierwit geverfd. Er hing een enkel schilderij aan de muur: een rood met blauwe Rothko, boven de bank. Het drong tot me door dat Harry geen Hollywoodproducent was voor het vette salaris. Natuurlijk woonde hij in een mooi huis. Maar er was niks protserigs aan, niks theatraals. Voor hem was het gewoon een plek om te slapen.

Harry was net als ik. Harry werkte in Hollywood voor de eeuwige roem. Hij werkte in Hollywood omdat het hem bezighield en scherp hield, omdat hij zich er belangrijk door voelde.

Harry was net als ik in Hollywood gaan werken om zijn eigenwaarde te vergroten.

We hadden allebei het geluk gehad dat we er ook menselijker van waren geworden, al leek dat min of meer per ongeluk te zijn gegaan.

Ik liep achter hem aan de wenteltrap op en hij installeerde me in de logeerkamer. Op het bed lag een dun matras en een zware wollen deken. Ik gebruikte een stuk handzeep om mijn make-up eraf te halen, en Harry ritste voorzichtig mijn jurk voor me open en leende me een van zijn pyjama's.

'Als je iets nodig hebt, ben ik in de kamer hiernaast,' zei hij.

'Dank je wel. Voor alles.'

Harry knikte. Hij draaide zich om en toen weer terug terwijl ik de deken opensloeg. 'Wij hebben niet dezelfde belangen, Evelyn,' zei hij. 'Jij en ik. Dat snap je toch wel, hè?'

Ik keek hem aan en probeerde te bepalen of ik dat inderdaad snapte.

'Het is mijn taak om te zorgen dat de studio geld verdient. En zolang jij doet wat de studio wil, is het mijn taak om te zorgen dat jij tevreden bent. Maar Ari is er toch vooral op gebrand om...'

'Te zorgen dat Don tevreden is.'

Harry keek me recht in de ogen. Daar sloeg ik de spijker op zijn kop. 'Oké,' zei ik. 'Dat snap ik.'

Harry glimlachte schuchter en deed de deur achter zich dicht.

Je zou denken dat ik vervolgens de hele nacht lag te woelen, piekerend over de toekomst, over het feit dat ik met een vrouw had gezoend, over de vraag of ik echt van Don moest scheiden.

Maar daar heb je struisvogelgedrag voor.

De volgende ochtend bracht Harry me thuis. Ik zette me schrap voor een stevige ruzie. Maar toen we de oprit op reden, was Don in geen velden of wegen te bekennen.

Op dat moment drong tot me door dat ons huwelijk voorbij was en dat de beslissing die ik zelf dacht te mogen nemen al voor me genomen was.

Don zat me niet op te wachten; hij was nooit van plan geweest om de strijd met me aan te binden, hij had gewoon de benen genomen. Hij had de eer aan zichzelf gehouden.

Maar wie zat er wél bij me op de stoep? Celia St. James.

Harry bleef op de oprit staan terwijl ik op haar afstapte. Ik draaide me om en gebaarde dat hij mocht gaan.

Toen hij weg was en mijn prachtige bomenlaan weer zo rustig was als je iets na zeven uur 's ochtends in Beverly Hills zou verwachten, pakte ik Celia bij de hand en nam haar mee naar binnen.

'Ik ben niet...' zei Celia zodra ik de deur had dichtgedaan. 'Ik heb alleen... Op de middelbare school was er een meisje, mijn beste vriendin. En met haar heb ik...'

'Ik wil het niet weten,' zei ik.

'Oké,' antwoordde ze. 'Ik ben gewoon... Ik ben niet... Er is niks mis met me.'

'Dat weet ik toch.'

Ze keek me onderzoekend aan en probeerde te peilen wat ik precies van haar wilde, wat ze wel of niet moest opbiechten.

'Even de feiten op een rijtje,' zei ik. 'Eerst was ik verliefd op Don.'

'Dat weet ik heus wel!' schoot ze in de verdediging. 'Ik weet dat je verliefd bent op Don. Daar ben ik me altijd bewust van geweest.'

'Ik zei dat ik verliefd op hem wás. Maar volgens mij is die liefde al wel een tijdje over.'

'Oké.'

'Nu kan ik alleen nog maar aan jou denken.'

En voor ik het wist was ik de trap op gelopen en had ik mijn spullen gepakt.

IK ZAT ANDERHALVE WEEK ONDERGEDOKEN IN CELIA'S APPARTE-
ment, tussen hemel en hel in. Celia en ik sliepen elke nacht naast elkaar
in bed zonder dat er iets gebeurde. Overdag bleef ik bij haar thuis zitten lezen terwijl zij bij Warner
Brothers aan haar volgende film werkte. Er werd niet gezoend. Soms bleven we net iets te lang staan als onze
armen of handen elkaar per ongeluk raakten, maar op zulke momen-
ten meden we elkaars blik. Maar midden in de nacht, als het leek alsof
we allebei sliepen, voelde ik haar lijf tegen mijn rug en ging ik dichter
tegen haar aan liggen om haar warme buik te voelen, en haar kin tussen
mijn nek en schouders in. Soms werd ik 's ochtends wakker met haar haar in mijn gezicht. Dan
haalde ik diep adem en probeerde ik zo veel mogelijk van haar op te
snuiven. Ik wilde heel graag weer met haar zoenen. Ik wilde haar aanraken.
Maar ik wist niet precies hoe ik het moest aanpakken en wat de gevolgen
zouden zijn. Het was vrij makkelijk om die ene kus in een donker washok als iets eenmaligs af te doen. Ik wist mezelf er zelfs vrij makkelijk
van te overtuigen dat mijn gevoelens voor Celia puur platonisch waren.
Zolang ik mezelf slechts sporadisch gedachten aan Celia toestond,
kon ik mezelf blijven wijsmaken dat er niks tussen ons speelde. Homo's

vielen buiten de samenleving. En al werden ze daar in mijn ogen geen slechte mensen van – ik beschouwde Harry immers als een grote broer – toch zag ik het niet zitten om ook een buitenbeentje te worden.

Dus hield ik mezelf voor dat de vonk tussen Celia en mij maar gekkigheid was. En zolang het allemaal niet te serieus werd, was dat nog best geloofwaardig.

Soms word je keihard met je neus op de feiten gedrukt. Maar soms blijven de feiten ook op de loer liggen tot je geen puf meer hebt om ze te negeren.

En dat laatste gebeurde op een zaterdagochtend toen Celia onder de douche stond en ik eieren aan het bakken was.

Er werd op de deur geklopt, en toen ik opendeed, stond aan de andere kant van de drempel de enige persoon die ik graag wilde zien.

'Ha die Harry,' zei ik en ik gaf hem voorzichtig een knuffel om geen ei op zijn mooie overhemd te smeren met mijn vieze spatel.

'Kijk nou eens,' zei hij. 'Dat we jou nog eens in de keuken zouden aantreffen!'

'Ik weet het,' zei ik terwijl ik opzijstapte en hem binnenliet. 'Het zal vandaag sint-juttemis wel zijn. Lust je ook een gebakken ei?'

Ik ging hem voor naar de keuken. Hij gluurde in de koekenpan. 'Hoe goed heb je het ontbijt inmiddels onder de knie?' vroeg hij.

'Als je bedoelt te vragen of je aangebrande eieren krijgt, dan is het antwoord: waarschijnlijk wel, ja.'

Harry grijnsde en legde een grote, zware envelop op de eettafel. Door de plof waarmee hij neerkwam wist ik meteen wat erin zat.

'Laat me raden,' zei ik. 'Ik ga scheiden.'

'Ja, daar lijkt het wel op.'

'Op grond waarvan? Ik neem aan dat zijn advocaat niet heeft aangevinkt dat hij vreemdgaat en me mishandelt.'

'Verwaarlozing.'

Ik trok mijn wenkbrauwen op. 'Slim, hoor.'

'Het maakt niet uit op welke grond je het aanvraagt. Dat weet je.'

'Ja, ik weet het.'

'Lees het gewoon even door, laat het door een advocaat nalezen. Maar er staat in feite één groot pluspunt in.'

'Wat dan?'

'Jij krijgt het huis, je eigen geld én de helft van zijn geld.'

Ik keek Harry aan alsof hij probeerde me de Brooklyn Bridge aan te smeren. 'Waarom zou hij dat in vredesnaam doen?'

'Omdat je wettelijk verplicht bent om je mond te houden over alles wat zich tijdens jullie huwelijk heeft afgespeeld.'

'En is hij dat ook verplicht?'

Harry schudde zijn hoofd. 'Niet contractueel, nee.'

'Dus ik heb zwijgplicht, maar hij mag zomaar alles aan iedereen rondbazuinen? Waarom zou ik daarmee akkoord gaan?'

Harry hield zijn blik even op de tafel gericht en keek me toen beschroomd aan.

'Sunset gaat me ontslaan, hè?'

'Don wil je niet meer in de studio hebben. Ari heeft al plannen om je aan MGM en Columbia uit te lenen.'

'En daarna?'

'Daarna sta je er alleen voor.'

'O, nou, prima. Dat kan ik best. Celia is ook zelfstandig. Dan neem ik gewoon een manager, net als zij.'

'Dat kun je doen,' zei Harry. 'En dat moet je wat mij betreft ook zeker proberen, maar...'

'Maar wat?'

'Don wil dat Ari je uitsluit voor een Oscarnominatie, en Ari gaat daarin mee. Ik verwacht dat hij je expres alleen maar voor flutfilms gaat uitlenen.'

'Dat kan hij toch niet maken.'

'Dat kan hij zeker maken. En hij gaat het doen ook, want Don is de kip met de gouden eieren. Alle studio's zitten in zwaar weer. Mensen gaan gewoon steeds minder vaak naar de bioscoop – ze blijven thuis voor de volgende aflevering van *Gunsmoke*. Sunset draait al verlies sinds we onze bioscopen hebben moeten verkopen. Alleen met sterren zoals Don kunnen we het hoofd nog boven water houden.'

'En sterren zoals ik.'

Harry knikte. 'Maar – en het spijt me dat ik dit moet zeggen, maar ik vind het belangrijk dat je alles in perspectief ziet – Don levert een stuk meer bezette stoelen op dan jij.'

Het voelde alsof ik werd platgedrukt. 'Dat is wreed.'

'Ik weet het,' zei Harry. 'En het spijt me.'

In de badkamer werd een kraan dichtgedraaid en ik hoorde Celia onder de douche vandaan stappen. Er kwam een tochtvlaag binnen door het open raam. Ik wilde het eigenlijk dicht gaan doen, maar ik kon geen stap verzetten. 'Dus hier houdt het op. Don dankt me af, dus hoeft niemand me meer.'

'Don dankt je af, maar hij wil ook niet dat een ander je krijgt. Ik weet dat het maar een klein verschil is, maar...'

'Maar het heeft wel iets geruststellends.'

'Mooi zo.'

'Dus dat is zijn meesterplan? Don verpest mijn leven en legt me in ruil voor een huis en krap een miljoen dollar volledige geheimhouding op?'

'Dat is een hoop geld, hoor,' zei Harry, alsof dat ertoe deed, alsof dat het beter maakte.

'Je weet toch dat geld me niet boeit,' zei ik. 'Niet in de eerste plaats, in ieder geval.'

'Ja, dat weet ik.'

Celia kwam in een badjas en met nat haar de badkamer uit. 'O, hoi Harry,' zei ze. 'Ik kom er zo aan.'

'Haast je niet voor mij,' zei hij. 'Ik stond net op het punt om weer weg te gaan.'

Celia wierp hem een stralende glimlach toe en liep de slaapkamer in.

'Bedankt voor het langsbrengen,' zei ik.

Harry knikte.

'Het zou niet voor het eerst zijn dat ik alles vanaf nul moet opbouwen,' zei ik terwijl ik hem uitliet. 'Dat lukt me heus nog wel een keer.'

'Als jij ergens je zinnen op zet, lukt het je altijd – daar ben ik van overtuigd.' Harry reikte naar de deurklink. 'Ik zou het fijn vinden als... Ik hoop dat we vrienden kunnen blijven, Evelyn. Dat we elkaar nog steeds...'

'O, hou toch op,' zei ik. 'We zijn beste vrienden. Die elkaar al dan niet alles vertellen. Dat blijft zo. Je houdt toch nog van me? Ook al lig ik er zo meteen uit?'

'Zeker.'

'En ik hou nog steeds van jou. Dus daar kunnen we kort over zijn.'

Harry grijnsde opgelucht. 'Oké,' zei hij. 'Jij en ik samen.'

'Door dik en dun.'

Harry liep naar buiten, en ik keek hem na terwijl hij de stoep op liep en in de auto stapte. Toen draaide ik me om en leunde met mijn rug tegen de deur.

Ik ging alles kwijtraken wat ik de afgelopen jaren had opgebouwd.

Alles behalve mijn geld.

Mijn geld had ik nog.

Dat was tenminste iets.

En toen besefte ik dat ik nog iets anders binnen handbereik had, iets waar ik al een hele tijd naar verlangde.

Toen ik daar zo tegen de deur geleund stond in haar appartement, vlak voor mijn scheiding met de grootste hotshot van Hollywood een feit werd, kreeg ik eindelijk in de gaten dat mezelf voorliegen over wat ik het liefste wilde me veel te veel energie kostte.

Dus zonder nog verder na te denken over de gevolgen of wat dit over mij zei, stond ik op en liep ik Celia's slaapkamer binnen.

Ze had haar badjas nog aan en zat aan de kaptafel.

Ik liep naar haar toe, keek haar diep in haar prachtige blauwe ogen en zei: 'Ik geloof dat ik van je hou.'

Toen pakte ik het lint van haar badjas en maakte ik de knoop los.

Ik deed het langzaam. Zo langzaam dat ze me duizend keer had kunnen tegenhouden voor hij daadwerkelijk open was. Maar dat deed ze niet.

Ze ging wat rechter zitten, keek me uitdagend aan en legde haar hand op mijn heup.

Zodra de spanning van het lint wegviel, gleden de panden van de badjas open, en daar zat ze, in vol ornaat, spiernaakt.

Haar huid was bleek en zacht. Haar borsten waren groter dan ik had verwacht, met rozerode tepels. Onder haar navel bolde haar platte buik een heel klein beetje op.

Toen ik mijn blik verder naar beneden liet glijden, spreidde ze haar benen een klein stukje.

Zonder erbij na te denken kuste ik haar. Ik legde mijn handen op haar borsten en voelde eraan zoals ik dat graag wilde en toen hoe ik zelf graag aangeraakt werd.

Toen ze begon te kreunen, ging mijn hart als een bezetene tekeer.

Ze kuste me in mijn nek en mijn hals.

Ze trok mijn T-shirt over mijn hoofd.

Ze keek naar me, en naar mijn blote borsten.

'Wat ben je mooi,' zei ze. 'Nog mooier dan ik me had voorgesteld.'

Ik moest blozen en verstopte mijn gezicht in mijn handen, omdat ik me schaamde voor mijn gebrek aan zelfbeheersing en ervaring.

Ze trok mijn handen weg en keek me aan.

'Ik heb geen idee hoe dit moet,' zei ik.

'Dat geeft niet,' zei ze. 'Ik wel.'

Die nacht sliepen Celia en ik naakt in elkaars armen. We deden niet meer alsof we elkaar alleen per ongeluk aanraakten. En toen ik de volgende ochtend wakker werd met haar haar in mijn gezicht, snoof ik luidruchtig en trots haar geur op.

Tussen die vier muren voelden we geen enkele schaamte.

Sub Rosa

30-12-1959

ADLER EN HUGO UIT ELKAAR!

Wordt Don Adler wederom de meest begeerde vrijgezel van Hollywood? Don en Evelyn zetten er een punt achter! Na twee jaar huwelijk heeft Don een echtscheiding aangevraagd.

We vinden het jammer dat de tortelduifjes uit elkaar gaan, maar eerlijk gezegd verbaast het ons niets. Het gerucht ging al een tijdje dat Don steeds verder aan de weg timmert en dat Evelyn Hugo daar jaloers en kattig van werd.

Don heeft gelukkig zijn contract bij Sunset Studios verlengd – waar studiobons Ari Sullivan ongetwijfeld de handjes over dichtknijpt – en heeft voor komend jaar al drie hoofdrollen te pakken. Die Don is niet te stuiten!

Ondertussen is Evelyn ondanks de geweldige bezoekersaantallen en uitstekende recensies voor haar meest recente film *Little Women* door de studio van *Jokers Wild* af gehaald, een film die later dit jaar zal verschijnen, en vervangen door Ruby Reilly.

Is het schluss voor Evelyn bij Sunset?

'WAAR HAALDE JE HET ZELFVERTROUWEN VANDAAN OM ZO STUG door te blijven gaan?' vraag ik aan Evelyn.

'Toen Don bij me wegging? Of toen mijn carrière naar de knoppen ging?'

'Allebei, eigenlijk,' antwoord ik. 'Ik bedoel, je had Celia, natuurlijk, dus het is wel een beetje anders, maar toch.'

Evelyn houdt haar hoofd een beetje schuin. 'Anders dan wat?'

'Hè?' vraag ik, in gedachten verzonken.

'Je zei dat ik Celia had, dus dat dat een beetje anders was,' heldert Evelyn op. 'Anders dan wat?'

'Sorry,' zeg ik. 'Ik zat even... in mijn eigen hoofd.' Ik heb mijn eigen relatieproblemen per ongeluk laten doorsijpelen in wat bedoeld is als een eenrichtingsgesprek.

Evelyn schudt haar hoofd. 'Je hoeft geen sorry te zeggen. Zeg maar gewoon wat je bedoelde.'

Ik kijk haar aan en besef dat ik me hier niet makkelijk meer uit kan manoeuvreren. 'Ik lig zelf ook in scheiding.'

Evelyn grijnst van oor tot oor. 'Aha, nu wordt het interessant,' zegt ze.

Ik vind het vervelend dat ze zo luchtig reageert op een voor mij toch behoorlijk pijnlijke onthulling. Het is mijn eigen schuld – ik had het niet ter sprake moeten brengen. Dat weet ik ook wel. Maar ze mag best iets aardiger reageren. Ik stel me kwetsbaar op. Ik geef me bloot.

'Heb je de formulieren al ondertekend?' vraagt Evelyn. 'Met een hartje boven de i van Monique? Dat zou ik doen.'

'Ik beschouw scheiden blijkbaar als een serieuzere kwestie dan jij,' zeg ik. Het klinkt nogal bot. Ik overweeg even om in te binden, maar... ik doe het niet.

'Ja, nogal wiedes,' zegt Evelyn vriendelijk. 'Als je op jouw leeftijd al zo tegen scheiden aan zou kijken was je wel erg vroeg verbitterd.'

'Hoe noem je het op jouw leeftijd dan?' vraag ik.

'Met al mijn ervaring? Gewoon realistisch.'

'Op zich klinkt dat toch ook vreselijk verbitterd? Bij een scheiding raak je een deel van jezelf kwijt.'

Evelyn schudt haar hoofd. 'Je raakt een deel van jezelf kwijt als je hart gebroken wordt. Een scheiding is maar een velletje papier.'

Ik kijk naar mijn blocnote en zie dat ik zonder er erg in te hebben een vierkantje heb getekend met mijn balpen. Het papier scheurt er bijna van. Ik til mijn pen niet op, maar druk ook niet door. Ik blijf gewoon steeds de lijnen van het vierkant volgen.

'Als je met liefdesverdriet kampt, dan heb ik enorm met je te doen,' zegt Evelyn. 'Daar denk ik zeker niet licht over. Liefdesverdriet kan een mens doormidden scheuren. Maar toen Don bij me wegging, was mijn hart niet gebroken. Het voelde alleen alsof mijn huwelijk was mislukt. En dat is iets heel anders.'

Als Evelyn dat zegt, hou ik mijn pen stil. Ik kijk naar haar op. En ik vraag me af waarom ik dat uit Evelyns mond moest horen, waarom dat onderscheid nog niet bij mij was opgekomen.

Als ik die avond naar de metro loop, zie ik dat Frankie me al voor de tweede keer vandaag heeft gebeld.

Ik wacht met antwoorden tot ik in Brooklyn ben aangekomen en naar mijn flatje loop. Het is bijna negen uur, dus ik besluit haar een appje te sturen: *Pas net bij Evelyn vertrokken. Sorry dat het al zo laat is. Zullen we morgen even bellen?*

Ik draai net de voordeursleutel om als Frankie terugappt: *Vanavond is geen probleem. Bel me zsm.*

Ik rol met mijn ogen. Het heeft geen enkele zin om te proberen Frankie om de tuin te leiden.

Ik zet mijn tas neer. Ik ijsbeer door de flat. Wat moet ik tegen haar zeggen? Wat mij betreft heb ik twee opties: óf ik lieg dat alles prima gaat, dat we op schema zitten voor het juninummer en dat ik Evelyn inmiddels heb overgehaald om over wezenlijker dingen te praten. Óf ik vertel haar de waarheid, wat me mijn baan kan kosten.

Ik ben inmiddels wel tot de conclusie gekomen dat ontslagen worden niet het einde van de wereld zou zijn. Straks heb ik het vooruitzicht van een boek waar ik waarschijnlijk miljoenen dollars mee kan verdienen. Dat zou vervolgens weer kunnen leiden tot meer biografieën van beroemdheden. En dan zal ik uiteindelijk zelf kunnen bepalen waarover ik wil schrijven, met de zekerheid dat uitgevers in de rij zullen staan om mijn werk uit te geven.

Maar ik weet niet wanneer dit boek in de verkoop gaat. En als mijn eigenlijke doel is om zelf te kunnen bepalen waar ik over schrijf, dan moet ik wel betrouwbaar overkomen. Als ik ontslagen word bij *Vivant* omdat ik met een van hun grootste scoops aan de haal ben gegaan, komt dat mijn reputatie natuurlijk niet ten goede.

Voor ik kan kiezen hoe ik het ga aanpakken, begint mijn telefoon in mijn hand te rinkelen.

Frankie Troupe.

'Met Monique.'

'Ja, Monique,' zegt Frankie, en ze klinkt gretig en geïrriteerd tegelijk. 'Hoe gaat het nou met Evelyn? Ik wil er alles over horen.'

Ik ben voortdurend op zoek naar een manier waarop Frankie, Evelyn en ik alle drie uit de situatie kunnen halen wat we willen. Maar dan besef ik plots dat ik er alleen maar voor kan zorgen dat ik zélf krijg wat ik wil.

En waarom ook niet?

Serieus.

Waarom mag ik niet degene zijn die hier het beste uit komt?

'Ha Frankie, sorry dat ik niet beter bereikbaar ben geweest.'

'Geeft niks, geeft niks,' zegt Frankie. 'Zolang het maar goed materiaal oplevert.'

'Dat zeker, maar helaas heeft Evelyn aangegeven dat ze niet voor *Vivant* geïnterviewd wil worden.'

Er klinkt een oorverdovende stilte aan Frankies kant van de lijn. En dan wordt die abrupt doorbroken door een afgemeten 'Wát?'

'Ik probeer haar al dagen op andere gedachten te brengen. Daarom heb ik je niet eerder teruggebeld. Ik ben steeds bezig geweest om haar over te halen om het stuk toch aan *Vivant* te geven.'

'Als ze geen interview met ons wil, waarom heeft ze dan contact opgenomen?'

'Ze wilde met mij praten,' zeg ik, zonder verdere uitleg of kanttekeningen. Ik zeg niet: *Ze wilde met mij praten om de volgende redenen* of *Ze wilde met mij praten en ik vind het een erg vervelende situatie.*

'Dus ze heeft ons gebruikt om jou te pakken te krijgen?' vraagt Frankie, alsof ze nog nooit zoiets beledigends gehoord heeft. Maar Frankie heeft mij net zo goed gebruikt om Evelyn te pakken te krijgen, dus...

'Ja,' antwoord ik. 'Volgens mij wel. Ze wil graag een volledige biografie laten schrijven. Door mij. Ik ben er maar in meegegaan in de hoop dat ze zich nog bedenkt.'

'Een biografie? Dus jij pakt ons ons interview af om er een boek van te maken?'

'Dat is hoe Evelyn het wil. Ik heb echt mijn best gedaan om haar op andere gedachten te brengen.'

'En is dat gelukt?' vraagt Frankie.

'Nee,' zeg ik. 'Nog niet. Maar ik heb goede hoop dat dat nog wel lukt.'

'Oké, regel het maar.'

Dit is mijn kans. 'Volgens mij kunnen we met dit interview alle voorpagina's halen,' zeg ik. 'Maar dan wil ik wel een hogere functie.'

Ik hoor het wantrouwen in Frankies stem. 'Hoeveel hoger?'

'Zelfstandig redacteur. Ik bepaal mijn eigen uren. Ik kies zelf waar ik over wil schrijven.'

'Nee.'

'Dan zie ik me niet genoodzaakt om Evelyn over te halen haar stuk aan Vivant over te dragen.'

Ik kan Frankies hersens bijna horen kraken. Ze zegt niets, maar er hangt geen spanning in de lucht. Het voelt alsof ze niet verwacht dat ik het woord neem tot zij heeft besloten wat haar antwoord is. 'Als jij ons een uitgebreid interview kunt bezorgen,' zegt ze na een lange stilte, 'én je haar zover krijgt dat ze een fotoshoot wil doen, dan benoem ik je tot zelfstandig correspondent.'

Ik denk over haar aanbod na, maar Frankie onderbreekt mijn overpeinzingen. 'We hebben maar plek voor één zelfstandig redacteur. Het is wat mij betreft niet eerlijk om Gayle haar baan af te pakken. Ik neem aan dat je daar begrip voor hebt. Iets anders dan zelfstandig correspondent heb ik dus niet te bieden. Ik zal me niet te veel bemoeien met waar je over schrijft. En als je op die plek vlot laat zien dat je het aankunt, klim je vervolgens gewoon op zoals ieder ander. Dat is wel zo eerlijk, Monique.'

Ik denk er nog even over na. Zelfstandig correspondent klinkt als een schappelijk voorstel. Sterker nog, het klinkt als een geweldige kans. 'Oké,' zeg ik. En dan druk ik mijn zin nog net iets verder door. Toen dit allemaal begon zei Evelyn immers dat ik alleen genoegen moet nemen met de hoofdprijs. En daar heeft ze volkomen gelijk in. 'En ik wil een salaris dat past bij die nieuwe functie.'

Ik voel mijn spieren verkrampen als ik mezelf zo onomwonden om geld hoor vragen. Maar mijn schouders ontspannen weer zodra ik Frankie hoor zeggen: 'Ja, ja, prima.' Ik adem uit. 'Maar ik wil morgen bevestiging van je,' gaat ze verder. 'En ik wil uiterlijk volgende week een afspraak voor de fotoshoot.'

'Goed,' zeg ik. 'Komt voor elkaar.'

Voor Frankie ophangt, zegt ze: 'Je hebt het slim gespeeld, maar ik ben wel behoorlijk pissig op je. Zorg er alsjeblieft voor dat dit zo goed wordt dat ik het je wel móét vergeven.'

'Geen zorgen,' zeg ik. 'Dat gaat lukken.'

ALS IK DE VOLGENDE OCHTEND EVELYNS WERKKAMER BINNENSTAP, ben ik zo zenuwachtig dat het zweet over mijn rug loopt, waardoor mijn T-shirt aan de achterkant zeiknat wordt.

Grace zet een schaal met charcuterie neer en ik zit maar een beetje naar de augurkjes te staren terwijl Evelyn en Grace het hebben over een vakantie in Lissabon van de zomer.

Zodra Grace weg is, wend ik me tot Evelyn.

'Ik moet iets met je bespreken,' zeg ik.

Ze grinnikt. 'Ik heb eigenlijk het gevoel dat we niks anders doen dan dingen bespreken.'

'Met betrekking tot *Vivant*, bedoel ik.'

'Oké,' zegt ze. 'Brand los.'

'Ik moet een beetje een beeld krijgen van de termijn waarop dit boek zou kunnen uitkomen.' Ik wacht tot Evelyn antwoord geeft. Ik wacht tot ze iets zegt wat ook maar enigszins concrete informatie bevat.

'Ik luister,' zegt ze.

'Als je me geen indicatie geeft wanneer ik dit boek realistisch gezien aan uitgevers kan aanbieden, dan riskeer ik mijn baan voor iets wat misschien pas over jaren iets oplevert. Of tientallen jaren, zelfs.'

'Je schat mijn levensduur wel erg optimistisch in.'

'Evelyn,' zeg ik, ietwat wanhopig omdat ze het nog steeds niet serieus lijkt te nemen. 'Ik moet weten wanneer dit boek uitkomt, of anders moet ik toezeggen dat *Vivant* een fragment van ons interview in het juninummer mag opnemen.'

Evelyn denkt even na. Ze zit in kleermakerszit op de bank tegenover me, in een strakke zwarte stretchbroek, een grijs bloesje met korte pofmouwtjes en een grof gebreid wit vest. 'Goed,' zegt ze en ze knikt. 'Geef ze maar een fragment voor hun juninummer – jij mag zelf kiezen welk. Maar alleen als je dan ophoudt met zeuren over een termijn.'

Ik laat niet zien hoe blij ik ben. Ik ben halverwege. Ik mag het nog niet opgeven. Ik moet uitzoeken waar haar grens ligt. Ik moet het vragen en ook genoegen nemen met een nee. Ik moet erachter zien te komen wat ik haar waard ben.

Evelyn wil immers iets van mij. Ze heeft me nodig. Ik weet niet waarom of waarvoor, maar ik weet wel dat ik hier anders niet zou zitten. Ik heb een bepaalde waarde voor haar. En nu moet ik daarop inspelen. Precies zoals zij zou doen als ze in mijn schoenen stond.

Daar gaat-ie dan.

'Je moet ook een fotoshoot doen. Voor de cover.'

'Nee.'

'Het is een harde eis van *Vivant*.'

'Harde eisen bestaan niet. Ik ben je nu toch wel genoeg tegemoetgekomen? Ik ben akkoord gegaan met dat fragment.'

'Je weet net zo goed als ik hoeveel exclusieve nieuwe foto's van jou waard zouden zijn.'

'Het antwoord blijft nee.'

Oké. Niet opgeven nu. Ik kan het. Ik moet gewoon doen wat Evelyn zelf zou doen. Ik moet Evelyn Hugo op z'n Evelyn Hugo's zien over te halen. 'Jij doet die fotoshoot, anders gaat onze deal niet door.'

Evelyn schuift wat naar voren op de bank. 'Pardon?'

'Jij wilt dat ik jouw levensverhaal opschrijf. Dat wil ik graag voor je doen. Maar dit zijn de voorwaarden. Ik ga mijn baan niet voor jou opgeven. En de enige manier waarop ik mijn baan kan behouden is als ik een interview met Evelyn Hugo aanlever, inclusief coverfoto. Dus tenzij je me ervan kan overtuigen dat ik mijn baan wél moet opgeven voor dit project – wat alleen maar kan als je zegt wanneer het gepubliceerd kan worden – zul je wel moeten. Het is het een of het ander.'

Evelyn kijkt me onderzoekend aan en ik heb het idee dat ze hier niet op gerekend had. Dat bevalt me eigenlijk prima. Ik voel een glimlach opborrelen die ik maar met moeite kan onderdrukken.

'Je geniet hier wel van, hè?' vraagt ze.

'Ik probeer voor mijn eigen belangen op te komen.'

'Ja, maar het gaat je ook goed af en volgens mij vind je dat heerlijk.'

Ik laat mijn glimlach doorbreken. 'Ik heb een erg goede leermeester.'

'Dat is zeker,' zegt Evelyn. Ze trekt haar neus op. 'Een coverfoto?'

'Een coverfoto, ja.'

'Best. Ik doe die coverfoto. Maar in ruil daarvoor wil ik dat je hier vanaf komende maandag van 's ochtends vroeg tot 's avonds laat bent. Ik wil zo snel mogelijk alles verteld hebben. En van nu af aan spreken we af dat als ik niet meteen antwoord geef op een vraag, je die niet nog een keer stelt. Deal?'

Ik sta op, loop van achter het bureau naar Evelyn toe en geef haar een hand. 'Deal.'

Evelyn moet lachen. 'Nou, nou, dametje,' zegt ze. 'Als je zo doorgaat word je ooit nog eens ergens de baas.'

'Goh, bedankt.'

'Ja, ja, ja,' antwoordt ze, niet onvriendelijk. 'Ga nou maar weer zitten. En zet die voicerecorder aan. Ik heb niet de hele dag de tijd.'

Ik doe braaf wat ze zegt en kijk haar dan aan. 'Goed,' zeg ik. 'Dus je was verliefd op Celia, je ging scheiden van Don en het leek erop dat je carrière naar de knoppen was. Wat gebeurde er toen?'

Evelyn moet even nadenken voor ze antwoord geeft, en op dat moment dringt tot me door dat ze net datgene heeft toegezegd wat ze voor geen goud wilde doen – een coverfoto voor *Vivant* – om te voorkomen dat ik afhaak.

Evelyn heeft me ergens voor nodig. Hard nodig, zelfs.

Nu bekruipt me pas het vermoeden dat ik me zorgen moet maken.

Mick Riva,
de naïeveling

PhotoMoment

1-2-1960

EVELYN, GROEN STAAT JE NIET

Afgelopen donderdag verscheen Evelyn Hugo aan de arm van producent Harry Cameron op de Audience Appreciation Awards. In haar smaragdgroene zijden cocktailjurkje maakte ze een stuk minder indruk dan voorgaande jaren. Evelyns handelsmerk begint ons een beetje de neus uit te komen.

Celia St. James zag er daarentegen stralend uit in een prachtige lichtblauwe overhemdjurk met glitters, waarin ze een alledaagse look op een modieuze manier van een beetje glamour voorzag.

IJskoningin Evelyn heeft geen woord met haar vroegere beste vriendin gewisseld. Ze heeft haar de hele avond gemeden.

Kon Evelyn het niet hebben dat Celia die avond de prijs voor Aanstormend Talent bij de vrouwen won? Of komt het doordat Celia een Oscarnominatie voor Beste Vrouwelijke Bijrol heeft gekregen voor de film *Little Women,* waar ze samen in speelden en waaraan Evelyns bijdrage nauwelijks werd besproken?

Het lijkt erop dat Evelyn Hugo groen ziet van jaloezie!

ARI HAALDE ME VAN ALLE FILMS VAN SUNSET AF EN BOOD ME TE leen aan bij Columbia. Nadat ik tegen mijn zin in twee vreselijke romantische komedies had gespeeld – allebei zo slecht dat van tevoren vaststond dat ze grandioos gingen floppen – moesten andere studio's ook weinig meer van me hebben.

Don stond op de cover van Life met een foto waarop hij net uit zee komt gelopen en lacht alsof het de mooiste dag van zijn leven is.

Toen de Oscar van 1960 werd uitgereikt, was ik officieel uit de gratie.

'Je weet dat ik met alle plezier met je mee zou gaan,' zei Harry toen hij die middag belde om te vragen hoe het met me ging. 'Je hoeft het maar te zeggen, dan kom ik je gewoon halen. Je hebt vast nog wel een beeldschone jurk die je kunt aantrekken, en dan maak ik met jou aan mijn arm de hele zaal jaloers.'

Ik was bij Celia thuis en stond op het punt om weg te gaan voor haar visagiste en kapster kwamen. Celia dronk in de keuken een glas water met citroen. Ze hongerde zichzelf uit zodat ze in haar jurk zou passen.

'Dat weet ik toch,' zei ik in de hoorn. 'Maar we weten allebei dat het je reputatie zou schaden om nu met mij gezien te worden.'

'Maar ik meen het wel, hoor,' zei Harry.

'Dat weet ik,' zei ik. 'Maar je weet ook dat ik slim genoeg ben om er niet op in te gaan.'

Harry moest lachen.

'Zijn mijn ogen opgezwollen?' vroeg Celia toen ik had opgehangen. Ze sperde ze open en staarde me aan alsof ik het zo beter kon zien.

Ik zag eigenlijk niks vreemds. 'Ze zien er schitterend uit. En je weet dat Gwen je sowieso prachtig gaat opmaken. Waar maak je je zorgen over?'

'Jezus, Evelyn,' zei Celia plagerig. 'Je weet heus wel waar ik me zorgen over maak.'

Ik pakte haar bij haar middel. Ze had een dun satijnen onderjurkje aan met kanten randjes. Ik droeg een truitje met korte mouwen en een korte broek. Haar haar was nog nat. Als Celia nat haar had, rook ze niet naar shampoo, maar naar klei.

'Je wint echt wel,' zei ik, haar tegen me aan trekkend. 'De rest maakt geen schijn van kans.'

'Ik weet het zo net niet, hoor. Misschien geven ze hem wel aan Joy of Ellen Mattson.'

'Ze gooien hem nog eerder in de rivier dan dat ze hem aan Ellen Mattson geven. En Joy is een schat, maar ze kan echt niet aan jou tippen.'

Celia werd rood, sloeg haar handen even voor haar gezicht en keek me toen weer aan. 'Vind je me onuitstaanbaar?' vroeg ze. 'Dat ik me hier zo druk over maak? En jou voortdurend dwing om het erover te hebben? Terwijl jij...'

'Aan de grond zit?'

'Ik wilde zeggen "van nominatie bent uitgesloten".'

'Zal ik jou maar eens even uitstaan dan, onuitstaanbaar wicht?' zei ik en toen kuste ik haar en proefde ik het citroensap op haar lippen.

Ik keek op mijn horloge, want ik wist dat de visagiste en kapster elk moment konden komen, en pakte mijn sleutels.

We deden onze uiterste best om nooit samen gezien te worden. Toen we nog gewoon vriendinnen waren was het allemaal prima, maar nu we iets te verbergen hadden, moesten we ineens stiekem doen.

'Ik hou van je,' zei ik. 'Ik geloof in je. Toitoitoi.'

Toen ik de deurklink naar beneden duwde, riep ze: 'Hou je nog steeds van me als ik niet win?' Haar natte haar drupte op haar spaghettibandjes.

Ik dacht dat ze een grapje maakte tot ik haar recht aankeek.

'Al woonde je in een kartonnen doos en had nog nooit iemand van je gehoord, dan nog zou ik van je houden,' zei ik. Dat had ik nog nooit tegen iemand gezegd. Ik had het ook nog nooit gevoeld.

Celia glimlachte van oor tot oor. 'Ik ook van jou. Met kartonnen doos en al.'

Uren later, toen ik thuiszat in het huis dat ik voorheen met Don had gedeeld maar dat nu helemaal van mij was, maakte ik een Cape Codder voor mezelf, ging op de bank zitten en zapte naar NBC. Vervolgens zat ik met mijn cocktail toe te kijken hoe al mijn vrienden en mijn geliefde over de rode loper het Pantages Theatre binnenliepen.

In werkelijkheid is het allemaal een stuk minder fancy dan het op televisie lijkt. Ik help mensen niet graag uit de droom, maar in het echt is het theater veel kleiner, ziet iedereen een stuk bleker en is het podium veel minder indrukwekkend.

Het wordt allemaal zo gemonteerd dat de mensen thuis zich buitenstaanders voelen, dat het voelt alsof je een stiekem inkijkje krijgt in een club waar je eigenlijk nooit zou worden binnengelaten. En ik was verbaasd hoe goed het werkte, zelfs bij mij, hoe makkelijk ik erin tuinde, ook al had ik er tot voor kort nog middenin gestaan.

Ik had net mijn tweede cocktail achter de kiezen en barstte van het zelfmedelijden toen de Beste Vrouwelijke Bijrol werd uitgereikt. Ik zweer het: zodra de camera op Celia gericht werd, was ik in één klap nuchter en drukte ik mijn handen tegen elkaar, alsof haar kans om te winnen groter werd als ik maar hard genoeg bad.

'En de Oscar gaat naar... Celia St. James voor Little Women.'

Ik sprong van de bank en gilde het uit. En toen ze vervolgens het podium op liep, schoten de tranen me in de ogen.

Zoals ze daar stond, voor de microfoon, met het beeldje in haar hand – ik kon mijn ogen niet van haar afhouden. Met haar beeldschone jurk met boothals, haar prachtige oorbellen met saffieren en diamanten en haar perfecte gezichtje.

'Ik wil Ari Sullivan en Harry Cameron bedanken. Ik wil mijn manager Roger Colton bedanken, en mijn familie. En de geweldige cast van vrouwen met wie ik deze film mocht maken, Joy en Ruby. En Evelyn Hugo. Dank je wel.'

Toen ze mijn naam zei, begon ik te glimmen van trots en blijdschap en liefde. Ik was zo godvergeten blij voor haar. En toen deed ik iets ongelooflijk doms en gênants. Ik gaf een kus op het televisiescherm. Ik kuste haar vol op haar zwart-witte gezicht.

Ik hoorde een tikje, maar de pijn drong niet meteen door. Pas toen Celia naar het publiek zwaaide en van het podium af stapte, kreeg ik in de gaten dat mijn tand was afgebroken.

Het kon me niet schelen. Ik was veel te vrolijk. Ik had veel te veel zin om haar te feliciteren en te zeggen hoe trots ik op haar was.

Ik maakte nog een cocktail en dwong mezelf om de hele vertoning uit te kijken. De Oscar voor Beste Film werd uitgereikt en toen vervolgens de aftiteling over het scherm rolde, zette ik de televisie uit.

Ik wist dat Harry en Celia de hele nacht op stap zouden zijn. Dus ik deed alle lichten uit en ging naar bed. Ik haalde mijn make-up van mijn gezicht. Ik deed nachtcrème op. Ik kroop onder de dekens. Ik was moederziel alleen in mijn eenzame huis.

Celia en ik waren na lang beraad tot de conclusie gekomen dat we niet konden gaan samenwonen. Zij was daar minder stellig in dan ik, maar ik zag het absoluut niet zitten. Mijn carrière was misschien om zeep, maar haar ging het juist voor de wind. Dat moest ze niet op het spel zetten. Niet voor mij.

Ik lag in bed, maar had mijn ogen nog wagenwijd open toen ik hoorde dat iemand de oprit op reed. Toen ik uit het raam keek zag ik dat Celia zich uit de auto liet glijden en haar chauffeur uitzwaaide. Ze had een Oscar in haar hand.

'Wat heb je een gezellige pyjama aan,' zei Celia toen ze even later bij me in de slaapkamer stond.

'Kom eens hier,' zei ik.

Ze had een drankje of drie op. Ik vond het altijd ontzettend leuk als ze dronken was. Ze was zichzelf, maar dan vrolijker, zo lichthartig dat ik soms bang was dat ze weg zou zweven.

Ze nam een aanloopje en sprong op het bed. Ik gaf haar een kus.

'Ik ben apetrots op je, lieverd.'

'Ik heb je de hele avond zo gemist,' zei ze. Ze had de Oscar nog steeds vast en hij was duidelijk zwaar; ze liet hem op het matras steunen. Het naamplaatje was nog leeg.

'Ik weet niet of het wel de bedoeling was dat ik hem meenam,' zei ze grijnzend. 'Maar ik had geen zin om hem terug te geven.'

'Waarom ben je het niet ergens aan het vieren? Je zou op het feestje van Sunset moeten zijn.'

'De enige met wie ik het wil vieren ben jij.'

Ik trok haar dichter tegen me aan. Ze schopte haar schoenen uit.

'Zonder jou is er allemaal geen klap aan,' zei ze. 'Behalve jij is de hele wereld een hoop stront.'

Ik gooide mijn hoofd achterover en schaterde het uit.

'Wat is er met je tand gebeurd?' vroeg Celia.

'Is het zo goed te zien?'

Celia haalde haar schouders op. 'Het valt wel mee. Het zal er wel aan liggen dat ik elke millimeter van jou uit mijn hoofd ken.'

Een paar weken daarvoor had ik naakt naast Celia in bed gelegen en me door haar laten bestuderen, tot in de kleinste details. Ze wilde geen enkel stukje van me vergeten, zei ze. Ze had het vergeleken met heel zorgvuldig naar een Picasso kijken.

'Het is echt heel gênant,' zei ik.

Celia ging nieuwsgierig rechtop zitten.

'Ik heb de televisie een kus gegeven,' zei ik. 'Toen je net gewonnen had. Ik gaf je een kus op het scherm en toen brak mijn tand af.'

Celia begon te gieren van het lachen. Het beeldje viel met een plof op het matras. En toen kwam ze boven op me liggen en legde ze haar armen om mijn nek. 'Dat is het schattigste wat een mens ooit heeft gedaan.'

'Ik moet morgenochtend maar meteen een afspraak maken bij de tandarts.'

'Ja, dat lijkt me ook.'

Ik pakte haar Oscar vast. Ik keek er verlangend naar. Ik wilde er ook een. En als ik het iets langer met Don had uitgezongen was dat vanavond misschien ook wel gebeurd.

Celia had haar schoenen uitgetrokken, maar haar jurk had ze nog aan. Haar haar begon los te schieten uit haar speldjes. Haar lippenstift was vervaagd. Haar oorbellen glinsterden nog volop.

'Heb je ooit seks gehad met een Oscarwinnaar?'

Met Ari Sullivan had ik iets gedaan wat redelijk dicht in de buurt kwam, maar dit leek me niet het beste moment om dat ter sprake te brengen. En ze bedoelde vooral of ik ooit zo'n mooi moment had beleefd. En dat was zeker niet het geval.

Ik kuste haar en voelde haar handen op mijn wangen, en toen keek ik toe hoe ze uit haar jurk en bij me in bed stapte.

Mijn films flopten inderdaad allebei. De bioscopen stroomden vol voor een romantisch drama waar Celia in speelde. Don had de hoofdrol in een thriller die goed liep. In de recensies voor *Jokers Wild* werd Ruby Reilly 'geknipt voor de rol' en 'weergaloos' genoemd.

Ik leerde ondertussen hoe ik gehaktbrood moest maken en mijn eigen broeken moest strijken.

Toen zag ik *Breathless* in de bioscoop. Toen ik naar buiten stapte, ging ik linea recta naar huis, belde ik Harry Cameron en zei: 'Ik heb een idee. Ik ga naar Parijs.'

CELIA ZOU DRIE WEKEN OP LOCATIE DRAAIEN BIJ HET BIG BEAR
Lake. Ik wist dat het geen optie was om mee te gaan of haar op de set te
gaan opzoeken. Ze stond erop om elk weekend naar huis te komen, maar
het leek me te riskant.

Ze was immers vrijgezel. Ik was bang dat er vragen gesteld zouden
worden: *Wat heeft een vrijgezelle dame als zij thuis te zoeken?*

Dus besloot ik dat het een mooie gelegenheid was om naar Frankrijk
te gaan.

Harry had contacten met een paar filmmakers in Parijs. Hij pleegde
buiten de studio om een paar telefoontjes voor me.

Sommige producenten en regisseurs met wie ik afsprak kenden me
al. Sommigen hadden duidelijk alleen toegezegd om Harry een plezier
te doen. En dan had je nog Max Girard, een van de toonaangevende regisseurs binnen de nouvelle vague, die behoorlijk furore maakte en nog
nooit van me gehoord had.

'U bent *une bombe*,' zei hij.

We zaten in een cafeetje in de wijk Saint-Germain-des-Prés, knus aan
een tafeltje achterin. Het was na etenstijd en ik had nog niet gegeten.
Max dronk een witte bordeaux, ik een glas rode huiswijn.

'Dat klinkt als een compliment,' zei ik en ik nam een slok.

'Ik weet niet of ik al eens zo'n knappe vrouw heb ontmoet,' zei hij, meschaapachtig aankijkend. Hij had zo'n zwaar accent dat ik onwillekeurig vooroverboog om hem te kunnen verstaan.

'Dank u.'

'Kunt u ook acteren?' vroeg hij.

'Mijn acteerwerk is beter dan mijn uiterlijk.'

'Dat kan niet.'

'Toch is het zo.'

Ik zag dat de radertjes in zijn hoofd begonnen te draaien. 'Bent u bereid om auditie te doen voor een rol?'

Ik zou bereid zijn om een toilet schoon te maken voor een rol. 'Als het een mooie rol is,' zei ik.

Max glimlachte. 'Het is een geweldige rol. Een echte filmsterrenrol.'

Ik knikte langzaam. Als je niet al te gretig over wilt komen, moet je je hele lichaam in bedwang houden.

'Stuur me het script maar op, dan praten we verder,' zei ik, ik dronk mijn glas leeg en stond op. 'Het spijt me, Max, maar ik moet weg. Een fijne avond nog. We spreken elkaar gauw.'

Ik was absoluut niet van plan om in een cafeetje te blijven plakken met een man die nooit van me gehoord had. Ik wilde niet de indruk wekken dat ik alle tijd van de wereld had.

Toen ik wegliep voelde ik dat hij me nakeek, maar ik stapte zo zelfverzekerd naar buiten als ik kon – wat me ondanks het lastige parket waarin ik zat nog steeds heel goed afging. Toen trok ik me terug op mijn hotelkamer, deed mijn pyjama aan, bestelde roomservice en zette de televisie aan.

Voor ik naar bed ging, schreef ik Celia een brief.

Mijn liefste Cece,

Onthoud alsjeblieft dat de zon opkomt als jij lacht en ondergaat als jij droevig bent. Voor mij tenminste. Jij bent het enige op deze hele aardbol wat het aanbidden waard is.

Met veel liefs,
Edward

Ik vouwde mijn briefje dubbel en stopte het in een envelop met haar adres erop. Toen deed ik het licht uit en mijn ogen dicht.

Drie uur later werd ik ruw gewekt door het schelle gerinkel van de telefoon op het nachtkastje.

Ik nam geërgerd en slaapdronken op.

'Bonjour?' vroeg ik aarzelend.

'We kunnen jouw taal spreken, Evelyn.' Het overdreven Frans-Engels van Max schetterde door de hoorn. 'Ik bel je om te vragen of je beschikbaar bent voor een film die ik ga regisseren. Niet vanaf komende maandag, maar de maandag daarop.'

'Over twee weken?'

'Iets minder. We draaien op locatie, zes uur rijden van Parijs. Doe je mee?'

'Wat is het voor rol? Hoelang zijn we bezig?'

'De titel van de film is *Boute-en-train*. Althans, dat is de voorlopige titel. We zijn twee weken aan het draaien bij het Lac d'Annecy. Verder hoef je er niet te zijn.'

'Wat betekent *Boute-en-train*?' Ik probeerde het precies zo uit te spreken als hij, maar het klonk geforceerd en ik prentte mezelf in dat ik het nooit meer zou proberen. Nooit dingen doen waar je niet goed in bent.

'Het betekent de gangmaker op een feestje. Dat speel jij.'

'Een feestbeest?'

'Iemand die leven in de brouwerij brengt.'

'En wie is mijn personage dan?'

'Zij is het soort vrouw waar elke man voor valt. Oorspronkelijk had ik de rol aan een Franse vrouw beloofd, maar ik heb zojuist besloten dat ik haar ontsla als jij het wilt doen.'

'Dat is ook niet aardig.'

'Ze haalt het niet bij jou.'

Door zijn verrassende charme en gretigheid kon ik een glimlach niet onderdrukken.

'Het gaat over twee inbrekers die op de vlucht slaan naar Zwitserland maar onderweg een fantastische vrouw tegenkomen die ze het hoofd op hol brengt. Met zijn drieën beleven ze een avontuur in de bergen. Ik zit al een tijdje met het script voor mijn neus om te kijken of die vrouw Amerikaans zou kunnen zijn. Volgens mij kan dat best. Het wordt er zelfs interessanter van. Wat een gelukkig toeval. Dat ik jou net nu heb ontmoet. Dus wat zeg je ervan?'

'Ik moet er even een nachtje over slapen,' zei ik. Ik wist allang dat ik de rol ging aannemen. Ik kon niks anders krijgen. Maar je bereikt nooit wat als je je te inschikkelijk opstelt.

'Natuurlijk,' zei Max. 'Je bent al eerder uit de kleren gegaan, toch?'

'Nee,' zei ik.

'Ik denk dat het goed is als je een scène zonder bovenstukje doet. In de film.'

Het viel te verwachten dat als me gevraagd werd om mijn borsten te laten zien, dat voor een Franse film zou zijn. En wie konden de Fransen daar beter voor vragen dan mij? Ik wist waar ik mijn roem in eerste instantie aan te danken had. Dat lukte vast nog wel een tweede keer.

'Zullen we het er morgen verder over hebben?' vroeg ik.

'Dan wel morgenochtend vroeg,' zei hij. 'Want die andere actrice heeft er geen problemen mee om haar borsten te laten zien, Evelyn.'

'Het is al laat, Max. Ik bel je morgenochtend terug.' En toen hing ik op.

Ik deed mijn ogen dicht en haalde diep adem terwijl ik bedacht dat deze klus me eigenlijk te min was, maar dat ik toch enorm bofte dat hij me was aangeboden. Het is geen pretje om je erbij neer te leggen dat de zaken anders liggen dan vroeger. Gelukkig hoefde ik dat niet heel lang vol te houden.

Twee weken later stond ik weer op een filmset. En deze keer zat ik niet meer vast aan het bravemeisjesimago dat Sunset me had opgelegd. Ik mocht precies doen waar ik zin in had.

Het was de hele draaiperiode duidelijk dat Max dolgraag met me de koffer in wilde duiken. Uit de steelse blikken die hij me regelmatig toewierp kon ik opmaken dat wat Max als regisseur aantrekkelijk aan mij vond deels ook was wat hem als man in mij aantrok.

Toen Max op de een-na-laatste draaidag naar mijn kleedkamer kwam, zei hij: 'Ma belle, aujourd'hui tu seras sans haut.' Ik had inmiddels voldoende Frans opgepikt om te begrijpen dat hij vandaag de scène wilde filmen waarin ik uit het meer kom lopen. Als je als Amerikaanse filmster met grote borsten in een Franse film speelt, kom je er algauw achter dat sans haut topless betekent.

Ik had er geen enkele moeite mee om mijn borsten in de strijd te gooien om mezelf weer op de kaart te zetten. Maar ik was ondertussen wel dolverliefd geworden op een vrouw en verlangde met mijn hele wezen naar haar. Ik had ontdekt welk intens genot je aan een naakt vrouwenlichaam kunt beleven.

Dus zei ik tegen Max dat ik het natuurlijk helemaal zou doen zoals hij het wilde, maar dat ik een suggestie had waarmee we de film misschien nog wel tot een grotere sensatie konden maken.

Ik wist dat het een goed idee was, omdat ik wist hoe het voelt om een vrouw de kleren van het lijf te willen rukken.

En toen Max het hoorde, was hij er ook meteen van overtuigd dat het een goed idee was, omdat hij wist hoe het voelde om míj de kleren van het lijf te willen rukken.

Bij het monteren van de film vertraagde Max het shot waarin ik uit het meer loop tot een slakkengang en maakte een knip op een milliseconde voor mijn borsten volledig in beeld zijn. Het beeld ging gewoon direct op zwart, alsof er met de film was geknoeid, alsof de rol misschien niet goed geplakt was.

De spanning werd gigantisch opgevoerd. En vervolgens kreeg je er niks voor, hoe vaak je de film ook keek, hoe hard je ook je best deed om hem op het goede moment op pauze te zetten.

Het werkte, en wel hierom: wat je gender of seksuele voorkeur ook is: iedereen vindt het leuk om een beetje geplaagd te worden.

Een halfjaar nadat we de opnames van Boute-en-train hadden afgerond was ik uitgegroeid tot een wereldwijd fenomeen.

PhotoMoment

15-9-1961

ROCKSTER MICK RIVA HEEFT EEN OOGJE OP EVELYN HUGO

Na zijn optreden in de Trocadero Club gisteravond had Mick Riva een paar minuutjes om ons te woord te staan. Gewapend met een cocktail (vermoedelijk niet zijn eerste die avond) deed Mick maar al te graag een boekje open over zijn liefdesleven...

Hij bekende dat hij blij is dat hij van de beeldschone zangeres Veronica Lowe is gescheiden omdat hij naar eigen zeggen zo'n vrouw niet verdiende, 'en andersom had zij niet zo'n vent als ik verdiend'.

Toen we vroegen of er momenteel een dame in beeld is, gaf hij toe dat hij regelmatig afspraakjes heeft, maar dat hij ze stuk voor stuk zou laten vallen voor een nachtje met Evelyn Hugo.

De ex-vrouw van Don Adler is de laatste tijd behoorlijk populair. *Boute-en-train*, de nieuwste film van de Franse regisseur Max Girard waarin ze een rol heeft, trekt al de hele zomer volle bioscoopzalen in Europa en lijkt nu ook bij ons in de Verenigde Staten een kaskraker te worden.

'Ik heb *Boute-en-train* al drie keer gezien,' vertelde Mick. 'En ik ga zeker nog een vierde keer. Ik kan maar geen genoeg krijgen van die scène waarin ze uit het meer komt.'

Dus hij zou weleens met Evelyn Hugo op stap willen?

'Ik zou rechtstreeks met haar in het huwelijksbootje stappen, joh!'

Hoor je dat, Evelyn?

Hollywood Digest

2-10-1961

EVELYN HUGO GECAST ALS ANNA KARENINA

Evelyn Hugo, de vrouw over wie iedereen het heeft, heeft zojuist getekend voor de titelrol in het epische drama *Anna Karenina*. 20th Century Fox neemt de verfilming voor zijn rekening. Hugo zal tevens als producent optreden, in samenwerking met Harry Cameron, die tot voor kort onderdeel uitmaakte van het team van Sunset Studios.

Miss Hugo en Mr Cameron werkten al eerder samen aan kaskrakers als *Father and Daughter* en *Little Women*. Dit wordt hun eerste gezamenlijke project buiten Sunset om.

Naar het schijnt is Mr Cameron, die zijn sporen in de filmwereld heeft verdiend met zijn verfijnde smaak, maar vooral met zijn uitstekende neus voor zaken, bij Sunset weggegaan vanwege een geschil met niemand minder dan Ari Sullivan, de grote baas. Fox lijkt echter zeer geïnteresseerd te zijn in een samenwerking met miss Hugo en Mr Cameron, aangezien de filmstudio hun beiden een flink honorarium en een deel van de bezoekersopbrengsten heeft toegezegd.

We hebben allemaal in spanning afgewacht wat het volgende project van miss Hugo zou worden. *Anna Karenina* is een opvallende keuze. Eén ding is zeker: Evelyn hoeft maar een stukje van haar schouder te ontbloten en het publiek stroomt toe!

Sub Rosa

23-10-1961

DON ADLER EN RUBY REILLY VERLOOFD?

Afgelopen zaterdag gaven Mary en Roger Adler een feestje dat volgens bronnen nogal uit de hand liep! De aanwezige gasten kregen tot hun verrassing te horen dat het niet zomaar een feestje was ter ere van Don Adler... maar ter ere van zijn verloving met Ruby Reilly, het huidige lievelingetje van Sunset Studios!

Don en Ruby vonden elkaar bijna twee jaar geleden, kort na Dons scheiding van femme fatale Evelyn Hugo. Blijkbaar had Don al laten doorschemeren dat hij een oogje op Ruby had toen ze nog samen met Evelyn bezig was met de opnames voor de film *Little Women*.

We zijn ontzettend blij voor Don en Ruby, maar we zijn toch ook wel benieuwd wat Don ervan vindt dat Evelyn zo ongekend populair is. De hele wereld ligt aan haar voeten, en als wij haar hadden laten gaan, zouden we ons wel voor onze kop kunnen slaan.

We wensen Don en Ruby hoe dan ook het allerbeste! Hopelijk blijft deze langer hangen!

DAT NAJAAR KREEG IK EEN UITNODIGING VOOR EEN CONCERT VAN
Mick Riva in de Hollywood Bowl. Ik besloot erheen te gaan, niet omdat
ik hem nou zo nodig live hoefde te horen, maar omdat het me leuk leek
om weer eens een avondje uit te gaan. En ik voelde me er niet te goed voor
om de roddelbladen af en toe wat nieuw schrijfvoer te geven.

Celia en Harry gingen mee. Ik zou nooit alleen met Celia zijn gegaan,
niet als we zo in het zicht zouden lopen. Maar Harry vormde een perfecte dekmantel.

Die avond was het frisser in L.A. dan ik had verwacht. Ik had een driekwartbroek en een truitje met korte mouwen aan. Ik had net een pony
laten knippen en kamde die meestal opzij. Celia droeg een blauwe tu-
niek en ballerina's. Harry liep er even modieus bij als altijd in een sportieve broek en polo. Hij hield een camelkleurig vest met grote knopen in
de aanslag voor het geval een van ons het koud kreeg.

We zaten op de tweede rij met een paar van Harry's collega-producen-
ten van Paramount. Aan de overkant van het gangpad zag ik Ed Baker
zitten met een vrouw die jong genoeg was om zijn dochter te zijn – ik
wist wel beter. Ik besloot hem niet te groeten, niet alleen omdat hij nog
steeds tot het Sunsetmeubilair behoorde, maar ook omdat ik hem nooit
had gemogen.

Mick Riva kwam het podium op en zijn vrouwelijke publiek begon zo hard te juichen dat Celia letterlijk haar vingers in haar oren stopte. Hij had een zwart pak aan met een loshangende das. Zijn ravenzwarte haar was net niet helemaal strak achterovergekamd. Als je het mij vraagt had hij backstage al een paar drankjes naar binnen gegoten.

'Ik snap het niet,' zei Celia in mijn oor. 'Wat vinden ze nou zo leuk aan deze vent?'

Ik haalde mijn schouders op. 'Zijn uiterlijk, neem ik aan.'

Gevolgd door een schijnwerper liep Mick naar de microfoon. Hij greep de microfoonstandaard vast op een manier die zowel hartstochtelijk als teder was, alsof het een van de meisjes was die zijn naam gilden.

'En hij weet wat hij doet,' zei ik.

Celia haalde haar schouders op. 'Geef mij dan Brick Thomas maar.'

Ik trok een vies gezicht en schudde mijn hoofd. 'Nee joh, Brick Thomas is een ploert. Geloof mij maar. Als je hem ooit ontmoet, ga je binnen vijf tellen over je nek.'

Celia moest lachen. 'Ik vind hem wel leuk.'

'Nee, daar vergis je je in,' zei ik.

'Nou, ik vind hem in ieder geval leuker dan Mick Riva,' zei ze. 'Wat jij, Harry?'

Harry boog van de andere kant naar ons toe. Hij fluisterde zo zacht dat ik hem amper kon verstaan. 'Tot mijn schaamte moet ik toegeven dat ik me wel kan vinden in dit gekrijs,' zei hij. 'Ik zou best een beschuitje met Mick willen eten.'

Celia moest lachen.

'Ik blijf erin!' giechelde ik terwijl ik toekeek hoe Mick over het podium heen en weer liep en het publiek zijn zoete klanken en zwoele blikken toewierp. 'Waar gaan we hierna eten?' vroeg ik. 'Volgens mij is dat de enige relevante vraag.'

'Moeten we ons gezicht niet even backstage laten zien?' vroeg Celia. 'Dat lijkt me wel zo beleefd.'

Micks eerste nummer was afgelopen, dus iedereen begon te klappen en te juichen. Harry boog zich al klappend over me heen zodat Celia hem kon horen.

'Je hebt net een Oscar gewonnen, Celia,' zei hij. 'Jij mag lekker doen waar je zin in hebt.'

Ze gooide haar hoofd achterover en schaterde het uit. 'Nou, ik heb wel zin in een biefstuk.'

'Dan gaan wij lekker biefstuk eten,' zei ik.

Ik weet niet of het door de grapjes, het gegil of het applaus kwam. Er was zoveel herrie om me heen, zoveel onrust in de menigte. Ik dacht heel even niet goed na. Ik vergat waar ik was, wie ik was en wie er om me heen zat.

In een opwelling pakte ik Celia's hand vast.

Ze keek verbaasd omlaag. Ik voelde Harry's blik ook op onze handen priemen.

Ik trok mijn hand gauw terug en toen ik me net weer herpakte, zag ik dat verderop op onze rij een vrouw naar me zat te staren. Ik schatte haar ergens halverwege de dertig, met een aristocratisch gezicht, kleine blauwe ogen en perfect gestifte knalrode lippen. Toen ik haar blik ving, trok ze haar mondhoeken omlaag.

Ze had het gezien.

Ze had gezien dat ik Celia's hand vastpakte.

En ze had heel goed in de gaten wat dat betekende en dat het niet de bedoeling was dat zij het zag.

Ze kneep haar ogen tot spleetjes.

En als ik al had durven hopen dat ze me niet herkende, was dat in één klap voorbij toen ze zich omdraaide naar de man naast haar, haar man waarschijnlijk, en iets in zijn oor fluisterde. Ik zag hoe zijn blik van Mick Riva naar mij verschoof.

Er lag een zweem van walging in zijn blik, alsof hij niet zeker wist of zijn vermoeden klopte, maar het idee alleen al misselijkmakend vond en het mij kwalijk nam dat hij die onsmakelijke gedachte had.

Het liefst had ik ze allebei een klap in hun gezicht gegeven en gezegd dat ze zich met hun eigen zaken moesten bemoeien. Maar ik wist dat dat niet kon. Dat was te riskant. Ik liep een te groot risico. We moesten ontzettend oppassen.

Mick was bij een instrumentaal stuk in het nummer aanbeland en hij liep helemaal naar de rand van het podium om met het publiek te praten. Zonder erbij na te denken stond ik op en begon ik voor hem te juichen. Ik sprong op en neer. Ik gilde het hardst van iedereen. Ik dacht er niet bij na. Ik wilde gewoon dat dat stel ophield met hun geroddel, tegen elkaar of tegen anderen. Ik wilde dat het doorfluisterspelletje dat zij had ingezet bij hem ophield. Ik wilde er korte metten mee maken. Ik wilde met iets anders bezig zijn. Dus gilde ik zo hard als ik kon. Ik gilde net zo uitzinnig als alle tienermeisjes achter in de zaal. Ik gilde alsof mijn leven ervan afhing, wat misschien ook wel waar was.

'Verbeeld ik het me?' zei Mick op het podium. Hij hield zijn hand boven zijn ogen tegen het licht van de schijnwerper. Hij keek me recht in mijn gezicht. 'Of staat daar vooraan nou mijn droomvrouw?'

Sub Rosa

1-11-1961

DE 'SLAAPFEESTJES' VAN EVELYN HUGO EN CELIA ST. JAMES

Kun je ook té dikke vriendinnen zijn?

Celia St. James, het mooistemeisjevandeklastype dat inmiddels een Oscar en een hele reeks kaskrakers op haar naam heeft staan, is al heel lang bevriend met de honingblonde vamp Evelyn Hugo. Maar we beginnen ons de laatste tijd af te vragen wat die twee in hun schild voeren.

Volgens goed ingevoerde bronnen zijn de beide dames een stelletje... comédiennes.

Natuurlijk zijn er meer vriendinnen die samen gaan winkelen of af en toe een terrasje pakken. Maar Celia's auto staat elke avond voor Evelyns huis geparkeerd. Het huis dat voorheen van La Hugo en haar ex-man Don Adler was. En dan staat hij er de volgende ochtend nog.

Wat speelt zich daarbinnen af?

Wat het ook is, het klinkt niet helemaal als zuivere koffie.

'IK GA EEN AVONDJE OP STAP MET MICK RIVA.'

'Geen sprake van.'

Als Celia boos was, kreeg ze rode vlekken op haar wangen en in haar hals. Na deze aankondiging gebeurde dat sneller dan ooit tevoren.

We zaten op het terras van haar buitenhuis in Palm Springs. Ze was hamburgers aan het grillen op de barbecue voor het avondeten.

Sinds dat stukje in de *Sub Rosa* was verschenen, had ik me niet meer met haar in Los Angeles durven vertonen. De roddelpers wist nog niet dat ze een huis in Palm Springs had. Dus brachten we daar samen het weekend door en woonden we doordeweeks apart in L.A.

Celia ging daarin mee alsof ze vreselijk bij me onder de plak zat, omdat het makkelijker was om me mijn zin te geven dan om met me in discussie te gaan. Maar mijn aankondiging van een afspraakje met een ander was een stap te ver.

Dat wist ik ook wel. Het was min of meer mijn bedoeling.

'Luister nou even naar me,' zei ik.

'Luister jij nou eens even naar míj.' Ze deed met een klap het deksel op de barbecue en gebaarde naar me met een metalen vleestang. 'Ik ben best bereid om mee te doen met al je uitgekookte plannetjes. Maar ik zie het absoluut niet zitten als jij met anderen gaat afspreken.'

'We hebben geen andere keus.'

'We hebben andere keuzes zat.'

'Niet als jij je baan niet kwijt wilt raken. Niet als je dit huis niet kwijt wilt raken. Niet als je je vrienden niet kwijt wilt raken. En dan heb ik het nog niet eens over de politie die zomaar op de stoep kan staan.'

'Dat is echt zwaar overdreven.'

'Nee, Celia, en dat is nou juist het enge. Ik zweer het je: ze hebben ons door.'

'In één stukje in één tweederangs roddelblaadje wekken ze de indruk dat ze ons doorhebben. Dat is iets heel anders.'

'Je hebt gelijk. Het is nog niet te laat om het in de kiem te smoren.'

'Of misschien waait het vanzelf over.'

'Celia, er komen volgend jaar twee films van jou uit, en iedereen heeft het momenteel over die van mij.'

'Precies. Zoals Harry altijd zegt, betekent dat dus dat we kunnen doen en laten wat we willen.'

'Nee, het betekent juist dat er heel veel op het spel staat.'

Celia pakte geërgerd mijn pakje sigaretten en stak er een op. 'Dus zo zie jij het voor je? Jij vindt het niet erg om ons godganse leven te blijven verbergen waar we echt mee bezig zijn? Wie we werkelijk zijn?'

'Dat doet heel Hollywood de hele dag door.'

'Nou, ik heb daar dus geen zin in.'

'Nou, dan had je niet beroemd moeten worden.'

Celia keek me strak aan terwijl ze verwoede trekjes van haar sigaret nam. Haar lippenstift liet een roze afdruk op het filter achter. 'Je bent echt een zwartkijker, Evelyn. In hart en nieren.'

'Wat wil je dan, Celia? Zal ik *Sub Rosa* anders zelf even bellen? En de FBI ook gelijk maar? Dan kan ik ze meteen een leuke scoop geven. "Ja, Celia en ik zijn inderdaad perverselingen".'

'We zijn geen perverselingen.'

'Dat weet ik wel, Celia. Wíj weten dat wel. Maar anderen begrijpen het kennelijk niet.'

'Maar misschien kunnen ze het wel léren begrijpen. Als ze hun best doen.'

'Dat gaat nooit gebeuren. Dat snap je toch wel? De wereld wil mensen zoals wij niet begrijpen.'

'Maar dat zou wel moeten.'.

'Er is van alles wat wel zou moeten, lieverd. Maar zo werkt het gewoon niet.'

'Ik vind dit een heel naar gesprek. Je zegt zulke akelige dingen.'

'Ik weet het, en het spijt me. Maar dat iets akelig is, betekent niet dat het niet waar is. Als jij je baan niet kwijt wilt raken, moet je ervoor zorgen dat de mensen denken dat er tussen ons echt niks anders speelt dan vriendschap.'

'Wat nou als ik het niet erg zou vinden om mijn baan kwijt te raken?'

'Je zou het wel erg vinden.'

'Nee, jíj zou het erg vinden en dat projecteer je nu op mij.'

'Natuurlijk zou ik het erg vinden.'

'Ik zou het allemaal best op willen geven. Alles. Het geld, de klussen en de roem. Ik zou het allemaal op willen geven om een leven met jou op te kunnen bouwen, een normaal leven samen.'

'Je weet gewoon niet waar je het over hebt, Celia. Sorry, maar je hebt echt geen idee.'

'Wat hier echt aan de hand is, is dat jij andersom niet bereid bent om alles voor mij op te geven.'

'Nee, wat hier eigenlijk aan de hand is, is dat jij een rijkeluiskindje bent dat denkt dat je altijd weer bij je ouders in Savannah kunt gaan wonen als het niks wordt met je acteerhobby.'

'Waarom zou jij mij de les lezen over geld? Jij zwemt erin.'

'Ja, dat klopt. Omdat ik me drie slagen in de rondte heb gewerkt en met een man ben getrouwd die me mishandelde. Allemaal om beroemd te worden. Om het leven te kunnen leiden dat we nu hebben. En als je echt denkt dat ik dat zonder slag of stoot opgeef, dan ben je niet goed snik.'

'Je geeft tenminste wel eerlijk toe dat het allemaal om jou draait.'

Ik schudde mijn hoofd en zette mijn duim en wijsvinger tegen mijn neusbrug. 'Celia, luister nou even. Ben je blij met je Oscar? Dat ding dat op je nachtkastje staat en dat je elke avond voor het slapengaan even aanraakt?'

'Doe nou niet...'

'Met het oog op hoe jong je deze gewonnen hebt, wordt er al gezegd dat je het soort actrice zou kunnen worden dat er meerdere keren een wint. Dat gun ik je. Gun jij jezelf dat niet?'

'Natuurlijk wel.'

'En ga je dat zomaar van je laten afpakken, alleen maar omdat je mij hebt ontmoet?'

'Nee, natuurlijk niet, maar...'

'Luister goed, Celia. Ik hou van je. Dus ik sta niet toe dat je alles wat je hebt opgebouwd – en je enorme talent – weggooit door openlijk uit te komen voor iets waar niemand ons in steunt.'

'Maar als we het niet eens proberen...'

'Niemand zou aan onze kant staan, Celia. Ik weet uit ervaring hoe het voelt als iedereen in Hollywood je de rug toekeert. Ik hoor er pas net weer een beetje bij. Ik snap dat jij een scenario voor je ziet waarin we dapper de strijd aangaan en als winnaars uit de bus komen, maar dat gaat niet gebeuren. Als wij aan de hele wereld laten weten hoe we echt leven, dan laten ze ons vallen als bakstenen. Misschien stoppen ze ons zelfs in de gevangenis of in een inrichting. Dringt dat wel tot je door? Ze zouden ons op kunnen sluiten. Dat is niet eens zo ondenkbaar. Het komt vaker voor. En je kunt er vergif op innemen dat niemand meer met ons zou willen praten. Zelfs Harry niet.'

'Natuurlijk wel. Harry júíst wel. Hij is... net als wij.'

'Precies, en daarom zou hij juist zorgen dat hij niet meer met ons geassocieerd wordt. Snap je het dan niet? Voor hem staat er nóg meer op het spel. Er zijn mannen die hem naar het leven zouden staan als ze erachter kwamen. Zo zit de wereld nu eenmaal in elkaar. Iedereen uit onze omgeving zou onder de loep worden genomen. Harry zou de druk niet aankunnen. Ik zou hem nooit in een positie durven brengen waarin hij alles kwijt zou kunnen raken, inclusief zijn leven. Nee, we zouden er alleen voor staan. Als een stel verschoppelingen.'

'Maar we zouden elkaar hebben. En voor mij is dat genoeg.'

De tranen stroomden intussen over haar wangen, waardoor haar mascara uitliep. Ik legde mijn armen om haar heen en streek met mijn duim over haar wang. 'Ik hou heel veel van je, lieverd. Ontzettend veel. En dat komt deels door dit soort dingen. Je hebt een idealistische, romantische kijk op de wereld en een prachtige persoonlijkheid. Ik wou dat de wereld klaar was om er net zo tegen aan te kijken als jij. Ik wou dat de rest van de mensheid aan jouw verwachtingen kon voldoen. Maar dat is niet zo. De wereld is lelijk, en niemand is bereid om een ander het voordeel van de twijfel te geven. Als wij ons werk en onze reputatie kwijtraken, als we onze vrienden kwijt zijn en uiteindelijk ook al ons geld, dan zitten we aan de grond. Dat heb ik eerder meegemaakt. En dat ga ik jou niet laten overkomen. Ik zal koste wat kost vermijden dat jij dat ooit hoeft mee te maken. Hoor je me? Ik hou te veel van je om toe te staan dat je je hele leven opgeeft voor mij.'

Ze schokte tegen me aan, steeds heviger snikkend. Even was ik bang dat de hele tuin blank zou komen te staan.

'Ik hou van je,' zei ze.

'Ik ook van jou,' fluisterde ik in haar oor. 'Meer dan van wat dan ook.'

'Het is niet verkeerd,' zei Celia. 'Het zou niet verkeerd mogen zijn dat ik van je hou. Wat kan daar nou mis mee zijn?'

'Er is niks mis mee, lieverd. Helemaal niet,' zei ik. 'Zij hebben het mis.'

Ze knikte tegen mijn schouder aan en drukte me steviger tegen zich aan. Ik aaide over haar rug. Ik snoof haar geur op.

'We kunnen er gewoon niet zoveel aan doen,' zei ik.

Toen ze enigszins was gekalmeerd, liet ze me los en deed ze de barbecue weer open. Zonder me aan te kijken draaide ze de hamburgers om. 'Dus wat ben je van plan?' vroeg ze.

'Ik wil Mick Riva zover krijgen dat hij me spontaan ten huwelijk vraagt.'

Haar ogen, die al flink opgezwollen waren van het huilen, leken weer vol te schieten. Ze veegde een traan weg en hield haar blik op de barbecue gericht. 'Wat heeft dat voor gevolgen voor ons?'

Ik ging achter haar staan en sloeg mijn armen om haar heen. 'Zeker niet wat jij denkt. Ik ga proberen ervoor te zorgen dat hij in een opwelling met me trouwt en het dan meteen weer nietig laat verklaren.'

'En jij denkt dat ze je dan niet meer in de gaten zullen houden?'

'Nee, ik weet dat ze me juist nog beter in de gaten gaan houden. Maar ze gaan op andere dingen letten. Ze gaan me waarschijnlijk een domme del noemen. Ze gaan waarschijnlijk zeggen dat ik op de foute mannen val. Ze zullen zeggen dat ik een waardeloze echtgenote ben, dat ik te impulsief ben. En dat kunnen ze allemaal best doen, maar dan kunnen ze niet blijven beweren dat ik een relatie met jou heb. Dat past dan niet meer in het plaatje.'

'Ik snap het,' zei ze terwijl ze een bord pakte en de hamburgers van de barbecue haalde.

'Oké, fijn,' zei ik.

'Doe maar gewoon wat jij denkt dat nodig is. Maar ik wil er niks meer over horen. En ik wil dat het zo snel mogelijk achter ons ligt.'

'Oké.'

'En als het eenmaal voorbij is, wil ik samenwonen.'

'Celia, dat gaat toch niet.'

'Jij zei dat dit zo goed zou werken dat niemand meer vragen over ons zou stellen.'

Ik wilde natuurlijk ook samenwonen. Dolgraag zelfs. 'Goed dan,' zei ik. 'Als het achter de rug is, gaan we het hebben over samenwonen.'

'Oké,' zei ze. 'Dan ben ik akkoord.'

Ik wilde haar een hand geven om de deal te bezegelen, maar ze wuifde me weg. Ze vond het smakeloos om elkaar voor zoiets treurigs de hand te schudden.

'En wat nou als je Mick Riva niet zover weet te krijgen?' vroeg ze.

'Dat komt wel goed.'

Celia keek me eindelijk aan. Er lag een halve glimlach om haar lippen. 'Dacht je soms dat je zo aantrekkelijk bent dat niemand je kan weerstaan?'

'Eigenlijk wel, ja.'

'Tja,' zei ze en ze ging een beetje op haar tenen staan om me een kus te geven. 'Dat is ook wel zo.'

IK TROK EEN CRÈMEKLEURIG COCKTAILJURKJE AAN MET EEN OVER-
daad aan gouden pailletten en een diep decolleté. Ik deed mijn lange
blonde haar in een hoge paardenstaart. Ik deed diamanten oorbellen in.
Ik straalde.

Als je uit bent op een flitshuwelijk is de eerste stap om de beoogde bruidegom uit te dagen met je naar Las Vegas te gaan.

Dat doe je door in L.A. naar een club te gaan en daar samen wat te
drinken. Je onderdrukt de neiging om met je ogen te rollen als je merkt
hoe graag hij met je op de foto gezet wil worden. Je bent je ervan bewust
dat iedereen over de rug van anderen gaat. Het is wel zo eerlijk dat hij
net zo goed profiteert van jou als jij van hem. Je legt je erbij neer in de
wetenschap dat wat jullie van elkaar willen perfect op elkaar aansluit.

Jij bent uit op een schandaal.

Hij wil dat de hele wereld weet dat hij met jou naar bed is geweest.

Het komt op hetzelfde neer.

Je overweegt om open kaart met hem te spelen, om hem gewoon te
vertellen wat je wilt en wat je bereid bent hem te geven. Maar je bent al
lang genoeg beroemd om te weten dat je mensen nooit meer moet vertellen dan strikt noodzakelijk is.

Dus je zegt niet: Ik wil morgen samen in de krant staan, maar je zegt:

'Ben jij weleens in Las Vegas geweest, Mick?'

Hij lacht schamper, alsof dat de domste vraag is die hij ooit heeft gehoord, en je beseft dat dit een stuk makkelijker wordt dan je dacht.

'Soms krijg ik gewoon zin om een potje te dobbelen, jij niet?' vraag je. Seksuele toespelingen werken het beste als je ze geleidelijk opbouwt, als je het er steeds ietsje dikker bovenop legt.

'Heb je nu zin om een potje te dobbelen, schatje?' vraagt hij, en je knikt.

'Het zal wel te laat zijn,' antwoord je. 'En we zijn al hier. Hier is het natuurlijk ook gezellig. Ik heb het prima naar mijn zin.'

'Als ik mijn mensen een vliegtuig laat boeken zijn we er zo.' Hij knipt met zijn vingers.

'Nee,' sputter je tegen. 'Dat is toch veels te veel moeite.'

'Niet voor jou,' zegt hij. 'Voor jou is niks te veel moeite.'

Je weet dat hij eigenlijk bedoelt: *Voor mij is niks te veel moeite.*

'Kun je dat echt regelen?' vraag je.

Anderhalf uur later zit je in het vliegtuig.

Jullie drinken nog wat, je gaat bij hem op schoot zitten, je laat hem even een beetje aan je zitten en slaat zijn hand dan weg. Hij moet bijna barsten van begeerte en denken dat er maar één manier is waarop hij je kan krijgen. Als hij je niet graag genoeg wil, als hij denkt dat er meerdere wegen naar Rome leiden, dan houdt het op. Dan is je plan mislukt.

Als het vliegtuig geland is en hij je vraagt of hij een kamer voor jullie moet boeken in het Sands Hotel, moet je protesteren. Je moet geschokt lijken door zijn oneerbare voorstel. Je moet zeggen dat je niet doet aan seks voor het huwelijk, op een toon waarin duidelijk doorklinkt dat je ervan uitging dat hij dat al begrepen had.

Je moet de indruk wekken dat je wat dat betreft onvermurwbaar bent, maar het tegelijkertijd heel erg jammer vindt. Hij moet denken: ze wil me. En de enige manier om mijn zin te krijgen is door met haar te trouwen.

Even sta je erbij stil dat het misschien wel erg onaardig is wat je doet. Maar dan schiet je weer te binnen dat deze vent alleen maar met je naar bed wil en weer van je zal scheiden zodra hij zijn doel heeft bereikt. Dus hij is ook niet bepaald een lieverdje te noemen.

Je gaat hem geven waar hij om vraagt. Dus het is een eerlijke ruil.

Jullie gaan naar de dobbeltafel en spelen een paar potjes. Aanvankelijk verlies je steeds, net als hij, en je begint te vrezen dat jullie daar allebei te veel door ontnuchteren. Je weet dat impulsief gedrag vooral versterkt wordt als je je onverslaanbaar voelt. Niemand gooit alle voorzichtigheid overboord als het schip op zinken staat.

Jullie drinken champagne, omdat alles daar feestelijker van wordt. Daardoor lijkt het alsof jullie iets te vieren hebben.

Als jullie herkend worden, ga je met alle plezier met fans op de foto. Steeds als dat gebeurt druk je je stevig tegen hem aan. Je laat hem op weinig subtiele wijze merken wat hem te wachten staat als je de zijne zou worden.

Aan de roulettetafel win je ineens heel vaak op rij. Je maakt een paar uitbundige sprongetjes van blijdschap. Dat doe je omdat je weet waar zijn blik naartoe gezogen wordt. Je zorgt dat hij in de gaten krijgt dat jij dat heus wel ziet.

Als hij tijdens het volgende potje zijn hand op je kont legt, hou je hem niet tegen.

Als je opnieuw wint, duw je je kont tegen hem aan.

Je duwt hem niet weg als hij zich over je heen buigt en vraagt: 'Zullen we ergens anders heen gaan?'

Je antwoordt: 'Dat lijkt me niet zo'n goed idee. Als ik bij jou ben, heb ik mezelf niet in de hand.'

Jij moet niet degene zijn die over trouwen begint. Je hebt het eerder op de avond al ter sprake gebracht. Nu moet je wachten tot hij het oppert. Hij heeft het al eens tegen de krant gezegd. Dat doet hij heus nog wel een keer. Maar je moet geduld hebben. Je moet hem niet opjagen.

Hij drinkt nog wat.

Jullie winnen allebei nog een keer of drie.

Je laat zijn hand eventjes op je bovenbeen liggen voor je hem wegduwt. Het is twee uur 's nachts en je bent moe. Je mist de liefde van je leven. Je zou het liefst naar huis gaan. Je zou veel liever bij haar in bed kruipen, luisteren naar haar zachte gesnurk en naar haar kijken terwijl ze slaapt dan hier blijven. Je hebt hier helemaal niks te zoeken.

Behalve wat deze avond je kan opleveren.

Je stelt je voor hoe het zou zijn als jullie gewoon op zaterdagavond met zijn tweeën uit eten kunnen gaan zonder dat iemand daar iets achter zoekt. Het is zoiets simpels, zoiets kleins dat je wel kunt janken. Je hebt je uit de naad gewerkt voor een leven in luxe. En nu zijn dat soort kleine privileges het enige waar je naar verlangt. Om in alle rust elke dag met je geliefde door te kunnen brengen zonder je te hoeven verstoppen.

Deze avond voelt enerzijds als een kleine investering en anderzijds als een gigantisch offer om dat te bereiken.

'Schatje, ik trek het niet meer,' zegt hij. 'Ik wil je. Ik moet naar je kijken. Ik moet met je vrijen.'

Dit is je kans. Hij heeft toegehapt, en nu hoef je hem alleen nog voorzichtig zien binnen te halen.

'O, Mick,' verzucht je. 'Dat kan niet. Dat gaat niet.'

'Ik geloof dat ik echt van je hou, schat,' zegt hij. De tranen springen hem in de ogen, en het dringt tot je door dat hij wellicht ingewikkelder in elkaar zit dan je denkt.

Jij zit ook ingewikkelder in elkaar dan hij dacht.

'Meen je dat?' vraag je alsof je ontzettend graag wilt dat het waar is.

'Volgens mij wel, schatje. Ik vind je gewoon helemaal het einde. We kennen elkaar nog maar net, maar het voelt echt alsof ik niet zonder je kan.' Wat hij bedoelt is dat hij niet zonder seks met je kan. En dat geloof je best.

'O, Mick,' zeg je, en verder zeg je niks meer. Zwijgen is in dit geval absoluut goud.

Hij snuffelt aan je nek. Hij doet het nogal onhandig, waardoor het voelt alsof je door een labrador begroet wordt. Maar je doet alsof je het heerlijk vindt. Jullie staan onder de felle verlichting van een casino. Jullie staan vol in het zicht. Je moet doen alsof je niet merkt dat mensen naar jullie kijken. Dan kunnen zij morgen mooi tegen de roddelbladen zeggen dat jullie je gedroegen als een stelletje tieners.

Je hoopt dat Celia geen bladen onder ogen krijgt waar je in staat. Je denkt dat ze slim genoeg is om die te mijden. Je denkt dat ze wel weet hoe ze zich daarvoor af moet sluiten. Maar helemaal zeker weten doe je het niet. Zodra je thuis bent, als dit allemaal achter de rug is, is het eerste wat je gaat doen zorgen dat ze weet hoeveel ze voor je betekent, hoe mooi ze is, hoe verloren je je zou voelen zonder haar.

'Trouw met me, schatje,' fluistert hij in je oor.

Daar zul je het hebben.

Op een presenteerblaadje.

Maar je moet niet te gretig overkomen.

'Mick, ben je gek geworden?'

'Jij máákt me gek.'

'We kunnen toch niet zomaar trouwen,' zeg je, en als hij niet meteen reageert ben je even bang dat je nu iets te ver bent gegaan. 'Of wel?' vraag je. 'Ik bedoel, waarom ook niet, eigenlijk?'

'Natuurlijk kan dat!' zegt hij. 'De wereld ligt aan onze voeten. We kunnen doen en laten wat we willen.'

Je slaat je armen om hem heen en je drukt je tegen hem aan, om te laten merken hoe leuk je zijn idee vindt – en zo verrassend! – en hem eraan te helpen herinneren waar hij het voor doet. Je weet waarvoor hem jouw aantrekkingskracht zit. Het zou zonde zijn om hem daar niet bij elke gelegenheid die zich voordoet op te wijzen.

Hij tilt je op en draagt je naar buiten. Je joelt en gilt zodat iedereen kijkt. Morgen zullen ze tegen de bladen zeggen dat hij er letterlijk met je vandoor ging. Het is een memorabel moment. Dat vergeten ze niet zo gauw.

Drie kwartier later staan jullie samen stomdronken voor het altaar.

Hij belooft je lief te hebben tot het einde der tijden.

Jij belooft een goede echtgenote voor hem te zijn.

Hij draagt je over de drempel van de mooiste kamer van Hotel Tropicana. Je giechelt quasi-verbaasd als hij je op het bed gooit.

En dan ben je bij het een-na-belangrijkste punt aanbeland.

Je mag niet goed zijn in bed. Je moet tegenvallen.

Als hij het lekker vindt, wil hij het vaker met je doen. Dat kun je niet hebben. Je moet zorgen dat het bij één keer blijft. Vaker kun je niet over je hart verkrijgen.

Als hij je jurk van je lijf probeert te scheuren, moet je tegensputteren: 'Jezus, Mick, hou op. Even rustig, joh.'

Nadat je langzaam je jurk hebt uitgetrokken, laat je hem zo lang naar je borsten kijken als hij wil. Hij moet ze van alle kanten bekijken. Hij heeft een eeuwigheid gewacht om eindelijk het einde van die scène uit *Boute-en-train* te zien.

Je moet ervoor zorgen dat alle geheimzinnigheid en spanning eraf is. Je laat hem net zolang met je borsten spelen tot hij er genoeg van heeft. En dan spreid je je benen.

Je blijft stijf als een plank onder hem liggen.

En dan komt het moment waar je de grootste moeite mee hebt, maar waar je eigenlijk ook niet aan kunt ontkomen. Hij weigert een condoom te gebruiken. En ook al ken je vrouwen die de pil al te pakken hebben gekregen, zelf heb je die niet, omdat je hem tot een paar dagen geleden (toen je dit plan bedacht) niet nodig had.

Achter je rug hou je je vingers gekruist.

Je doet je ogen dicht.

Hij laat zijn zware lijf op je zakken, waardoor je weet dat hij is klaargekomen.

Je barst bijna in huilen uit, omdat je moet denken aan hoe je vroeger tegen seks aankeek, voor je in de gaten kreeg hoe fijn het kon zijn, voor je ontdekte wat je zelf lekker vond. Maar je drukt je tranen weg. Je drukt al je gevoelens weg.

Na afloop zegt Mick niks.

En jij ook niet.

Nadat je in het donker zijn hemd hebt aangetrokken omdat je niet naakt naast hem wilt liggen, val je in slaap.

De volgende ochtend, als de zon door het raam in je gezicht schijnt, scherm je je ogen af met je arm.

Je hoofd bonst. Je hart schrijnt.

Maar je bent er bijna.

Je vangt zijn blik. Hij glimlacht naar je. Hij pakt je vast.

Je duwt hem van je af en zegt: 'Ik hou niet van ochtendseks.'

'Hoe bedoel je?' vraagt hij.

Je haalt je schouders op. 'Sorry.'

Hij zegt: 'Toe nou, schatje,' en gaat boven op je liggen. Je weet niet of hij naar je zou luisteren als je hem nog eens afwijst. En je weet ook niet zo goed óf je het wilt weten. Je betwijfelt óf je dat zou kunnen verdragen.

'Nou, goed dan, als het zo nodig moet,' zeg je. En als hij zich van je af duwt en je aankijkt, besef je dat je je doel hebt bereikt. De lol is er voor hem helemaal van af.

Hij schudt zijn hoofd. Hij stapt uit bed. Hij zegt: 'Weet je, je bent heel anders dan ik had verwacht.'

Hoe mooi een vrouw ook is, voor een man als Mick Riva wordt ze automatisch minder aantrekkelijk als hij eenmaal seks met haar heeft gehad. Dat weet je. Je laat het gebeuren. Je fatsoeneert je haar niet. Je pulkt een beetje aan de vlokjes mascara op je gezicht.

Je kijkt Mick na als hij de badkamer in loopt. Je hoort hem de douche aanzetten.

Als hij klaar is, komt hij naast je op bed zitten.

Hij is schoon. Jij hebt je nog niet gewassen.

Hij ruikt naar zeep. Jij ruikt naar drank.

Hij zit. Jij ligt.

Ook dat heb je allemaal zorgvuldig uitgedacht.

Je moet hem het gevoel geven dat hij de touwtjes in handen heeft.

'Lieve schat, ik heb een erg leuke avond gehad,' zegt hij.

Je knikt.

'Maar we hadden veel te veel gedronken.' Hij praat tegen je alsof je een kleuter bent. 'Allebei. We hadden geen idee waar we mee bezig waren.'

'Ik weet het,' antwoord je. 'Het was een bizarre opwelling.'

'Ik ben geen goeie vent, schatje,' zegt hij. 'Je verdient beter dan iemand als ik. En andersom verdien ik niet zo'n vrouw als jij.'

Hij zegt doodleuk hetzelfde als hij tegen de roddelbladen over zijn ex-vrouw zei – wat vreselijk onorigineel en lachwekkend doorzichtig.

'Hoe bedoel je?' vraag je. Je legt er een klein snikje in. Je laat het klinken alsof je elk moment in huilen kan uitbarsten. Dat is een belangrijk detail, want dat zouden de meeste andere vrouwen doen. En je moet doen alsof jij net zo bent als de meeste andere vrouwen. Hij moet denken dat hij je te slim af is geweest.

'Volgens mij kunnen we maar beter onze advocaten even bellen, schatje. Om ons huwelijk nietig te laten verklaren.'

'Maar Mick...'

Hij onderbreekt je, wat je erg irritant vindt, omdat je echt nog niet uitgepraat was. 'Het is beter zo, schat. Mijn besluit staat vast, vrees ik.'

Je vraagt je af hoe het is om een man te zijn en er zo van overtuigd te zijn dat jij altijd het laatste woord moet hebben.

Als hij opstaat en zijn jas pakt, besef je dat je met één aspect van de situatie geen rekening had gehouden. Hij kickt erop om mensen af te wijzen. Hij doet graag denigrerend. Toen hij gisteravond bedacht hoe hij het ging aanpakken, keek hij ook al uit naar dit moment. Het moment waarop hij je de bons kon geven.

Dus doe je iets wat je niet van tevoren zo had bedacht.

Als hij zich bij de deur naar je omdraait en zegt: 'Sorry dat het niks kon worden tussen ons, schatje. Maar ik wens je alle goeds voor de toekomst,' pak je de telefoon van het nachtkastje en smijt je die naar zijn hoofd.

Dat doe je omdat je weet dat hij het leuk zal vinden. Omdat hij alles precies zo heeft gedaan als je hoopte. Dan moet je hem ook alles geven waarop hij hoopte.

Hij bukt en kijkt gepijnigd naar je, alsof je een hertje bent dat hij moet achterlaten in het bos.

Je begint te huilen.

En dan gaat hij ervandoor.

Je houdt meteen weer op.

En je denkt: als ik hiervoor nou verdomme eens een Oscar kon krijgen...

PhotoMoment

4-12-1961

RIVA EN HUGO AAN DE ROL

Ooit gehoord van een flitshuwelijk? Nou, heel veel flitsender dan dit wordt het niet!

Afgelopen vrijdagavond werd vamp Evelyn Hugo aangetroffen op schoot bij niemand minder dan haar grootste fan Mick Riva, midden in Las Vegas. De dobbelaars en pokeraars werden door de twee op een flink schouwspel getrakteerd. Er werd uitgebreid geflikflooid en gezopen, en vervolgens ging het stel van de roulettetafel rechtstreeks naar een... trouwkapel!

Je leest het goed! Evelyn Hugo en Mick Riva zijn met elkaar getrouwd!

Maar alsof dat nog niet bizar genoeg was, hebben ze hun huwelijk meteen weer nietig laten verklaren.

Blijkbaar was de alcohol ze naar het hoofd gestegen – en de volgende ochtend kon er weer helder worden nagedacht.

Ze hadden allebei al de nodige mislukte huwelijken op hun naam staan, dus ach, dan kan er best nog eentje bij!

Sub Rosa

12-12-1961

EVELYN HUGO HEEFT LIEFDESVERDRIET

Geloof niet zomaar alles wat er gezegd wordt over het dronken avontuurtje tussen Evelyn en Mick. Mick kijkt misschien wel vaker te diep in het glaasje, maar wij weten uit betrouwbare bron dat Evelyn die avond heel goed wist waar ze mee bezig was. En dolgraag met hem wilde trouwen.

Sinds Don haar verlaten heeft, heeft het arme schaap het op liefdesgebied niet makkelijk gehad – geen wonder dus dat ze zich op de eerste de beste knappe vent stortte die zich aandiende.

En ons is ter ore gekomen dat ze sinds de scheiding ontroostbaar is.

Voor Mick was Evelyn blijkbaar alleen goed voor een nachtje vol plezier, terwijl zij echt een toekomst met hem voor zich zag.

We hopen maar dat Evelyn binnenkort meer geluk heeft.

TWEE MAANDEN LANG LEEFDE IK ZO'N BEETJE IN HET PARADIJS. Celia en ik maakten nooit een woord aan Mick vuil, omdat dat nergens voor nodig was. Maar we konden intussen wel weer gaan en staan waar we wilden.

Celia kocht een tweede auto, een saaie bruine vierdeurs, die elke nacht op mijn oprit stond zonder dat er een haan naar kraaide. We vielen elke avond innig verstrengeld in slaap en deden een uur voor we wilden gaan slapen het licht al uit zodat we nog een tijdje in het donker konden kletsen. 's Ochtends volgde ik de lijnen op haar handpalm met mijn vingers om haar wakker te maken. Op mijn verjaardag trakteerde ze me op een etentje bij de Polo Lounge. We lieten ons in alle openbaarheid samen zien, maar toch had niemand ons door.

Gelukkig verkochten de roddelbladen beter als ze me afschilderden als een of ander kreng dat geen enkele man bij zich wist te houden dan als ze me uit de kast hadden gejaagd – en hielden ze dat ook behoorlijk lang vol. Ik zeg niet dat ze willens en wetens leugens verkochten, hoor. Ik zeg alleen dat ze maar al te graag geloofden wat ik ze wijs probeerde te maken. En liegen is natuurlijk het makkelijkst als je weet dat de ander heel graag wil dat het waar is.

Ik hoefde er alleen maar voor te zorgen dat mijn romantische uitspattingen sappig genoeg waren om de voorpagina's te blijven halen. Zolang dat lukte, zou de roddelpers mijn relatie met Celia niet verder onder de loep nemen, wist ik.

En het liep allemaal zo verrekte gesmeerd.

Tot ik erachter kwam dat ik zwanger was.

'Dat meen je niet,' zei Celia. Ze stond rechtop in het zwembad bij mij thuis, in een lavendelkleurige bikini met stippen en met een zonnebril op haar neus.

'Jawel,' zei ik.

Ik had een glas ijsthee voor haar meegenomen uit de keuken. Ik stond vlak voor haar en torende boven haar uit in een blauwe overgooier en sandalen. Ik liep al twee weken met het vermoeden rond. De dag daarvoor was het bevestigd door een discrete dokter in Burbank die Harry me had aangeraden.

Ik vertelde het haar terwijl zij in het zwembad stond en ik met een glas ijsthee met een schijfje citroen erin op de kant, omdat ik het niet langer voor me kon houden.

Ik ben altijd erg goed geweest in liegen. Maar Celia was heilig voor me. Tegenover haar wilde ik volkomen eerlijk zijn.

Ik wist donders goed dat Celia en ik allerlei offers hadden moeten brengen voor onze relatie en koesterde niet de illusie dat we ervan af waren. Het was alsof er belasting zat op geluk. De wereld eiste vijftig procent van mijn geluk op. Maar de andere helft mocht ik houden.

En dat was zij. En ons leven samen.

Maar het voelde niet goed om dit voor haar achter te houden. Dat kon ik niet.

Ik ging zitten, liet mijn voeten in het water bungelen en probeerde haar aan te raken en te troosten. Ik had wel verwacht dat ze ontdaan zou zijn door mijn aankondiging, maar ik had niet verwacht dat ze haar ijsthee naar de overkant van het zwembad zou smijten. Het glas spatte tegen de rand uit elkaar, waardoor overal glas kwam te liggen.

Ik had ook niet verwacht dat ze eerst kopje-onder zou duiken en het daarna uit zou gillen. Actrices kunnen ontzettend dramatisch doen.

Toen ze weer bovenkwam, was ze nat en verfomfaaid. Haar haar hing in slierten voor haar gezicht en haar mascara was uitgelopen. Ze weigerde met me te praten.

Ik pakte haar arm vast, maar ze rukte zich los. Toen ik een glimp van haar gezicht opving en haar gekwetste blik zag, besefte ik dat Celia en ik nooit helemaal op één lijn hadden gezeten over wat ik met Mick Riva ging doen.

'Dus je hebt seks met hem gehad?' vroeg ze.

'Ik dacht dat dat voor zich sprak,' zei ik.

'Nou, niet dus.'

Celia klom uit het zwembad en droogde zich niet eens af. Ik keek haar na en zag hoe het beton rondom het zwembad verkleurde door haar voetstappen, hoe ze plasjes op het parket achterliet en vervolgens de gestoffeerde trap nat maakte.

Toen ik omhoogkeek naar het slaapkamerraam, zag ik haar daar heen en weer lopen. Het leek wel of ze een tas inpakte.

'Celia! Hou daarmee op,' riep ik terwijl ik de trap op rende. 'Dit verandert toch niks?'

Toen ik voor de deur van mijn eigen slaapkamer stond, bleek die op slot te zijn.

Ik bonsde op de deur. 'Toe nou, lieverd.'

'Laat me met rust.'

'Alsjeblieft,' zei ik. 'Laten we het er rustig over hebben.'

'Nee.'

'Dit kun je toch niet maken, Celia. Laten we het gewoon even uitpraten.' Ik leunde tegen de deur en drukte mijn gezicht in de smalle spleet tussen deur en kozijn in de hoop dat mijn stem daardoor beter door zou komen en Celia me sneller zou begrijpen.

'Dit is geen leven, Evelyn,' zei ze.

Ze deed de deur open en glipte langs me heen. Doordat ik met een groot deel van mijn gewicht tegen de deur steunde, viel ik bijna om toen ze hem opentrok. Maar ik bleef staan en liep achter haar aan de trap af.

'Jawel,' zei ik. 'Het is ons leven. En we hebben er veel te veel voor opgegeven om er nu een punt achter te zetten.'

'Nou, ik doe het toch,' zei ze. 'Ik wil dit niet meer. Ik wil niet meer zo leven. Ik wil niet in een spuuglelijke bruine auto naar jouw huis moeten rijden zodat niemand weet dat ik er ben. Ik wil niet doen alsof ik vrijgezel ben terwijl ik eigenlijk met jou samenwoon. En ik wil al helemaal geen relatie met een vrouw die met de eerste de beste zanger het bed in duikt zodat niemand erachter komt dat ze van mij houdt.'

'Je verdraait alles.'

'Je bent gewoon laf, en ik kan niet geloven dat ik dat niet van begin af aan heb geweten.'

'Ik deed het voor jou!' schreeuwde ik.

We stonden inmiddels onderaan de trap. Celia hield met één hand de deurklink vast en met de andere haar tas. Ze had nog steeds alleen een bikini aan. Het water drupte uit haar haar.

'Maak dat godverdomme de kat wijs,' zei ze terwijl er rode vlekken op haar borst verschenen en haar wangen begonnen te gloeien. 'Je deed het alleen maar voor jezelf, omdat je per se de beroemdste vrouw op aarde moet zijn. Je deed het om jezelf te beschermen, en je o zo geliefde fans die steeds weer opnieuw naar de bioscoop gaan om te kijken of ze deze keer wel een halve tel je tieten kunnen zien. Je deed het helemaal niet voor mij.'

'Jawél, Celia. Denk je echt dat je ouders je zullen blijven steunen als ze horen hoe het zit?'

Daarvan gingen haar nekharen pas echt overeind staan en ze duwde de klink al naar beneden.

'Als mensen erachter komen dat je zo bent, raak je alles kwijt,' zei ik.

'Dat wij zo zijn,' zei ze en ze draaide zich naar me om. 'Doe nou niet alsof je anders bent dan ik.'

'Dat ben ik wel,' zei ik. 'En dat weet je best.'

'Lul niet.'

'Ik val ook op mannen, Celia. Ik kan met elke man trouwen die ik wil en een gelukkig gezin vormen. En we weten allebei dat dat jou een stuk minder makkelijk af zou gaan.'

Celia keek me aan, met samengeknepen ogen en getuite lippen. 'Denk je dat je beter bent dan ik? Is dat het? Denk je soms dat het bij mij een ziekte is en voor jou alleen maar een spelletje?'

Ik pakte haar vast en had meteen spijt van mijn opmerking. Zo bedoelde ik het helemaal niet.

Maar ze trok haar arm weg en zei: 'Blijf met je poten van me af.'

Ik liet haar los. 'Celia, als ze erachter komen wat er tussen ons speelt, zullen ze het mij wel weer vergeven. Ik kan weer trouwen met zo iemand als Don en dan vergeten ze dat ik jou ooit heb gekend. Ik overleef dit wel. Maar ik betwijfel of dat voor jou ook geldt. Want dan zou je verliefd moeten worden op een man óf met een man moeten trouwen van wie je niet houdt. En ik denk niet dat je daartoe in staat zou zijn. Ik ben bezorgd over je, Celia. Meer dan over mezelf. Ik weet niet of je carrière er weer bovenop zou zijn gekomen – of jíj erbovenop zou zijn gekomen – als ik niet had ingegrepen. Dus heb ik gedaan waar ik goed in ben. En het heeft toch goed uitgepakt?'

'Het heeft helemaal niet goed uitgepakt, Evelyn. Je bent zwanger.'

'Ik pas er wel een mouw aan.'

Celia keek naar de grond en lachte schamper. 'Jij weet ook altijd overal een mouw aan te passen, hè?'

'Ja,' zei ik aarzelend, omdat ik niet goed wist hoe ik dat als een belediging zou moeten opvatten. 'Inderdaad.'

'Maar tegelijkertijd ben je niet in staat tot normaal menselijk gedrag.'

'Dat vind je niet echt.'

'Je bent een hoer, Evelyn. Je gaat met mannen naar bed om beroemd te worden. En daarom maak ik het uit.'

Ze deed de deur open en stapte zonder omkijken naar buiten. Ik keek haar na terwijl ze mijn bordes afliep en naar haar auto beende. Ik volgde haar, maar bleef toen als aan de grond genageld op de oprit staan.

Ze smeet haar tas op de bijrijdersstoel. Toen trok ze het portier aan de bestuurderskant open en bleef ze staan.

'Ik hield zoveel van je dat ik dacht dat jij echt bij mij hoorde,' zei Celia in tranen. 'Ik dacht dat iedereen in de wieg is gelegd om ware liefde te vinden, en dat het mijn lot was om jou te vinden. Je te vinden, aan te raken, te ruiken en alles te horen wat je denkt. Maar ik geloof daar niet meer in.' Ze veegde haar tranen weg. 'Want ik wil niet meer horen bij iemand zoals jij.'

Er schoot een vlammende pijn door mijn borst alsof mijn hart overkookte. 'Weet je wat? Je hebt gelijk. Jij hoort niet bij iemand zoals ik,' zei ik na een tijdje. 'Want ik ben bereid om te investeren in een leven voor ons samen, maar jij bent daar te schijterig voor. Je durft geen moeilijke keuzes te maken; je bent niet bereid om de vervelende klusjes op te knappen. En dat heb ik altijd geweten. Maar ik dacht dat je het dan toch op z'n minst wel zou kunnen opbrengen om toe te geven dat je iemand zoals ik nodig hebt. Iemand die bereid is zijn handen vuil te maken om jou te beschermen. Jij doet de hele tijd alsof je een heilige bent. Nou, zie dat maar eens vol te houden als er niemand voor je in de loopgraven ligt.'

Celia keek stoïcijns voor zich uit. Ik betwijfelde of ze ook maar iets had gehoord van wat ik had gezegd. 'We passen blijkbaar toch niet zo goed bij elkaar als we dachten,' zei ze, en toen stapte ze in de auto.

Toen pas, toen zij al met haar handen aan het stuur zat, drong tot me door dat dit echt gebeurde, dat dit niet zomaar een ruzietje was. Dat deze ruzie het einde van onze relatie zou betekenen. Het ging hartstikke goed tussen ons en nu was dat in één klap omgeslagen, alsof we met een haarspeldbocht van de snelweg af waren gegaan.

Ik kon niks anders uitbrengen dan: 'Blijkbaar niet.' Het klonk geknepen, alsof mijn keel dicht zat.

Celia startte de auto en zette hem in zijn achteruit. 'Vaarwel, Evelyn,' zei ze op het allerlaatste moment. Toen reed ze achteruit mijn oprit af en de straat uit.

Ik ging weer naar binnen en veegde de plasjes water op die ze had achtergelaten. Ik belde een schoonmaakdienst voor het zwembad, om het leeg te pompen en het glas waar haar ijsthee in had gezeten op te ruimen.

Toen belde ik Harry.

Drie dagen later reed hij met me naar Tijuana, waar geen vragen gesteld zouden worden. Het was een aaneenschakeling van momenten waarbij ik mentaal afwezig probeerde te zijn, zodat ik nooit moeite zou hoeven doen om ze uit mijn geheugen te wissen. Toen ik na de ingreep naar de auto liep, was ik blij dat ik zo goed had geleerd om me emotioneel af te sluiten. Wat mij betreft mag letterlijk in de geschiedenisboeken komen te staan dat ik geen seconde spijt heb gehad van die abortus. Het was de juiste keuze. Daar heb ik geen moment aan getwijfeld.

Toch heb ik op de terugweg door San Diego en langs de Californische kust non-stop naast Harry zitten huilen. Ik huilde om alles wat ik was kwijtgeraakt en alle beslissingen die ik had gemaakt. Ik huilde omdat ik op maandag met de opnames voor *Anna Karenina* zou beginnen terwijl acteren of prijzen winnen me niks meer kon schelen. Op dat moment wou ik alleen maar dat ik nooit naar Mexico had hoeven gaan. En ik wenste vurig dat Celia me huilend zou opbellen om te zeggen dat ze zich enorm had vergist. Ik hoopte dat ze op mijn stoep zou staan en me zou smeken om haar terug te nemen. Ik wilde haar gewoon terug.

Terwijl we vanuit San Diego de afrit van de snelweg namen, stelde ik Harry de vraag die al dagen door mijn hoofd spookte.

'Vind je mij een hoer?'

Harry zette de auto aan de kant en draaide zich naar me om. 'Ik vind je geweldig. Ik vind je stoer. En ik vind het woord "hoer" echt iets wat domme mensen zeggen als ze niks beters kunnen verzinnen.'

Ik luisterde naar hem en wendde mijn gezicht toen af om uit mijn raampje te kijken.

'Het komt toch wel verrekte goed uit,' ging Harry verder, 'dat in deze mannenwereld datgene waar het meest op neergekeken wordt ook is wat het meest bedreigend voor ze kan zijn, hè? Moet je je voorstellen dat elke vrouw op aarde haar lichaam alleen maar beschikbaar zou stellen in ruil voor iets anders. Dan zouden júllie de dienst uitmaken. Dan zouden jullie ineens alle wapens in handen hebben. Alleen mannen zoals ik zouden dan nog een schijn van kans maken. En dat is wel het laatste wat die klootzakken willen: een wereld waarin mensen zoals jij en ik de baas zijn.'

Ik moest lachen, en mijn ogen deden pijn van het vele huilen. 'Dus ben ik nou een hoer of niet?'

'Wie zal het zeggen?' zei hij. 'In zekere zin zijn we eigenlijk allemaal hoeren. In Hollywood tenminste. Luister, ze laat zich niet voor niets Celia *Saint* James noemen. Ze speelt al jaren het brave meisje. Verder zijn we allemaal niet zo perfect. Maar dat vind ik nou juist zo leuk aan jou. Ik vind het leuk dat je zo lekker onvolmaakt, strijdlustig en intimiderend bent. Ik hou van de Evelyn Hugo die weet dat de wereld hard is, maar toch alles op alles zet om eruit te halen wat erin zit. Dus welk label je er ook op wilt plakken, blijf alsjeblieft zoals je bent. Anders wordt het pas echt tragisch.'

Toen we weer bij mij thuis waren, stopte Harry me in bed en ging toen naar beneden om wat te eten voor me te maken.

Die avond bleef hij bij mij in bed slapen, en toen ik wakker werd, was hij net de jaloezieën aan het opendoen.

'Opstaan, vogeltje,' zei hij.

Na dit hele gebeuren sprak ik Celia vijf jaar niet. Ze belde me niet. Ze schreef me niet. En ik kon me er niet toe zetten om zelf contact met haar op te nemen.

Ik bleef wel op de hoogte van hoe het met haar ging door de bladen en door de roddels die zoal de ronde deden. Maar die eerste ochtend, toen de zon in mijn gezicht scheen en ik nog doodmoe was van het uitstapje naar Mexico, voelde ik me eigenlijk prima.

Omdat ik Harry had. Voor het eerst in een heel lange tijd voelde het alsof ik familie had.

Je merkt pas hoe hard je hebt gewerkt, hoeveel je van jezelf hebt gevraagd, hoe uitgeput je bent, als er iemand achter je gaat staan en zegt: 'Het is goed, laat je maar vallen. Ik vang je wel op.'

Dus liet ik me vallen.

En Harry ving me op.

'HADDEN CELIA EN JIJ GEEN ENKEL CONTACT IN DIE TIJD?' VRAAG IK.

Evelyn schudt haar hoofd. Ze staat op, loopt naar het raam en zet het op een kier. Er waait een aangenaam briesje naar binnen. Zodra ze weer zit, kijkt ze me aan met een blik alsof ze klaar is voor een volgend onderwerp. Maar ik kan er gewoon niet bij met mijn hoofd.

'Hoelang had jullie relatie geduurd?'

'Drie jaar?' zegt Evelyn. 'Zoiets.'

'En toen ging ze zomaar weg? Zonder nog iets te zeggen?'

Evelyn knikt.

'Heb je geprobeerd haar te bereiken?'

Ze schudt haar hoofd. 'Ik was... Ik wist nog niet dat je best door het stof kunt gaan als je iets echt graag wilt. Ik dacht: als ze mij niet wil, als ze niet begrijpt waarom ik bepaalde dingen heb gedaan, dan heb ik haar niet nodig.'

'En daar had je vrede mee?'

'Nee, ik was doodongelukkig. Ik had nog jaren liefdesverdriet om haar. Ik bedoel, ik vermaakte me wel, hoor. Begrijp me niet verkeerd. Maar Celia kwam er niet aan te pas. Sterker nog, ik verslond in die tijd de *Sub Rosa* als Celia erin stond, bestudeerde uitgebreid met wie ze op de foto stond en vroeg me af wat voor band ze met haar hadden, waar ze hen van kende. Ik weet inmiddels dat zij het er net zo moeilijk mee had als ik. Dat zij ook diep vanbinnen bleef verwachten dat ik zou bellen om mijn excuses aan te bieden. Maar op het moment zelf was ik helemaal alleen met mijn verdriet.'

'Heb je er geen spijt van dat je haar niet hebt gebeld?' vraag ik. 'Dat je al die tijd verloren hebt laten gaan?'

Evelyn kijkt me aan alsof ik achterlijk ben. 'Ze is er niet meer,' zegt ze. 'De liefde van mijn leven is er niet meer, dus ik kan haar nooit meer bellen om te zeggen dat het me spijt en dat ik haar terug wil. Ik ben haar voorgoed kwijt. Dus ja, Monique, natuurlijk heb ik daar spijt van. Ik heb spijt van elke seconde die ik niet met haar heb doorgebracht. Ik heb spijt van alle domme dingen die ik heb gedaan waarmee ik haar ook maar een klein beetje heb gekwetst. Ik had die dag dat ze het uitmaakte achter haar aan moeten rennen. Ik had haar moeten smeken om bij me te blijven. Ik had mijn excuses moeten aanbieden, haar bloemen moeten sturen en vanaf het Hollywood-sign op de heuvel moeten schreeuwen: 'Ik hou van Celia St. James!' en me aan de schandpaal moeten laten nagelen. Dat had ik moeten doen. En nu ik haar kwijt ben, maar wel meer geld heb dan ik ooit uit kan geven en mijn naam in de Hollywood-geschiedenis gebeiteld is, besef ik hoe leeg het allemaal is. Natuurlijk kan ik me wel voor mijn kop slaan dat ik ook maar een seconde de roem heb verkozen boven openlijk voor mijn liefde voor haar uitkomen. Maar ik zit nu in een luxepositie. Je kunt alleen tot zulke inzichten komen als je rijk en beroemd bent. Je ontdekt pas hoe waardeloos het is als je die roem en rijkdom eenmaal hebt. In die tijd dacht ik nog dat ik alle tijd van de wereld had om te doen wat ik echt wilde. Dat als ik het maar slim aanpakte, ik niet zou hoeven kiezen.'

'Je dacht dat ze vanzelf terug zou komen,' constateer ik.

'Ik wist het wel zeker,' zegt Evelyn. 'En zij wist het ook. We wisten allebei dat we nog niet van elkaar af waren.'

Ik hoor mijn telefoon. Maar het is niet het standaardgeluidje voor een appje. Het is het geluid dat ik speciaal voor David heb ingesteld toen ik mijn telefoon vorig jaar kocht, vlak na onze bruiloft, toen het nog geen moment bij me was opgekomen dat hij me ooit niet meer zou appen.

Ik spiek heel even op het scherm en zie zijn naam verschijnen. Eronder staat: *Ik zou graag nog eens met je praten. Het is een te grote stap, M. Het gaat allemaal veel te snel. We moeten het er nog eens goed over hebben.* Ik zet het meteen weer uit mijn hoofd.

'Dus hoewel je wist dat ze terug zou komen, trouwde je toch met Rex North?' vraag ik als ik mijn aandacht er weer helemaal bij heb.

Evelyn kijkt even naar de grond voor ze een verklaring geeft. '*Anna Karenina* ging ruim over het budget heen. We lagen weken achter op schema. Rex speelde graaf Vronski. Toen de regisseur zijn eerste versie inleverde, hadden we meteen door dat de montage helemaal opnieuw gedaan moest worden, en dat we er iemand bij moesten halen om de film te redden.'

'En je had in de film geïnvesteerd.'

'Ja, en Harry ook. Het was zijn eerste film na zijn vertrek bij Sunset. Als die meteen een flop werd, zou het moeilijk voor hem worden om nog aan de bak te komen.'

'En voor jou? Wat zouden voor jou de gevolgen zijn als het geen succes zou worden?'

'Als mijn eerste project na *Boute-en-train* niet goed zou verkopen, was ik bang om als eendagsvlieg te worden weggezet. Ik was tegen die tijd al een paar keer uit de as herrezen, maar daar liet ik het liever bij. Dus deed ik een noodgreep waardoor iedereen de film dolgraag zou willen zien. Ik trouwde met graaf Vronski.'

Rex North,
de slimmerik

HET GEEFT EEN ZEKER GEVOEL VAN VRIJHEID ALS JE MET EEN MAN trouwt voor wie je geen geheimen hebt.

Celia was bij me weg. Ik stond er niet voor open verliefd te worden, en Rex was niet het type om überhaupt ooit verliefd te zijn. Als we elkaar op een ander moment hadden ontmoet, had er misschien iets tussen ons kunnen opbloeien. Maar gezien de omstandigheden was de verhouding tussen ons volledig gericht op bezoekersaantallen.

Het was goedkoop, nep en doortrapt.

Maar vanaf dat moment stroomde het geld wel binnen.

Uiteindelijk kreeg ik er bovendien Celia door terug.

En het was een van de eerlijkste overeenkomsten die ik ooit met iemand heb gesloten.

Ik denk dat ik om al die redenen toch altijd een beetje van Rex North zal blijven houden.

'Dus seks zit er niet in?' vroeg Rex.

Met zijn benen nonchalant over elkaar geslagen zat hij bij mij in de woonkamer een Manhattan te drinken. Hij had een zwart pak aan met een dunne stropdas. Zijn blonde haar was strak achterovergekamd. Daardoor kwamen zijn blauwe ogen nog beter uit, omdat er niks voor hing.

Rex was het type dat zo knap is dat het bijna saai wordt. Maar dan lachte hij en vielen alle meisjes spontaan in katzwijm. Een perfect gebit, ondiepe kuiltjes in zijn wangen, een licht opgetrokken wenkbrauw, en je kon de hele kamer opvegen.

Hij kwam net als ik uit het studiocircuit. Van origine was hij IJslands en heette hij Karl Olvirsson, maar hij was al op jonge leeftijd naar Hollywood gegaan, had zijn naam veranderd, zich een perfect accent aangemeten en was naar bed geweest met iedereen die hem hogerop kon brengen. Hij was het soort tieneridool dat uit alle macht probeert te bewijzen dat hij echt kan acteren. En dat wás ook zo. Hij voelde zich terecht ondergewaardeerd. *Anna Karenina* was zijn kans om eindelijk serieus genomen te worden. Hij wilde net zo graag dat het een kaskraker werd als ik. Vandaar dat hij evengoed bereid was om een stunt uit te halen als ik. Een pr-huwelijk.

Rex was pragmatisch en deed nooit ergens tuttig over. Hij dacht altijd tien stappen vooruit, maar liet nooit doorschemeren wat er in zijn hoofd omging. In dat opzicht waren we uit dezelfde klei gebakken.

Ik ging naast hem op de bank zitten en legde mijn arm achter hem op de leuning. 'Ik kan niet uitsluiten dat ik ooit met je naar bed wil,' zei ik. Dat was een eerlijk antwoord. 'Je bent een knappe vent. Wie weet komt het toch weleens voor dat ik je charmes niet kan weerstaan.'

Rex moest lachen. Hij had altijd iets onverschilligs over zich, alsof je hem nooit op de kast zou krijgen, wat je ook deed. In dat opzicht kon niets hem raken.

'Ik bedoel, kun jij met zekerheid zeggen dat je niet verliefd op me zult worden?' vroeg ik. 'Wat nou als je op een gegeven moment een echt huwelijk wilt? Dat zou voor alle partijen een ongemakkelijke situatie opleveren.'

'Weet je, áls er een vrouw is op wie ik verliefd kan worden, dan lijkt het me best logisch dat jij dat bent. Helemaal uitsluiten kan ik het natuurlijk niet.'

'Zo denk ik dus precies over met jou naar bed gaan,' zei ik. 'Ik kan het niet uitsluiten.' Ik pakte mijn Gibson van de salontafel en nam een slok.

Rex grinnikte. 'Oké, waar zouden we gaan wonen?'

'Goeie vraag.'

'Mijn huis ligt in Bird Streets en heeft muurhoge ramen. Het is vreselijk onhandig om te keren op de oprit, maar je kunt vanuit mijn zwembad wel de hele vallei zien.'

'Prima,' zei ik. 'Ik vind het geen enkel probleem om een tijdje bij jou in te trekken. Ik ga over ongeveer een maand een film draaien bij Columbia, dus dan is jouw huis sowieso dichterbij. Mijn enige voorwaarde is dat ik Luisa mag meenemen.'

Na Celia's vertrek kon ik weer een werkster in dienst nemen. Er zat immers niemand meer verstopt op mijn slaapkamer. Luisa kwam uit El Salvador en was maar een paar jaar jonger dan ik. Op haar eerste werkdag had ze tijdens haar lunchpauze haar moeder aan de telefoon. Ze zat in mijn bijzijn over me te praten in het Spaans. 'La señora es tan bonita, pero loca,' oftewel: 'Mijn bazin is heel mooi, maar wel knettergek.'

Ik draaide me om, keek haar aan en zei: 'Disculpe? Yo te puedo entender' ('Pardon? Ik kan je verstaan, hoor').

Luisa's ogen gingen wagenwijd open, ze hing onmiddellijk de telefoon op en zei: 'Lo siento. No sabía que usted hablaba español' ('Het spijt me, ik wist niet dat u Spaans sprak').

Ik ging over op het Engels, omdat ik geen Spaans meer wilde spreken. Het klonk maar vreemd uit mijn mond. 'Ik ben Cubaans,' zei ik. 'Ik heb mijn hele leven Spaans gesproken.' Dat was niet waar – ik had het in geen jaren meer gesproken.

Ze keek me aan alsof ik een schilderij was dat ze probeerde te duiden, en toen zei ze op verontschuldigende toon: 'U ziet er niet Cubaans uit.'

'Pues, lo soy,' zei ik kattig. ('Toch ben ik het wel.')

Luisa knikte, ruimde haar lunch op en ging de bedden verschonen. Ik bleef minstens een halfuur aan tafel zitten, kokend van woede. Ik dacht alsmaar: hoe durft ze mijn identiteit zomaar van me af te pakken?

Maar toen ik om me heen keek en zag dat ik geen foto's van mijn ouders had, geen enkel Latijns-Amerikaans boek, enkel blonde haren in mijn borstel en nog geen potje komijn in mijn kruidenrekje, besefte ik dat Luisa me helemaal niks had afgepakt. Dat had ik zelf gedaan. Ik had zelf de keuze gemaakt om afstand te nemen van mijn ware afkomst.

Fidel Castro was aan de macht in Cuba. Eisenhower had zijn economische embargo toen al afgekondigd. De invasie in de Varkensbaai was totaal mislukt. Het was geen pretje om Cubaans-Amerikaans te zijn. Maar ik deed niet eens mijn best om me staande te houden als Cubaanse; ik verloochende mijn afkomst gewoon. Op een bepaalde manier hielp me dat om alle overgebleven banden met mijn vader te verbreken, maar het maakte ook dat ik verder van mijn moeder af kwam te staan. Mijn moeder was nu juist degene voor wie ik dit hele leven had opgebouwd.

Dat kon ik alleen mezelf aanrekenen. Het waren de gevolgen van mijn eigen keuzes. Luisa kon er helemaal niks aan doen. Dus ik besefte dat het oneerlijk was om de schuld op haar af te schuiven.

Toen ze die avond wegging, merkte ik dat ze zich nog steeds opgelaten voelde. Dus deed ik extra mijn best om hartelijk te glimlachen en te zeggen dat ik me erop verheugde om haar de volgende dag weer te zien.

Vanaf dat moment sprak ik nooit meer Spaans met haar. Ik werd er onzeker van en schaamde me dat ik mijn afkomst verloochend had. Maar af en toe zei zij wel iets in het Spaans, en als ze aan de telefoon iets grappigs tegen haar moeder zei lachte ik. Ik liet blijken dat ik haar verstond. En algauw raakte ik erg gesteld op haar. Ik was jaloers op het zelfvertrouwen dat ze uitstraalde, op het feit dat ze zo lekker zichzelf durfde te zijn. Ze was er trots op dat ze Luisa Jimenez was. Ze was mijn geliefdste personeelslid en ik was niet van plan om zonder haar te verhuizen.

'Het is vast een schat,' zei Rex. 'Neem haar maar mee. Dan even praktisch: gaan we in hetzelfde bed slapen?'

'Dat lijkt me niet nodig. Luisa zal niet snel uit de school klappen. Dat heeft ze al eerder bewezen. We geven gewoon een paar keer per jaar een feestje en dan doen we alsof we in dezelfde kamer slapen.'

'En mag ik gewoon... mijn ding blijven doen?'

'Je mag nog steeds met alle vrouwen op aarde naar bed, ja.'

'Alle vrouwen behalve míjn vrouw,' zei Rex grijnzend en hij nam nog een slokje van zijn cocktail.

'Als je maar niet betrapt wordt.'

Rex wuifde mijn bezorgdheid weg, alsof daar geen enkel risico op was.

'Ik meen het, Rex. De roddelbladen smullen ervan als ik bedrogen word. Dat moet ik niet hebben.'

'Maak je maar geen zorgen,' zei Rex. Het klonk oprechter dan alles wat hij tot nu toe had gezegd, misschien zelfs dan zijn tekst in *Anna Karenina*. 'Ik zou nooit iets doen waardoor jij voor schut komt te staan. We zijn een team.'

'Dank je wel,' zei ik. 'Dat vind ik fijn om te horen. En andersom geldt hetzelfde. Jij zult nooit last hebben van wat ik zoal uitspook. Dat beloof ik.'

We schudden elkaar de hand.

'Nou, ik kan maar beter gaan,' zei hij na een blik op zijn horloge. 'Ik heb een afspraak met een nogal gretige jongedame, dus die laat ik liever niet wachten.' Ik stond op terwijl hij zijn jas dichtknoopte. 'Wanneer zullen we elkaar het jawoord geven?' vroeg hij.

'Volgens mij moeten we ons komende week eerst maar een paar keer samen in het openbaar vertonen. En dat dan een tijdje blijven doen. Misschien kunnen we ons dan rond november verloven. Harry stelde voor om de bruiloft ongeveer twee weken voor de première te prikken.'

'Om wat stof te doen opwaaien.'

'En de film onder de aandacht te brengen.'

'Het feit dat ik Vronski speel en jij Anna...'

'Maakt dat het in eerste instantie een beetje fout lijkt, maar als we dan trouwen wordt het ineens toch koosjer.'

'Het is smakeloos en smaakvol tegelijk,' zei Rex.

'Precies.'

'Dat is aan jou wel besteed,' zei Rex.

'Aan jou net zo goed.'

'Onzin,' zei Rex. 'Ik ben zo smakeloos als maar kan.'

Ik liet hem uit en gaf hem een knuffel ten afscheid. Toen hij in de deuropening stond, vroeg hij: 'Heb je de nieuwste versie al gezien? Is het wat?'

'Hij is geweldig,' zei ik. 'Maar hij duurt bijna drie uur. Als we publiek willen trekken...'

'Moeten we flink uitpakken,' zei hij.

'Precies, ja.'

'Maar we spelen goed? Jij en ik?'

'We spelen de sterren van de hemel.'

PhotoMoment

26-11-1962

EVELYN HUGO EN REX NORTH ZEGGEN JA!

Evelyn Hugo doet het weer. En wat ons betreft heeft ze zichzelf nu wel echt overtroffen. Evelyn is afgelopen weekend in het huwelijksbootje gestapt met Rex North op zijn landgoed in de Hollywood Hills.

Het stel leerde elkaar kennen tijdens de opnames van de film *Anna Karenina,* die binnenkort uitkomt, en ze waren blijkbaar op slag verliefd. De vonk was al overgeslagen voor ze goed en wel begonnen met draaien. Het publiek loopt ongetwijfeld warm voor het blonde bruidspaar als Anna en graaf Vronski.

Voor Rex is het zijn eerste huwelijk, in tegenstelling tot Evelyn, die al de nodige mislukte pogingen achter de rug heeft. Haar beroemde ex-man Don Adler gaat komend jaar voor de tweede keer scheiden, dit keer van Ruby Reilly, die hoge ogen gooide met haar rol in *Hat Trick*.

Met een gloednieuwe film op komst, een sprookjeshuwelijk en twee gigantische villa's om uit te kiezen hebben Evelyn en Rex vast de tijd van hun leven.

PhotoMoment

10-12-1962

CELIA ST. JAMES VERLOOFT ZICH MET QUARTERBACK JOHN BRAVERMAN

Superster Celia St. James scoort de afgelopen tijd op filmgebied de ene na de andere hit, onder andere in het kostuumdrama *Royal Wedding* en met haar geweldige optreden in de musical *Celebration*.

Nu kan ze helemaal haar geluk niet op, want ze heeft een nieuwe liefde aan de haak geslagen: John Braverman, de quarterback van de New York Giants.

Het stel werd al samen gesignaleerd in zowel Los Angeles als Manhattan, waar ze samen uit eten gingen en het erg gezellig leken te hebben.

Hopelijk heeft Braverman straks geluk in de liefde én in het spel. Celia heeft in ieder geval een knoeperd van een diamant om haar vinger; die kan zich zeker gelukkig prijzen!

Hollywood Digest

17-12-1962

Anna Karenina TREKT VOLLE ZALEN

Afgelopen vrijdag ging de langverwachte nieuwe verfilming van *Anna Karenina* in première, en dit weekend liep het meteen storm.

Gezien de lovende recensies voor zowel Evelyn Hugo als Rex North is het geen wonder dat het publiek in groten getale toestroomt. Door de combinatie van hun geweldige acteerprestaties en de chemie tussen de twee – zowel op als buiten het witte doek – is de film overal hét onderwerp van gesprek.

Er wordt al gezegd dat het kersverse bruidspaar wellicht het ultieme huwelijkscadeau te wachten staat: allebei een eigen Oscar. Als producente zal Evelyn bovendien flink verdienen aan de kaartverkoop.

Brava, Hugo!

BIJ DE OSCARUITREIKING ZATEN REX EN IK NAAST ELKAAR, HAND in hand, zodat iedereen zich kon vergapen aan het sprookjeshuwelijk dat we voor de buitenwereld in stand hielden.

We glimlachten allebei beleefd toen we verloren en klapten voor de winnaars. Ik was teleurgesteld, maar het verbaasde me niet. Het leek te mooi om waar te zijn dat mensen als Rex en ik een Oscar zouden krijgen, bloedmooie filmsterren die hun stinkende best moesten doen om te bewijzen dat ze diepgang hebben. Ik kreeg de indruk dat veel mensen liever zouden zien dat we gewoon bleven doen wat ze van ons gewend waren. Maar we lieten ons niet kisten en maakten er samen een topavond van; we dronken en dansten tot diep in de nacht door.

Celia was die avond niet bij de uitreiking, en al speurde ik elk feestje waar Rex en ik kwamen af, ik zag haar nergens. Dus zette ik maar met Rex de bloemetjes buiten.

Op een feestje bij William Morris thuis kwam ik Harry tegen. Ik sleurde hem mee naar een rustig hoekje, waar we onder het genot van een glas champagne praatten over al het geld dat ging binnenstromen.

Als je één ding moet weten over rijke mensen, is het dat ze altijd rijker willen worden. Meer geld binnenharken gaat niet gauw vervelen.

Als ik als kind weer eens op zoek was naar iets anders dan de oude rijst en droge bonen die in het keukenkastje stonden, hield ik mezelf altijd voor dat ik gelukkig zou zijn als ik elke avond een goede maaltijd had.

Toen ik bij Sunset werkte, hield ik mezelf voor dat ik alleen nog een villa wilde.

Toen ik eenmaal een villa had, wilde ik er twee, plus een klein legertje aan personeel.

Ik was nog maar net vijfentwintig, maar had inmiddels toch al in de gaten dat het nooit genoeg zou zijn.

Rex en ik gingen rond vijf uur 's nachts naar huis, allebei stomdronken. Toen onze taxi wegreed, rommelde ik in mijn tasje op zoek naar de huissleutels terwijl Rex met zijn zure drankadem in mijn nek stond te hijgen.

'Mijn vrouw kan de sleutels niet vinden!' zei Rex en hij zette een wankel stapje opzij. 'Ze doet echt haar best, maar ze kan ze gewoon echt niet vinden!'

'Hé, hou eens je mond!' zei ik. 'Straks maak je de hele buurt nog wakker!'

'Wat kunnen ze doen?' vroeg Rex nog harder dan daarvoor. 'Ons de stad uit gooien? Zouden ze dat doen, mijn liefste Evelyn? Gaan ze zeggen dat we niet meer op de Blue Jay Way mogen wonen? Gaan ze ons verbannen naar Robin Drive? Of Oriole Lane?'

Ik had de sleutels eindelijk te pakken, stak ze in het slot en deed de deur open. We stommelden naar binnen. Ik zei welterusten tegen Rex en ging naar mijn kamer.

Ik trok zelf mijn jurk uit, zonder iemand die mijn rits voor me opendeed. Op dat moment kwam harder dan ooit bij me binnen hoe eenzaam mijn huwelijk was.

Ik ving een glimp van mezelf op in de spiegel en zag dat ik ontegenzeggelijk mooi was. Maar dat betekende niet dat er iemand van me hield.

Ik stond daar in mijn onderjurkje te kijken naar mijn koperblonde haar, mijn donkerbruine ogen en mijn rechte, dikke wenkbrauwen. En ik miste de vrouw met wie ik eigenlijk getrouwd had moeten zijn. Ik miste Celia.

Mijn hoofd tolde bij de gedachte dat ze misschien op dat moment wel met John Braverman in bed lag. Eigenlijk geloofde ik er geen zak van. Maar ik vreesde ook dat ik haar misschien toch minder goed kende dan ik dacht. Hield ze van hem? Was ze mij vergeten? Ik zag voor me hoe haar rode haar altijd uitgespreid op mijn kussens had gelegen, en de tranen sprongen me in de ogen.

'Stil maar,' klonk de stem van Rex achter me. Ik draaide me om en zag hem in de deuropening staan.

Hij had zijn smokingjasje uitgetrokken en zijn manchetknopen afgedaan. Zijn overhemd was nog maar half dichtgeknoopt en zijn strikje hing los aan weerszijden van zijn nek. Miljoenen vrouwen in het hele land zouden een moord hebben gedaan om hem zo te zien.

'Ik dacht dat je al in bed lag,' zei ik. 'Als ik had geweten dat je nog wakker was, had je me mooi kunnen helpen om mijn jurk uit te trekken.'

'Dat had ik maar al te graag gedaan.'

Ik deed alsof ik die toespeling niet had gehoord. 'Wat ben je aan het doen? Kun je niet slapen?'

'Nog niet geprobeerd.'

Hij kwam verder de kamer in, dichter naar me toe.

'Nou, dat moest je dan maar eens doen. Het is al laat. Op deze manier slapen we morgenmiddag nog.'

'Stel je nou eens voor, Evelyn,' zei hij. Zijn blonde haar gaf bijna licht door de eerste zonnestralen die naar binnen schenen. De kuiltjes in zijn wangen glansden.

'Wat moet ik me voorstellen?'

'Hoe het zou zijn.'

Hij kwam nog dichterbij en legde zijn arm om mijn middel. Hij stond achter me, en weer voelde ik zijn adem in mijn nek. Het voelde goed om door hem aangeraakt te worden.

Filmsterren blijven nu eenmaal filmsterren. Natuurlijk worden we ouder en raken we onze glans kwijt. We zijn ook maar mensen, met evenveel gebreken als ieder ander. Maar we zijn uitverkoren omdat we iets bijzonders hebben.

En voor een bijzonder iemand is er niets aantrekkelijker dan een ander bijzonder iemand.

'Rex.'

'Evelyn,' fluisterde hij in mijn oor. 'Eén keertje maar. Dat kan toch geen kwaad?'

'Nee,' zei ik. 'Het is geen goed idee.' Maar ik was zelf al niet helemaal overtuigd van mijn eigen antwoord, laat staan dat Rex zich erdoor liet afschepen. 'Ga maar gauw naar je eigen kamer voor we iets doen waar we morgen allebei spijt van hebben.'

'Weet je het zeker?' vroeg hij. 'Jouw wens is mijn bevel, maar je zou me heel blij maken als je je wens bijstelt.'

'Dat gaat niet gebeuren,' zei ik.

'Maar denk er nou eens even over na,' zei hij. Hij liet zijn handen verder naar boven glijden langs mijn lichaam, met enkel mijn dunne onderjurkje tussen ons in. 'Stel je voor hoe ik boven op je zou liggen.'

Ik moest lachen. 'Daar ga ik echt niet aan beginnen. Als ik me dat ga voorstellen, dan kunnen we het allebei wel schudden.'

'Stel je voor hoe goed we elkaars tempo zouden aanvoelen. We zouden lekker langzaam beginnen en ons dan steeds minder kunnen inhouden.'

'Werkt dit bij andere vrouwen wel?'

'Ik heb bij andere vrouwen nog nooit zo mijn best hoeven doen,' zei hij en hij kuste me in mijn nek.

Ik had weg kunnen lopen. Ik had hem een klap in zijn gezicht kunnen geven, en dan was hij met een stalen gezicht weggegaan. Maar ik wilde dit moment nog ietsje langer rekken. Ik hield ervan om uitgedaagd te worden. Ik hield van het gevoel dat ik misschien wel iets doms zou doen.

Het zou absoluut heel dom zijn geweest. Want zodra ik uit bed zou zijn gestapt, zou Rex alweer zijn vergeten hoe hard hij zijn best had moeten doen om me te verleiden. Hij zou alleen nog weten dat het was gelukt.

En dit was geen doorsneehuwelijk. Er stond namelijk heel veel geld op het spel.

Ik liet toe dat hij een van de schouderbandjes van mijn jurkje naar beneden liet glijden. Ik liet toe dat hij zijn hand langs mijn hals liet gaan.

'O, wat zou het heerlijk zijn om me in jou te verliezen,' zei hij. 'Om toe te kijken hoe je me berijdt.'

Ik had het bijna gedaan. Ik had bijna mijn jurkje uitgetrokken en hem op het bed geduwd.

Maar toen zei hij: 'Toe nou, schatje, je weet dat je het wilt.'

En toen werd me volkomen duidelijk hoe vaak Rex dit trucje al had uitgehaald bij andere vrouwen.

Laat nooit iemand je het gevoel geven dat je net zo bent als alle anderen.

'Hup, wegwezen,' zei ik, maar wel op vriendelijke toon.

'Maar...'

'Geen gemaar. Ga naar bed.'

'Evelyn...'

'Rex, je bent dronken en je ziet me aan voor een van je vele vriendinnetjes, maar ik ben je vrouw,' zei ik, hoe ironisch dat ook klonk.

'Niet eens één keertje?' vroeg hij. Hij leek in rap tempo te ontnuchteren, alsof zijn lodderige ogen onderdeel waren geweest van het spel. Ik wist het nooit helemaal zeker met hem. Met Rex North wist je nooit precies waar je aan toe was.

'Het heeft geen zin om het nog eens te proberen, Rex. Het gaat niet gebeuren.'

Hij rolde met zijn ogen en gaf me een kus op mijn wang. 'Slaap lekker, Evelyn,' zei hij en toen glipte hij net zo geruisloos naar buiten als hij was binnengekomen.

De volgende ochtend werd ik met een enorme kater en enigszins verdwaasd wakker gebeld.

'Hallo?'

'Opstaan, vogeltje.'

'Harry, wat krijgen we nou?' De zon brandde in mijn ogen.

'Toen jij gisteren weg was bij het feestje van Fox, heb ik nog een bijzonder interessant gesprek met Sam Pool gehad.'

'Wat had een uitvoerend producent van Paramount op het feestje van Fox te zoeken?'

'Ons,' zei Harry. 'Nou ja, ons en Rex.'

'Waarvoor?'

'Om jou en Rex een contract voor drie films aan te bieden.'

'Wat?'

'Ze willen drie films, geproduceerd door ons, met jou en Rex in de hoofdrol. Sam zei dat we maar een bedrag moesten noemen.'

'Een bedrag noemen?' Als ik te veel had gedronken, voelde het de volgende ochtend altijd alsof ik onder water lag. Alles was wazig en klonk gedempt. Ik moest mezelf bij de les houden. 'Hoe bedoel je, een bedrag noemen?'

'Wil je een miljoen per film? Naar het schijnt krijgt Don dat voor *The Time Before*. Dat kunnen we voor jou ook regelen.'

Wilde ik net zoveel verdienen als Don? Natuurlijk. Als het even kon zou ik zodra ik mijn looncheque kreeg een kopie naar hem opsturen met een foto van mijn middelvinger erbij. Maar ik wilde vooral vrij zijn om mijn eigen ding te doen.

'Nee,' zei ik. 'Vergeet het maar. Ik ga geen contract ondertekenen waarmee ze voor me kunnen bepalen in welke films ik moet gaan spelen. Dat bepalen wij. Dus laat maar.'

'Je luistert niet goed.'

'Ik luister best,' zei ik terwijl ik op mijn zij ging liggen en de hoorn met mijn andere hand overpakte. *Ik ga vandaag maar eens zwemmen, bedacht ik. Niet vergeten om tegen Luisa te zeggen dat ze het zwembad moet voorverwarmen.*

'Wij bepalen welke films het zijn,' zei Harry. 'Het is een blinde deal. Wat jij en Rex ook willen doen, Paramount koopt het. Tegen elk gewenst salaris.'

'En dat allemaal vanwege *Anna Karenina*?'

'We hebben bewezen dat jouw naam publiek trekt. En als ik het heel objectief bekijk, denk ik dat Sam Pool Ari Sullivan wil naaien. Volgens mij is het zijn bedoeling om goud geld te verdienen met Ari's afdankertje.'

'Dus ik word gebruikt als marionet.'

'Dat geldt voor iedereen. Dit is niet het moment om je dingen ineens persoonlijk aan te gaan trekken.'

'Welke films we maar willen?'

'Wat we maar willen.'

'Heb je het al aan Rex verteld?'

'Denk je nou echt dat ik ook maar iets aan die ploert zou vertellen zonder het eerst met jou te overleggen?'

'Ach, hij is geen ploert.'

'Als jij Joy Nathan had moeten opvangen nadat hij haar hart had gebroken, zou je wel anders piepen.'

'Het is wel mijn man, Harry.'

'Nee, Evelyn, dat is hij niet.'

'Zie je dan helemaal niet dat hij ook leuke kanten heeft?'

'O, hij heeft allerlei leuke kanten. Ik vind het bijzónder leuk hoeveel geld we aan hem hebben verdiend en hoeveel hij ons nog gaat opleveren.'

'Nou, hij heeft mij altijd heel netjes behandeld.' Ik had hem afgewezen, en hij was vervolgens braaf weggegaan. Dat zouden maar weinig mannen hebben gedaan, wist ik uit ervaring.

'Dat komt omdat jullie hetzelfde willen. Jij zou toch bij uitstek moeten weten dat je nooit achter iemands ware aard komt zolang je een gemeenschappelijk doel hebt. Als ze allebei achter dezelfde muis aan zitten, kunnen honden en katten het soms ook goed met elkaar vinden.'

'Nou, ik mag hem graag. En ik zou het fijn vinden als jij hem ook mocht. Vooral omdat Rex en ik als we dit contract tekenen nog een stuk langer getrouwd zullen moeten blijven dan we in eerste instantie dachten. En daarmee maakt hij deel uit van mijn familie. En dat geldt ook voor jou. Dus jullie zijn samen mijn familie.'

'Er zijn zat mensen die niet goed met hun familie kunnen opschieten.'

'O, hou toch je kop,' zei ik.

'Laten we zorgen dat Rex ook akkoord gaat en zo snel mogelijk tekenen, goed? Roep je agenten bij elkaar om een mooi contract op te stellen. Laten we er het hoogst haalbare uit proberen te slepen.'

'Oké,' zei ik.

'Evelyn?' vroeg Harry voor hij ophing.

'Ja?'

'Je weet wat dit betekent, toch?'

'Wat dan?'

'Dat je zo meteen de bestbetaalde actrice van Hollywood bent.'

REX EN IK BLEVEN NOG TWEEËNHALF JAAR GETROUWD, WOONDEN samen in de Hills en produceerden en speelden in films van Paramount.

We werden inmiddels bijgestaan door een heel team: twee managers, een publiciteitsagent, advocaten en elk onze eigen zakelijk manager, plus nog twee assistenten voor op de set en ons personeel in de huishouding met onder anderen Luisa.

We sliepen apart, bereidden ons afzonderlijk voor op de dag en gingen vervolgens met één auto naar de set, waar we zodra we uitstapten hand in hand gingen lopen. We waren de hele dag samen aan het werk, reden vervolgens samen naar huis en gingen de rest van de avond weer onze eigen gang.

Ik bracht de avonden vaak met Harry door, of met een paar andere acteurs van Paramount met wie ik bevriend was geraakt. Af en toe sprak ik af met mannen die hun mond konden houden.

Gedurende mijn huwelijk met Rex kwam ik niemand tegen die ik leuk genoeg vond om echt iets mee te beginnen. Natuurlijk had ik af en toe wel een scharrel. Een stuk of wat acteurs, een rockzanger, een paar getrouwde mannen – bij die laatste categorie kon je er zeker van op aan dat ze niet zouden doorvertellen dat ze met een filmster naar bed waren geweest. Maar het had allemaal weinig om het lijf.

Ik ging ervan uit dat Rex ook enkel onbeduidende scharrels had. En dat klopte ook. Tot het plotseling omsloeg.

Op een zaterdagochtend kwam hij de keuken in terwijl Luisa een boterham voor me aan het roosteren was. Ik zat met een kopje koffie en een sigaret op Harry te wachten om samen te gaan tennissen.

Rex liep naar de koelkast en schonk zichzelf een glas sinaasappelsap in. Hij kwam naast me aan tafel zitten.

Luisa zette de toast voor me op tafel met de botervloot erbij.

'Wilt u ook iets, Mr North?' vroeg ze.

Rex schudde zijn hoofd. 'Nee, dank je, Luisa.'

We voelden alle drie aan dat ze ons beter even alleen kon laten. Er was iets belangrijks op komst.

'Ik ga maar eens met de was aan de slag,' zei ze, en ze glipte naar buiten.

'Ik ben verliefd,' zei Rex toen we eindelijk alleen waren.

Dat was misschien wel het laatste wat ik ooit uit zijn mond had verwacht.

'Verliefd?' vroeg ik.

Hij moest lachen om mijn verbaasde blik. 'Het slaat nergens op. Geloof me, daar ben ik me maar al te goed van bewust.'

'Op wie dan?'

'Joy.'

'Joy Nathan?'

'Ja. We zijn elkaar door de jaren heen af en toe blijven ontmoeten. Je kent het wel.'

'Ik ken jou, ja. Volgens de laatste berichten had je haar hart gebroken.'

'Tja, ach, het zal je niet verbazen dat ik me in het verleden nog weleens een beetje... harteloos heb gedragen, laat ik het zo zeggen.'

'Dat lijkt me nog zacht uitgedrukt.'

Rex moest weer lachen. 'Maar ik heb de laatste tijd steeds meer het gevoel dat het fijn zou zijn om elke ochtend naast dezelfde vrouw wakker te worden.'

'Wat een origineel idee.'

'En toen ik me ging afvragen welke vrouw dat dan zou moeten worden, dacht ik meteen aan Joy. Dus hebben we weer een paar keer afgesproken. In het geheim, hoor. En nu kan ik, zeg maar, aan niets anders meer denken. Het liefste zou ik de hele tijd bij haar zijn.'

'Rex, wat ontzettend leuk,' zei ik.

'Ik hoopte al dat je dat zou vinden.'

'Dus hoe gaan we dit aanpakken?' vroeg ik.

'Nou,' zei hij en hij haalde diep adem, 'Joy en ik zouden eigenlijk heel graag willen trouwen.'

'Oké,' zei ik, terwijl in mijn hoofd de radertjes al op volle toeren begonnen te draaien om te berekenen wat het meest gunstige moment zou zijn om onze scheiding aan te kondigen. Er waren al twee films van en met ons uitgekomen, waarvan de ene een bescheiden succes en de andere een kaskraker was geworden. De derde, Carolina Sunset, over een jong stel dat na de dood van hun kind verhuist naar een boerderij in North Carolina om het verlies te verwerken, waarna zowel de man als de vrouw vreemdgaat met iemand uit het dorp, ging over een paar maanden in première.

Rex had zich er nogal makkelijk van afgemaakt, maar ik wist dat het voor mij in potentie een belangrijke film kon worden. 'We kunnen zeggen dat de stress op de set van Carolina Sunset ons te veel is geworden, mede omdat we steeds moesten aanzien dat we met andere mensen zoenden. De mensen zullen het jammer voor ons vinden, maar ook weer niet heel jammer. Mensen smullen altijd van sterren die hun hand overspelen. We stonden te weinig stil bij wat we hadden en dat komt ons nu duur te staan. Dan wacht je een poosje en verspreiden we het verhaal dat ik je aan Joy heb voorgesteld omdat ik je geluk in de liefde gun.'

'Dat is echt een geweldig plan, Evelyn,' zei Rex. 'Ware het niet dat Joy zwanger is. We krijgen een kind.'

Ik deed gefrustreerd mijn ogen dicht. 'Oké,' zei ik. 'Oké. Laat me even nadenken.'

'Waarom zeggen we niet gewoon dat we al een tijdje niet meer gelukkig zijn samen? Dat we langs elkaar heen leven?'

'Dan wekken we de indruk dat de chemie tussen ons is uitgedoofd.

En wie gaat er dan nog naar *Carolina Sunset*?'

Hier had Harry me voor gewaarschuwd. Het kon Rex niet veel schelen of *Carolina Sunset* goed ging draaien, zeker niet zoveel als het mij kon schelen. Hij wist dat zijn acteerwerk in de film niet geweldig was, en zelfs als dat wel zo was geweest, namen zijn nieuwe liefde en het kindje dat op komst was hem volledig in beslag.

Hij keek uit het raam en wendde zich toen weer tot mij. 'Oké,' zei hij. 'Je hebt gelijk. We zijn dit samen aangegaan, dus dan maken we het ook samen af. Wat stel je voor? Ik heb Joy beloofd dat we nog voor de geboorte getrouwd zullen zijn.'

Rex North was eigenlijk een veel fatsoenlijker vent dan iedereen dacht.

'Natuurlijk,' zei ik. 'Dat spreekt voor zich.'

De bel ging en even later kwam Harry de keuken binnengelopen.

Ik had een idee.

Het was niet waterdicht.

Dat zijn ideeën zelden.

'We gaan allebei vreemd,' zei ik.

'Hè?' zei Rex.

'Ook goeiemorgen,' zei Harry, die meteen begreep dat hij midden in een gesprek viel.

'Tijdens de opnames voor een film waarin we allebei vreemdgaan, hebben we daadwerkelijk allebei een verhouding gekregen. Jij met Joy, ik met Harry.'

'Hè?' zei Harry.

'Het is bekend dat wij nauw met elkaar samenwerken,' zei ik tegen Harry. 'Ze hebben ons regelmatig samen gezien. We zijn honderden keren samen op de foto gezet. Dat geloven ze echt wel.' Ik wendde me tot Rex. 'Zodra het verhaal de ronde doet, zetten we er meteen een punt achter. En als ze jou kwalijk nemen dat je bent vreemdgegaan met Joy, wat we gezien de omstandigheden natuurlijk moeilijk kunnen ontkennen, zullen ze vervolgens meteen beseffen dat ik niet zomaar een onschuldig slachtoffer ben. Omdat ik precies hetzelfde heb gedaan.'

'Dat is eigenlijk niet eens zo'n slecht idee,' zei Rex.

'Nou ja, we maken natuurlijk allebei wel een slechte beurt.'

'Ja, natuurlijk,' zei Rex.

'Maar het is wel goed voor de kaartverkoop,' zei Harry.

Rex grijnsde, keek me diep in de ogen en gaf me een hand.

'Niemand trapt erin,' zei Harry toen we later die ochtend naar de tennisbaan reden. 'Insiders in Hollywood niet, in ieder geval.'

'Hoe bedoel je?'

'Jij en ik samen. Er zijn zat mensen die het meteen door zouden hebben.'

'Omdat...'

'Omdat ze weten wat ik ben. Ik bedoel, ik heb al eens eerder zoiets overwogen, zelfs om ooit misschien wel met een vrouw te trouwen. Mijn moeder zou dolgelukkig zijn, dat is een ding dat zeker is. Die zit nog steeds wanhopig in Illinois af te wachten tot ik eindelijk een leuk meisje tegenkom en aan een gezin begin. Ik wil ook graag een gezin. Maar er zijn te veel mensen die erdoorheen zouden prikken.' Hij wierp me een vlugge blik toe van achter het stuur. 'En ik vrees dat dat voor dit plan ook geldt.'

Ik keek uit het raampje naar de wuivende palmbomen.

'Dan zorgen we dat ze het niet kunnen ontkennen,' zei ik.

Wat ik zo leuk vond aan Harry was dat hij nooit een denkstap op me achterliep.

'Foto's,' zei hij. 'Van ons samen.'

'Precies. Waarop het lijkt alsof we betrapt zijn.'

'Kun je niet beter gewoon iemand anders uitkiezen?' vroeg hij.

'Ik wil niet helemaal een nieuw iemand moeten leren kennen,' zei ik. 'Ik ben het zat om te moeten doen alsof ik gelukkig ben. Met jou doe ik tenminste alsof ik hou van iemand van wie ik ook echt hou.'

Harry zweeg. 'Ik moet je eigenlijk iets vertellen,' zei hij even later.

'Oké.'

'Iets wat ik eigenlijk al een tijdje wil vertellen.'

'Oké, vertel dan maar.'

'Ik heb iets met John Braverman.'

Mijn hart ging als een razende tekeer. 'John Braverman van Celia?'

Harry knikte.

'Hoelang al?'

'Een paar weken.'

'Waarom vertel je dat nu pas?'

'Ik wist niet zeker of dat wel een goed idee was.'

'Dus hun huwelijk is...'

'Nep,' vulde Harry aan.

'Houdt ze niet van hem?' vroeg ik.

'Ze slapen apart.'

'Heb je haar gesproken?'

Harry gaf niet meteen antwoord. Hij keek alsof hij zijn woorden heel zorgvuldig afwoog. Maar daar had ik geen geduld voor.

'Harry, heb je haar gesproken, ja of nee?'

'Ja.'

'Hoe gaat het met haar?' vroeg ik, waarna ik een betere, veel dringender vraag bedacht. 'Vroeg ze naar mij?'

Al was het niet makkelijk geweest om zonder Celia door het leven te gaan, het was wel makkelijker zolang ik kon doen alsof ze in een totaal andere wereld leefde. Maar nu ze zich in mijn directe omgeving bleek te bevinden, kwamen alle gevoelens die ik had onderdrukt gelijk weer bovendrijven.

'Nee,' zei Harry. 'Maar ik vermoed dat dat was omdat ze het niet wilde vragen, niet omdat ze het niet wilde weten.'

'Maar ze houdt dus niet van hem?'

Harry schudde zijn hoofd. 'Nee, zeker niet.'

Ik wendde mijn gezicht af en keek weer uit het raam. Ik stelde me voor dat ik Harry zou opdragen om rechtstreeks met me naar haar huis te rijden. Ik stelde me voor dat ik naar haar voordeur zou sprinten. Ik stelde me voor dat ik voor haar op mijn knieën zou vallen en eerlijk zou opbiechten dat het leven zonder haar eenzaam, leeg en zo goed als betekenisloos was.

Maar dat deed ik allemaal niet. Ik zei: 'Wanneer zullen we die foto maken?'

'Hè?'

'Die foto van ons samen. Waarop we doen alsof we vreemdgaan.'

'We kunnen het morgenavond doen,' zei Harry. 'Dan zetten we de auto ergens neer. Misschien ergens in de Hills, zodat de fotografen ons wel kunnen vinden maar het toch een afgelegen plekje lijkt. Ik bel Rich Rice wel even. Die heeft toch geld nodig.'

Ik schudde mijn hoofd. 'Dit mag niet van ons komen. De roddelpers speelt het spelletje niet meer leuk mee. Ze werken alleen nog in hun eigen belang. We moeten zorgen dat iemand anders ze tipt. Iemand van wie het geloofwaardig is dat hij of zij me zou verlinken.'

'Wie dan?'

Zodra de aangewezen persoon me te binnen schiet, schud ik mijn hoofd. Ik zie er meteen vreselijk tegen op, maar ik weet ook dat er niks anders op zit.

Ik ging op mijn werkkamer aan mijn bureau zitten met de telefoon. Ik zorgde dat de deur dicht was. En toen draaide ik haar nummer.

'Ruby, met Evelyn. Ik wilde je om een gunst vragen,' zei ik toen ze opnam.

'Vragen staat vrij,' antwoordde ze vlot.

'Je moet een paar fotografen tippen dat je me in een auto in de Trousdale Estates hebt zien zoenen.'

'Huh?' zei Ruby grinnikend. 'Evelyn, wat voer je nou weer in je schild?'

'Daar hoef jij je niet mee bezig te houden. Je hebt wel genoeg aan je hoofd.'

'Betekent dat dat Rex binnenkort weer vrijgezel is?' vroeg ze.

'Heb je nog geen genoeg van mijn afdankertjes?'

'Lieve schat, Don kwam achter míj aan, hoor.'

'Ja, vast.'

'Je had me op z'n minst wel even kunnen waarschuwen,' zei ze.

'Je wist toch wat hij achter mijn rug om deed,' zei ik. 'Dacht je nou echt dat dat met jou ineens anders zou zijn?'

'Ik heb het niet over het vreemdgaan, Ev,' zei ze.

En toen drong pas tot me door dat hij haar ook had mishandeld.

Ik wist even niks uit te brengen.

'Gaat het nu weer?' vroeg ik na een korte stilte. 'Ben je van hem af?'

'We zijn officieel gescheiden. Ik ga lekker aan het strand wonen, ik heb net een huis in Santa Monica gekocht.'

'Ben je niet bang dat hij je overal zwart gaat maken?'

'Dat heeft hij al geprobeerd,' antwoordde Ruby. 'Maar het lukt hem toch niet. Met zijn laatste drie films speelde Sunset nauwelijks quitte. Hij kreeg tegen alle verwachtingen in geen Oscarnominatie voor *The Night Hunter*. Hij zit in een neerwaartse spiraal. Over een tijdje kan hij niemand meer wat maken.'

Terwijl ik het telefoonsnoer om mijn vingers krulde, voelde ik ergens diep vanbinnen een steek van medelijden met hem. Maar mijn medelijden met haar was een stuk sterker. 'Hoe erg was het, Ruby?'

'Nooit zo erg dat ik het niet met een dikke laag foundation en lange mouwen kon verbergen.' Mijn hart brak door hoe ze dat zei – met een zekere trots, alsof ze weigerde haar kwetsbaarheid te tonen door toe te geven dat hij haar echt pijn had gedaan. Mijn hart brak voor haar én voor mijn vroegere ik die precies hetzelfde had gedaan.

'Kom anders een keer eten,' zei ik.

'Ach, laten we dat maar niet doen, Evelyn,' antwoordde ze. 'Zijn we onderhand niet te oud om te doen alsof we vriendinnen zijn?'

Ik moest lachen. 'Dat is ook wel weer zo.'

'Heb je specifiek iemand in gedachten die ik morgen moet bellen? Of gewoon iedereen met een kliklijn?'

'Dat maakt niet uit, als het maar iemand met macht is. Iemand die graag een slaatje wil slaan uit mijn teloorgang.'

'Nou, dat wil iedereen wel,' zei Ruby. 'Niet lullig bedoeld.'

'Nee, je hebt gelijk.'

'Je hebt gewoon te veel succes,' zei ze. 'Te veel kaskrakers, te veel knappe echtgenoten. Tegenwoordig kunnen we je allemaal wel schieten.'

'Dat weet ik, schat. Ik weet het. En als ze met mij klaar zijn, ben jij aan de beurt.'

'Je bent pas écht beroemd als niemand je meer aardig vindt,' zei Ruby. 'Ik zal morgen voor je bellen. Succes ermee... waar je dan ook mee bezig bent.'

'Dank je wel,' zei ik. 'Je helpt me echt enorm uit de brand.'

Toen we ophingen, dacht ik: als ik destijds aan de grote klok had gehangen wat hij me aandeed, had hij misschien nooit de kans gekregen om het bij haar opnieuw te doen.

Ik was niet van plan om bij te gaan houden wie ik met mijn keuzes zoal had gedupeerd, maar ik realiseerde me dat Ruby Reilly zeker in het rijtje thuishoorde.

IK TROK EEN GEWAAGD JURKJE AAN MET EEN IETS TE DIEP DECOL–
leté en reed met Harry Hillcrest Road af.

Hij parkeerde de auto en ik boog naar hem toe. Ik had een neutrale kleur lippenstift opgedaan, omdat rood er wel erg dik bovenop zou
liggen. Ik stemde alle elementen zorgvuldig op elkaar af, maar niet té
goed, omdat het er ook weer niet perfect uit mocht zien. De foto moest
er vooral spontaan uitzien. Achteraf bleek dat ik me nergens zorgen over
had hoeven maken. Foto's spreken boekdelen. Over het algemeen varen
we blindelings op onze ogen.

'Dus hoe gaan we dit aanpakken?' vroeg Harry.

'Ben je zenuwachtig?' kaatste ik terug. 'Heb je al eens met een vrouw
gezoend?'

Harry keek me aan alsof ik achterlijk was. 'Natuurlijk.'

'Ben je weleens met een vrouw naar bed geweest?'

'Eén keer.'

'Vond je het wat?'

Harry dacht even na. 'Dat vind ik een moeilijke vraag.'

'Doe dan alsof ik een man ben,' zei ik. 'Doe alsof je gek wordt van begeerte.'

'Ik kan je echt wel zoenen zonder aanwijzingen, Evelyn. Je hoeft me
niet te regisseren.'

'We moeten het wel dusdanig lang volhouden dat het eruitziet alsof we al een tijdje bezig zijn als ze langsrijden.'

Harry schudde zijn haar door de war en trok zijn boord los. Ik moest lachen en woelde ook even stevig door mijn haar. Ik ontblootte een van mijn schouders.

'Nou, nou,' zei Harry. 'Het gaat er hier wild aan toe.'

Ik gaf hem lachend een duwtje. We hoorden van achteren een auto aankomen en zagen de koplampen naderen.

In paniek greep Harry me bij beide schouders vast en zoende me. Hij drukte zijn lippen stevig op de mijne, en precies op het moment dat de auto ons passeerde, haalde hij zijn hand door mijn haar.

'Volgens mij was dat gewoon iemand die hier in de buurt woont,' zei ik terwijl we de achterlichten verder het dal in zagen verdwijnen.

Harry pakte mijn hand vast. 'Weet je, eigenlijk is het niet eens zo'n gek idee.'

'Wat?'

'Om met elkaar te trouwen. Ik bedoel, als we dan gaan doen alsof, kunnen we het maar beter goed doen. Zo bizar is het niet, als je bedenkt hoeveel ik van je hou. Niet hoe een man van zijn vrouw hoort te houden, misschien, maar volgens mij wel genoeg.'

'Harry.'

'En... wat ik gisteren zei over een vrouw en kinderen willen. Ik zat te denken, als dit werkt, als mensen erin trappen... dan kunnen we misschien samen een gezin beginnen. Jij wilt toch ook kinderen?'

'Ja,' zei ik. 'Op een gegeven moment wel, denk ik.'

'We zouden een heel goed stel zijn. En we zouden niet zomaar afhaken als de nieuwigheid eraf is, want daarvoor kennen we elkaar veel te goed.'

'Ik weet niet of je nou een grapje maakt of niet, Harry.'

'Ik ben bloedserieus. Geloof ik, tenminste.'

'Wil je met me trouwen?'

'Ik wil mijn leven delen met iemand van wie ik hou. Ik heb behoefte aan een partner, iemand die ik mee kan nemen naar mijn ouders. Ik wil niet meer alleen zijn. En ik wil een zoon of dochter. Dat kunnen we elkaar geven. Ik kan je niet het hele pakket bieden, dat weet ik best. Maar ik wil graag kinderen en het lijkt me geweldig om die samen met jou op te voeden.'

'Harry, ik ben cynisch, ik ben bazig en de meeste mensen zullen ook vraagtekens zetten bij mijn morele kompas.'

'Je bent sterk en getalenteerd en je laat je niet snel kisten. Je bent zowel vanbinnen als vanbuiten een uitzonderlijk mens.'

Hij had er echt goed over nagedacht.

'En jij dan? Met jouw... voorkeuren? Hoe zie je dat voor je?'

'Hetzelfde als bij jou en Rex. Ik doe mijn eigen ding. Op een discrete manier, natuurlijk. En jij gaat ook gewoon je gang.'

'Maar ik wil niet mijn hele leven buitenechtelijke relaties blijven houden. Ik wil mijn leven delen met iemand op wie ik ook echt verliefd ben. En die ook verliefd is op mij.'

'Tja, daar kan ik je niet bij helpen,' zei Harry. 'Daarvoor moet je haar bellen.'

Ik sloeg mijn ogen neer en staarde naar mijn nagels.

Zou ze me terug willen?

Zij en John. Harry en ik.

Het zou best goed kunnen uitpakken. Het zou geweldig kunnen uitpakken, zelfs.

En als ik haar niet kon krijgen, wilde ik dan eigenlijk wel een ander? Ik wist vrij zeker dat als ik niet met haar samen kon zijn, ik mijn leven verder alleen met Harry zou willen delen.

'Oké,' zei ik. 'We gaan ervoor.'

Er kwam weer een auto aan, en Harry pakte me opnieuw vast, maar nu kuste hij me langzaam, hartstochtelijk. Toen er een man met een camera uit de auto sprong, deed Harry een halve tel alsof hij hem niet had gezien en liet hij zijn hand onder het bovenstukje van mijn jurk glijden.

De foto die een week later in de roddelbladen stond was pikant en aanstootgevend. We stonden er allebei met een vuurrode kop en een schuldbewuste blik op, en Harry's hand lag duidelijk op mijn borst.

Een dag later kopten alle kranten dat Joy Nathan zwanger was.

Met zijn vieren waren we het gesprek van de dag.

Gewetenloze, overspelige, wellustige zondaars.

We vestigden een record met *Carolina Sunset* voor de langst draaiende film, en vervolgens vierden Rex en ik onze scheiding met een paar Dirty Martini's.

'Op ons geslaagde huwelijk,' zei Rex. We proostten en sloegen onze cocktails achterover.

IK KOM PAS OM DRIE UUR 'S NACHTS THUIS. EVELYN HAD VIER KOP-
pen koffie op en had daardoor blijkbaar energie om door te blijven praten.

Ik had haar op elk gewenst moment kunnen afkappen, maar ik merk
dat ik het ergens wel prettig vind om niet meteen terug te hoeven naar
mijn eigen leven. Door me volledig te storten op het verwerken van Evelyns levensverhaal staat het mijne even stil.

En het is ook niet aan mij om de regels te bepalen. Ik ben al de strijd
aangegaan over betere voorwaarden. Die heb ik gewonnen. De rest laat
ik aan haar over.

Als ik thuiskom kruip ik meteen in bed en dwing ik mezelf om gauw
in slaap te vallen. Mijn laatste gedachte voor ik wegdommel is dat ik gelukkig een geldige reden heb waarom ik nog niet op Davids appje heb
gereageerd.

Ik word wakker doordat mijn telefoon gaat en kijk hoe laat het is. Het
is iets voor negenen. Het is zaterdag. Ik had gehoopt dat ik lekker uit
kon slapen.

Mijn moeder kijkt me lachend aan vanaf het scherm. Bij haar is het
nog geen zes uur 's ochtends. 'Mama? Gaat alles wel goed?'

'Natuurlijk,' zegt ze alsof het midden op de dag is. 'Ik wilde gewoon
nog even hoi zeggen voor je weer een hele dag op pad bent.'

'Het is bij jou nog geen zes uur,' antwoord ik. 'En het is weekend. Ik was eigenlijk van plan om uit te slapen en wat van mijn urenlange opnames van Evelyn uit te schrijven.'

'Er was hier ongeveer een halfuur geleden een kleine aardbeving, en nu kan ik niet meer in slaap komen. Hoe gaat het met Evelyn? Het voelt raar om haar bij haar voornaam te noemen. Alsof ik haar ken of zoiets.'

Ik vertel dat ik Frankie heb kunnen overhalen om me promotie te geven. Ik vertel dat ik Evelyn heb overgehaald om een fotoshoot voor de cover te doen.

'Wou je zeggen dat je binnen vierentwintig uur zowel tegenover de hoofdredacteur van *Vivant* als tegenover Evelyn Hugo op je strepen bent gaan staan? En dat je in beide gevallen je zin hebt gekregen?'

Ik moet lachen, omdat dat tot mijn verbazing best indrukwekkend klinkt. 'Ja,' zeg ik. 'Ik geloof het wel.'

Mijn moeder barst uit in iets wat ik alleen als gekakel kan omschrijven. 'Zo ken ik mijn dochter weer!' zegt ze. 'Oef, weet je, als je vader er was, zou hij zitten te stralen. Hij zou glimmen van trots. Hij zei al van begin af aan dat jij niet met je zou laten sollen.'

Ik vraag me af of dat waar is, niet omdat mijn moeder tegen me zou liegen, maar omdat ik het me gewoon niet goed voor kan stellen. Ik kan me voorstellen dat mijn vader misschien wel dacht dat ik later bijvoorbeeld een slim of vriendelijk iemand zou worden – daar kan ik in komen. Maar ik zou mezelf nooit omschrijven als iemand die niet met zich laat sollen. Maar misschien is dat wel onterecht; misschien verdien ik dat eigenlijk wel.

'Ja, eigenlijk klopt dat wel, hè? Uit de weg allemaal. Ik ga recht op mijn doel af!'

'Precies, lieverdje. Jij komt er wel.'

Ik zeg tegen mijn moeder dat ik van haar hou en hang op, en ondertussen voel ik me trots, op het zelfgenoegzame af.

Ik heb nog geen flauw benul dat Evelyn Hugo binnen een week haar verhaal zal afronden, waardoor duidelijk zal worden waar het haar allemaal om te doen was en ik zo'n hartgrondige hekel aan haar zal krijgen dat ik oprecht bang ben dat ik haar iets aandoe.

Harry Cameron,
het lieve, gekwelde genie

IK WERD GENOMINEERD VOOR DE OSCAR VOOR BESTE VROUWELIJ-
ke Hoofdrol voor mijn rol in *Carolina Sunset*.

Het enige probleem was dat Celia in datzelfde jaar ook genomineerd
was.

Ik verscheen samen met Harry op de rode loper. We waren verloofd.
Hij had me een ring met diamanten en een smaragd gegeven die mooi
afstak tegen de zwarte jurk met pailletten die ik die avond droeg. Hij had
aan beide kanten een split tot halverwege mijn bovenbeen. Ik vond die
jurk helemaal het einde.

En ik was niet de enige. Het is me opgevallen dat als er wordt terug-
geblikt op mijn carrière er altijd foto's van mij in die jurk bij staan. Dus
die maakt zeker onderdeel uit van de veiling. Hij zou zomaar flink veel
geld op kunnen brengen.

Ik ben blij dat mensen die jurk net zo mooi vinden als ik. Ik won weliswaar geen Oscar, maar het werd toch een van de mooiste avonden van
mijn leven.

Celia kwam vlak voor de ceremonie binnen. Ze droeg een lichtblauwe strapless jurk met een hartvormige halslijn. Haar rode haar stak er
prachtig tegen af. Toen ik haar zag, voor het eerst in vijf jaar, stokte mijn
adem.

Ik had elke film waar Celia in speelde in de bioscoop gezien, al gaf ik dat niet graag toe. Dus het was niet alsof ik haar niet gezien had. Maar geen enkel medium haalt het bij het gevoel van daadwerkelijk met iemand in dezelfde ruimte zijn, zeker niet bij zo iemand als zij. Iemand die je het gevoel geeft dat je belangrijk bent als ze je ook maar een blik waardig gunt.

Al was ze nog maar achtentwintig, ze had toch iets statigs. Ze straalde volwassenheid en rust uit. Ze zag eruit als iemand met enorm zelfinzicht.

Ze zette een stap naar voren en stak haar arm door die van John Braverman. In zijn smoking, die nogal leek te knellen om zijn brede schouderpartij, zag John er net zo typisch Amerikaans uit als een maïskolf. Ze waren een prachtig stel samen. Hoe nep het allemaal ook was.

'Je staat te staren, Ev,' zei Harry terwijl hij me de zaal in duwde.

'Sorry,' zei ik, 'dank je.'

Terwijl we naar onze plek liepen, glimlachten en zwaaiden we naar alle bekenden om ons heen. Joy en Rex zaten een paar rijen achter ons en ik groette hen beleefd, omdat ik wist dat we in de gaten werden gehouden en dat als ik vrolijk op ze af snelde om ze een knuffel te geven, dat misschien verwarring zou zaaien.

Toen we gingen zitten, vroeg Harry: 'Ga je met haar praten als je wint?'

Ik grinnikte. 'Om het haar lekker in te wrijven?'

'Nee, maar je zou wel een streepje op haar voor hebben en daar heb je blijkbaar behoefte aan.'

'Zij heeft het uitgemaakt, hoor.'

'Je was met een ander naar bed gegaan.'

'Voor háár.'

Harry keek me fronsend aan, alsof ik de plank volkomen missloeg.

'Best, als ik win, ga ik met haar praten.'

'Dank je wel.'

'Waarom bedank je me?'

'Omdat ik wil dat je gelukkig bent en ik je blijkbaar moet belonen als je iets in je eigen belang doet.'

'Nou, als zíj wint, zeg ik dus mooi geen woord tegen haar.'

'Als zij wint,' zei Harry zacht, 'wat niet zo waarschijnlijk is, en ze komt met jou praten, dan hou ik je gewoon vast tot je luistert naar wat ze te zeggen heeft en braaf antwoord hebt gegeven.'

Ik meed zijn blik. Ik was in een opstandige bui.

'Het gaat allebei toch niet gebeuren,' zei ik. 'Iedereen weet dat ze hem aan Ruby gaan geven, omdat ze zich schuldig voelen dat die hem vorig jaar niet heeft gewonnen voor *The Dangerous Flight*.'

'Dat is nog niet gezegd,' zei Harry.

'Ja, ja,' zei ik. 'En ik ben de paashaas.'

Maar toen het licht langzaam doofde en de presentator het podium op liep, achtte ik mijn kansen helemaal niet zo gering. Ik had me zoveel zand in de ogen laten strooien dat ik oprecht dacht dat de Academy me misschien wel eindelijk zo'n vervloekt beeldje zou geven.

Toen de genomineerden in de categorie Beste Vrouwelijke Hoofdrol werden omgeroepen, speurde ik het publiek af naar Celia. Ik zag haar op hetzelfde moment zitten als zij mij. Onze blikken kruisten elkaar. En toen zei de presentator niet 'Evelyn' of 'Celia'. Hij zei: 'Ruby.'

Even voelde ik een steek van verdriet, omdat ik mezelf had wijsgemaakt dat ik kans maakte. En vervolgens vroeg ik me af of Celia niet al te teleurgesteld zou zijn.

Harry pakte mijn hand vast en gaf er een kneepje in. Ik hoopte dat John hetzelfde bij Celia deed. Ik verontschuldigde me en ging naar het toilet.

Toen ik binnenkwam stond Bonnie Lakeland net haar handen te wassen. Ze wierp me een vriendelijke glimlach toe en ging toen weg. Ik bleef alleen achter. Ik stapte in een van de toilethokjes en deed de deur achter me dicht. Ik liet mijn tranen de vrije loop.

'Evelyn?'

Als je er jarenlang naar hebt gehunkerd om een bepaalde stem te horen, herken je die meteen.

'Celia?' vroeg ik. Ik stond met mijn rug naar de deur van het hokje. Ik veegde mijn tranen weg.

'Ik zag je hier naar binnen gaan,' zei ze. 'Ik dacht dat dat misschien betekende dat je het niet... dat je van streek was.'

'Ik doe echt mijn best om blij te zijn voor Ruby,' zei ik en ik moest een klein beetje lachen terwijl ik voorzichtig met een stukje toiletpapier mijn ogen droogdepte. 'Maar dat gaat me niet zo makkelijk af.'

'Mij ook niet,' antwoordde ze.

Ik deed de deur open. En daar stond ze. Met haar blauwe jurk, rode haar, ranke figuur en overdonderende charisma. En zodra ze me in de ogen keek, wist ik dat ze nog van me hield. Ik wist het omdat haar pupillen groter en zachter werden.

'Je bent nog altijd even prachtig,' zei ze, terwijl ze haar handen achter zich op de wasbak zette en achteroverleunde. Als Celia naar me keek, raakte ik altijd een beetje van de wijs. Ik voelde me net een bloederige biefstuk die voor een tijger ligt.

'Je mag er zelf ook best wezen,' zei ik.

'We kunnen hier misschien maar beter niet samen aangetroffen worden,' zei Celia.

'Waarom niet?' vroeg ik.

'Omdat ik vermoed dat de nodige mensen daar binnen weten wat wij vroeger samen uitspookten,' zei ze. 'Ik weet dat jij koste wat kost wilt vermijden dat ze ons daar opnieuw van gaan verdenken.'

Ze stelde me op de proef.

Dat hadden we allebei heel goed in de gaten.

Als ik het juiste antwoord gaf, als ik zei dat het me niks kon schelen wat de mensen dachten, als ik zei dat ik midden op het podium met haar zou vrijen, waar iedereen ons kon zien, dan zou ik haar misschien wel weer voor me winnen.

Ik dacht er even rustig over na. Ik dacht erover na hoe het zou zijn om morgenochtend wakker te worden en haar sigaretten-en-koffieadem te ruiken.

Maar ik wilde dat ze eerst toegaf dat de schuld niet alleen bij mij lag. Dat zij ook een rol had gespeeld in onze breuk. 'Of misschien wil jij gewoon niet gezien worden met een... hoe noemde je me ook alweer, een hoer, geloof ik?'

Celia grinnikte besmuikt, keek naar de grond en richtte haar blik toen weer op naar mij. 'Wat wil je dat ik zeg? Dat ik het mis had? Natuurlijk had ik het mis. Ik wilde jou gewoon net zoveel pijn doen als jij mij had gedaan.'

'Maar het was nooit mijn bedoeling om je pijn te doen,' zei ik. 'Ik zou nooit van mijn leven expres iets doen om jou te kwetsen.'

'Je schaamde je voor onze liefde.'

'Helemaal niet,' zei ik. 'Dat is echt niet waar.'

'Nou ja, je deed wel bijzonder goed je best om haar geheim te houden.'

'Ik deed wat noodzakelijk was om ons allebei te beschermen.'

'Daar zijn de meningen over verdeeld.'

'Geef dan je mening maar,' zei ik. 'In plaats van weer weg te lopen.'

'Ik ging niet ver weg, Evelyn. Je had me best in kunnen halen, als je had gewild.'

'Ik hou er niet van als iemand een spelletje met me speelt, Celia. Dat heb ik al meteen gezegd toen we de eerste keer een milkshake gingen drinken.'

Ze haalde haar schouders op. 'Jij speelt wel voortdurend spelletjes met anderen.'

'Ik heb ook nooit beweerd dat ik niet hypocriet ben.'

'Hoe doe je dat toch?' vroeg Celia.

'Wat?'

'Zo onverschillig doen over dingen die andere mensen als heilig beschouwen?'

'Omdat ik niks te maken heb met andere mensen.'

Celia lachte schamper maar niet onvriendelijk en keek naar haar handen.

'Behalve met jou.'

Daarop keek ze me diep in de ogen.

'Ik geef om je,' zei ik.

'Je gáf om me.'

Ik schudde mijn hoofd. 'Nee, dat was geen verspreking.'

'Je had anders wel erg snel een nieuwe relatie met Rex North.'

Ik keek haar fronsend aan. 'Celia, dat geloof je toch zelf niet.'

'Dus het was een schijnhuwelijk.'

'Elke minuut.'

'Zijn er nog anderen geweest? Andere mannen?' vroeg ze. Ze was altijd jaloers op mijn mannen, omdat ze bang was dat ze voor hen onderdeed. Ik was jaloers op haar vrouwen, omdat ik bang was dat ik niet aan ze kon tippen.

'Ik heb me wel vermaakt,' zei ik. 'Jij ook, neem ik aan.'

'John is niet...'

'Ik heb het niet over John. Maar ik neem aan dat je niet seksloos door het leven bent gegaan.' Ik was aan het vissen naar informatie waar ik diep ongelukkig van zou worden – een afwijking die in de mens ingebakken zit.

'Nee,' zei ze. 'Daar heb je gelijk in.'

'Met mannen?' vroeg ik, in de hoop dat ze ja zou zeggen. Als het met mannen was, wist ik dat het niks om het lijf had gehad.

Ze schudde haar hoofd, en mijn hart brak nog wat verder, als een scheur die groter wordt als je eraan trekt.

'Iemand die ik ken?'

'Er zaten geen beroemdheden bij,' zei ze. 'Het betekende allemaal niks voor me. Als ik hen aanraakte, stelde ik me voor dat jij het was.'

Mijn hart brak en tegelijkertijd begon het te bonzen.

'Je had niet weg moeten gaan, Celia.'

'Je had me niet weg moeten láten gaan.'

En toen gaf ik me gewonnen. Mijn mond stroomde over van waar mijn hart vol van was. 'Ik weet het. Ik weet het. Ik weet het.'

Soms gebeurt iets zo snel dat je nauwelijks kunt zeggen wanneer je precies wist dat het te gebeuren stond. Het ene moment stond ze tegen de wasbak geleund en het volgende moment lagen haar handen op mijn wangen, drukte ze haar lijf tegen het mijne en raakten haar lippen die van mij. Ze smaakte muskusachtig en romig door haar dikke laag lippenstift en ook kruidig en scherp door de rum die ze gedronken had.

Ik verloor me in haar. In het gevoel dat ze eindelijk weer tegen me aan stond, in mijn blijdschap omdat ze me aandacht schonk, in de wetenschap dat ze van me hield.

En toen vloog de deur open en kwamen de echtgenotes van twee producenten binnen. We stoven uit elkaar. Celia deed alsof ze haar handen aan het wassen was, en ik ging voor een van de spiegels staan alsof ik mijn make-up bijwerkte. De vrouwen kletsten rustig door en merkten ons nauwelijks op.

Ze stapten allebei een toilethokje in en ik zocht Celia's blik. Ze keek me aan. Ik keek toe hoe ze de kraan dichtdraaide en een handdoekje pakte. Ik was bang dat ze linea recta naar buiten zou lopen. Maar dat deed ze niet.

Eerst ging de ene vrouw weg, en toen ook de ander. We waren eindelijk weer alleen. We luisterden aandachtig en hoorden dat de show na een reclameblok werd hervat.

Ik greep Celia beet en kuste haar. Ik duwde haar tegen de deur. Ik kon geen genoeg van haar krijgen. Ik was verslaafd aan haar. Ik had haar net zo hard nodig als een ander misschien drugs nodig heeft.

Voor ik tijd had om stil te staan bij de mogelijke gevolgen trok ik haar jurk omhoog en liet ik mijn hand langs haar been omhoogglijden. Ik drukte haar met mijn ene hand tegen de deur aan, kuste haar en raakte haar met mijn andere hand aan zoals ze lekker vond.

Ze kreunde zachtjes en sloeg snel een hand over haar eigen mond. Ik kuste haar in haar hals. En samen, verstrengeld in elkaar, stonden we te sidderen tegen de deur.

We hadden elk moment betrapt kunnen worden. Er hoefde in die zeven minuten maar één vrouw te besluiten om naar het toilet te gaan, en dan was al die moeite al die jaren voor niets geweest.

Zo legden Celia en ik het weer bij.

En zo kwamen we erachter dat we niet zonder elkaar konden.

Omdat we allebei beseften welke risico's we bereid waren te nemen. Alleen om samen te zijn.

PhotoMoment

14-8-1967

EVELYN HUGO TROUWT MET PRODUCENT HARRY CAMERON

Is vijfmaal scheepsrecht? Evelyn Hugo en producent Harry Cameron gaven elkaar afgelopen zaterdag het jawoord op het strand van Capri.

Evelyn droeg een zijden bruidsjurk in gebroken wit en haar lange haar los met een scheiding in het midden. Harry, die bekendstaat als een van de best geklede mannen in Hollywood, droeg een crèmekleurig linnen pak.

Celia St. James, het lievelingetje van heel Amerika, trad op als bruidsmeisje en haar knappe man John Braverman was getuige voor de bruidegom.

Harry en Evelyn werken al samen sinds halverwege de jaren vijftig, toen Evelyn gecast werd in grote kassuccessen als *Father and Daughter* en *Little Women*. Afgelopen najaar kwamen de twee openlijk uit voor hun verhouding – nadat ze op heterdaad waren betrapt. Evelyn was toen nog getrouwd met Rex North, die inmiddels is hertrouwd met Joy Nathan en trotse vader is van een dochtertje, Violet North.

We zijn blij dat Evelyn en Harry de knoop eindelijk hebben doorgehakt! Na het geruchtmakende begin van hun relatie en een lange verloving werd het wat ons betreft de hoogste tijd!

CELIA ZOOP ZICH HELEMAAL KLEM OP DE BRUILOFT. ZE VOND HET erg moeilijk om niet jaloers te zijn, ook al wist ze dat het allemaal nep was. Haar eigen man stond nota bene naast Harry. En we wisten allemaal hoe de vork in de steel zat.

Twee mannen die het met elkaar deden. Getrouwd met twee vrouwen die het met elkaar deden. We waren twee fraaie stelletjes fopneuzen bij elkaar.

En toen ik Harry het jawoord gaf, dacht ik: nu kan het echt beginnen. Het echte leven, óns leven. Nu worden we eindelijk een echt gezin.

Harry en John waren verliefd op elkaar. Celia en ik waren in de zevende hemel.

Toen we terugkwamen van onze huwelijksreis in Italië verkocht ik mijn villa in Beverly Hills en Harry de zijne. We kochten samen dit appartement in New York, in de Upper East Side, zowat om de hoek bij Celia en John.

Voor ik ermee instemde om naar de andere kant van het land te verhuizen, vroeg ik Harry om uit te zoeken of mijn vader nog leefde. Ik wist niet of ik wel met hem in één stad wilde wonen, of ik het niet een te naar idee vond dat ik hem per toeval tegen zou kunnen komen.

Maar toen Harry's assistent naar hem op zoek ging, kwamen we erachter dat mijn vader in 1959 aan een hartaanval was overleden. Omdat niemand het had opgeëist was zijn schamele bezit aan de staat overgedragen.

Toen ik hoorde dat hij dood was, was mijn eerste gedachte: *Dus daarom heeft hij nooit geprobeerd me geld af te troggelen.* En mijn tweede was: *Wat sneu dat ik zeker weet dat dat de enige reden voor hem zou zijn geweest om contact met me te zoeken.*

Ik zette het uit mijn hoofd, tekende het koopcontract en vierde onze aankoop met Harry. Ik was vrij om te gaan en staan waar ik wilde. En ik wilde graag in de Upper East Side wonen. Ik kreeg Luisa zover dat ze met ons mee verhuisde.

Dit appartement ligt weliswaar op loopafstand van Hell's Kitchen, maar het voelde toch alsof ik er lichtjaren vandaan was. Mijn vader leefde niet meer. Ik was wereldberoemd, getrouwd, verliefd en zo rijk dat ik er af en toe niet goed van werd.

Een maand na onze verhuizing gingen Celia en ik met de taxi naar Hell's Kitchen en wandelden we door mijn vroegere buurt. Het zag er compleet anders uit dan toen ik er wegging. Ik stond met haar op de stoep vlak onder mijn oude flat en wees naar het raam dat vroeger van mij was geweest.

'Daar,' zei ik. 'Op de vierde verdieping.'

Celia keek me aan, vol mededogen om alles wat ik had moeten doorstaan toen ik daar woonde, om alles wat ik sindsdien voor elkaar had gekregen. En toen pakte ze rustig en zelfverzekerd mijn hand.

Ik verstijfde, omdat ik niet wist of het wel een goed idee was om elkaar in het openbaar aan te raken, omdat ik bang was voor rare reacties. Maar alle voorbijgangers liepen gewoon door, gingen rustig verder met hun leven en leken nauwelijks op te merken dat er twee beroemde vrouwen hand in hand op de stoep stonden.

Celia en ik sliepen samen hier. Harry sliep altijd bij John in hun appartement. We gingen met zijn vieren uit eten alsof we twee heterostellen waren, terwijl er niet één hetero bij zat.

De roddelpers noemde ons 'de leukste dubbeldaters van het land'. Ik hoorde zelfs dat het gerucht ging dat we swingers waren, wat in die tijd niet eens zo heel vreemd was. Dat zet je toch wel aan het denken, hè? Dat mensen maar al te graag geloofden dat we aan partnerruil deden, maar het schokkend zouden hebben gevonden als ze wisten dat we monogaam en homo- of biseksueel waren?

Ik zal nooit vergeten hoe we de ochtend na de Stonewall-rellen doorbrachten. Harry zat aan het journaal gekluisterd. John was de hele dag aan het bellen met vrienden van hem die aan de zuidkant van de stad woonden.

Celia ijsbeerde door de woonkamer, met bonzend hart. Ze was ervan overtuigd dat die nacht een grote ommezwaai teweeg zou brengen. Ze dacht dat de houding tegenover homo's zou veranderen nu die op hun strepen waren gaan staan en trots genoeg waren geweest om uit te komen voor hun geaardheid.

Ik weet nog dat ik op ons dakterras op het zuiden zat en dat tot me doordrong dat Celia, Harry, John en ik niet de enigen waren. Dat klinkt nu natuurlijk een beetje suf, maar ik was zo... op mezelf gericht, ik zat zo in mijn eigen bubbel, dat ik zelden stilstond bij anderen die in hetzelfde schuitje zaten als ik.

Daarmee bedoel ik niet dat ik niet in de gaten had dat er van alles veranderde in ons land. Harry en ik hadden campagne gevoerd voor Bobby Kennedy. Celia had met Vietnamdemonstranten op de cover van *Effect* gestaan. John maakte zich sterk voor rassengelijkheid en ik had me openlijk uitgesproken als aanhanger van dominee Martin Luther King. Maar dit was anders.

Dit waren onze eigen mensen.

Zij waren in opstand gekomen tegen de politie en vochten voor het recht om zichzelf te zijn. Terwijl ik veilig in het gouden kooitje zat dat ik om me heen had opgetrokken.

Op de middag na de eerste rellen zat ik lekker op mijn dakterras in het zonnetje in een spijkerbroek met hoge taille en een zwart truitje zonder mouwen een cocktail te drinken. Tranen welden op toen tot me doordrong dat die mannen en vrouwen bereid waren om te vechten voor een toekomst waar ik zelfs nooit van had durven dromen. Een wereld waarin we onszelf konden zijn, zonder angst en zonder schaamte. De demonstranten hadden veel meer moed en hoop dan ik. Anders kon ik het gewoon niet omschrijven.

'Er zijn plannen om vanavond weer actie te voeren,' zei John terwijl hij het terras op liep. Hij zag er ontzettend intimiderend uit met zijn één meter negentig, honderd kilo en opgeschoren haar, als het soort man dat je niet moest lastigvallen. Maar als je hem kende, of van hem hield, wist je dat dat juist wel kon.

Op het sportveld was hij misschien een strijder, maar van ons vieren was hij echt de grootste lieverd. Hij was zo iemand die altijd vroeg hoe je geslapen had, die zelfs dingen die je drie weken daarvoor terloops had gezegd onthield. En hij beschouwde het als zijn taak om Celia en Harry te beschermen, en daarmee mij ook. John en ik hielden van dezelfde mensen, dus hielden we automatisch ook van elkaar. En we speelden allebei erg graag gin rummy. Wij tweeën hebben ik weet niet hoeveel avonden tot diep in de nacht zitten kaarten, allebei bloedfanatiek, en zaten ons dan om beurten te verkneukelen over het feit dat de ander niet tegen zijn verlies kon.

'We moeten erheen gaan,' zei Celia, die er ook bij kwam. John pakte een stoel in de hoek. Celia kwam bij mij op de leuning zitten. 'We moeten onze steun betuigen. We moeten hier deel van uitmaken.'

Ik hoorde dat Harry John riep vanuit de keuken. 'We zitten buiten!' riep ik terug, op hetzelfde moment dat John zei: 'Ik ben op het terras!'

Even later verscheen Harry in de deuropening.

'Harry, vind jij ook niet dat we mee moeten gaan demonstreren?' vroeg Celia. Ze stak een sigaret op, nam een trekje en gaf hem aan mij.

Ik zat al driftig mijn hoofd te schudden. John zei ronduit nee.

'Hoe bedoel je, "nee" ?' vroeg Celia.

'Je gaat niet mee,' zei John. 'Dat kan niet. Wij alle vier niet.'

'Natuurlijk wel,' zei ze, met een blik op mij voor bijval.

'Sorry,' zei ik en ik gaf haar de sigaret terug. 'Ik ben het met John eens.'

'Harry?' vroeg ze smekend, in de hoop in hem wel een medestander te vinden.

Harry schudde zijn hoofd. 'Als wij gaan demonstreren, leiden we de aandacht alleen maar af van het daadwerkelijke doel. Dan gaat het er alleen nog over of wij homoseksueel zijn en niet meer over homorechten.'

Celia bracht de sigaret naar haar mond en inhaleerde. Met een zuur gezicht blies ze de rook weer uit. 'Dus wat doen we dan? We kunnen hier toch niet een beetje uit onze neus gaan zitten eten? We kunnen het hen toch niet allemaal voor ons laten uitvechten?'

'We geven ze wat wij wel hebben en zij niet,' zei Harry.

Ik snapte zijn gedachtegang meteen. 'Geld.'

John knikte. 'Ik bel Peter wel even. Hij weet vast hoe we het beste kunnen bijdragen. Hij weet vast waar het hardst geld nodig is.'

'Dat hadden we eigenlijk allang moeten doen,' zei Harry. 'Dus laten we het vanaf nu in ieder geval doen. Wat er vanavond ook gebeurt. Welke kant deze strijd ook op gaat. Laten we gewoon afspreken dat het onze taak is om de demonstranten financieel te ondersteunen.'

'Ik doe mee,' zei ik.

'Ik ook, natuurlijk.' John knikte.

'Goed dan,' zei Celia. 'Als jullie denken dat dat de beste manier is om ons steentje bij te dragen.'

'Ja,' zei Harry, 'daar ben ik van overtuigd.'

Die dag deden we onze eerste anonieme schenking, en die ben ik de rest van mijn leven heimelijk blijven doen.

Volgens mij kunnen mensen op allerlei verschillende manieren bijdragen aan een goed doel. Ik heb altijd het idee gehad dat mijn manier was om heel veel geld te verdienen en dat door te sluizen naar instanties die het nodig hadden. Natuurlijk zit er een stukje eigenbelang in die redenering, dat weet ik best. Maar door wie ik was, door de offers die ik had gebracht om bepaalde aspecten van mijn leven verborgen te houden, kon ik meer geld doneren dan sommige mensen ooit bij elkaar zien. Daar ben ik trots op.

Dat betekent overigens niet dat ik nooit met mezelf in tweestrijd was. En die ambivalentie was eigenlijk niet eens zozeer politiek als wel persoonlijk van aard.

Ik wist dat ik me koste wat kost moest blijven verstoppen, maar vond tegelijkertijd dat dat helemaal niet nodig zou moeten zijn. Want accepteren dat iets zo is, is niet hetzelfde als het rechtvaardig vinden.

In 1970 won Celia haar tweede Oscar, voor haar rol in *Our Men*, waarin ze een vrouw speelde die zich als man verkleedt om in de Eerste Wereldoorlog naar het front te gaan.

Ik kon die avond niet bij haar zijn in Los Angeles omdat ik in Miami aan het draaien was voor *Jade Diamond*. Daarin speelde ik een prostituee die samenwoont met een alcoholist. Maar Celia en ik wisten ook dat zelfs áls ik die avond had gekund, ik niet als haar partner op de Oscaruitreiking kon verschijnen.

Die avond belde Celia me zodra ze thuiskwam van de ceremonie en alle feestjes.

Ik gilde in de hoorn. Ik was zo blij voor haar. 'Het is je gelukt!' zei ik. 'Het is je gewoon al voor de tweede keer gelukt!'

'Ongelooflijk, toch?' zei ze. 'Twee Oscars al.'

'Je hebt ze dubbel en dwars verdiend. Wat mij betreft zou de wereld jou elke dag een Oscar moeten geven.'

'Ik wou dat je hier was,' pruilde ze. Ik kon aan haar horen dat ze gedronken had. Als ik haar was, zou ik ook aan de drank zijn gegaan. Maar ik vond het irritant dat ze overal zo'n probleem van moest maken. Ik had er dolgraag bij willen zijn. Dat wist ze toch? Ze wist toch donders goed dat het niet kon? En dat ik dat hartverscheurend vond? Waarom moest het altijd alleen maar gaan over hoe moeilijk zíj het ermee had?

'Ik ook,' zei ik. 'Maar het is beter zo. Dat weet je best.'

'O ja. Zodat niemand erachter komt dat je lesbisch bent.'

Ik vond het vreselijk om lesbisch genoemd te worden. Niet omdat er wat mij betreft iets mis mee was dat ik op vrouwen viel, overigens. Nee, daar was ik allang mee in het reine gekomen. Maar Celia zag alles altijd zo zwart-wit. Zij viel op vrouwen, en daarmee basta. En ik was op háár gevallen. Ze ontkende vaak dat dat maar één kant van mijn geaardheid was.

Ze liet voor het gemak buiten beschouwing dat ik ooit echt verliefd was geweest op Don Adler. Ze liet buiten beschouwing dat ik seks had gehad met mannen en daar soms erg van had genoten. En dat hield ze allemaal vol tót ze zich erdoor bedreigd voelde. Dat werd haar vaste patroon. Ik was lesbisch als ze dol op me was en hetero als ze boos op me was.

Biseksualiteit kwam toen net een beetje onder de aandacht, maar ik geloof dat ik destijds nog niet eens in de gaten had dat dat woord betrekking had op mij. Ik vond het helemaal niet nodig om een label te plakken op iets wat ik heel goed voor mezelf kon uitleggen. Ik viel op mannen. Ik viel op Celia. Daarmee was wat mij betrof alles gezegd.

'Hou eens op, Celia. Ik word er zo moe van elke keer deze discussie te moeten voeren. Je stelt je aan.'

Ze lachte koeltjes. 'Precies dezelfde Evelyn als ik al die jaren heb moeten verdragen. Je bent geen steek veranderd. Je bent bang voor je ware aard en je hebt nog steeds geen Oscar. Jij bent gewoon nog precies wat je altijd bent geweest: een goed stel tieten.'

Ik liet haar woorden een tijdje in de lucht hangen. Behalve het gezoem van de telefoon was het muisstil.

En toen barstte Celia in huilen uit. 'Het spijt me,' zei ze. 'Dat had ik nooit mogen zeggen. Ik meende het niet eens. Het spijt me zo. Ik heb te veel gedronken en ik mis je en het spijt me dat ik zoiets gemeens zei.'

'Het geeft niet,' zei ik. 'Ik moet maar eens gaan. Het is hier al laat, weet je. Nogmaals gefeliciteerd, lieverd.'

Nog voor ze iets terug kon zeggen hing ik op.

Zo ging het altijd met Celia. Als je haar niet gaf wat ze wilde, als je haar pijn deed, dan pakte ze je minstens net zo hard terug.

'HEB JE HAAR DAAR OOIT MEE GECONFRONTEERD?' VRAAG IK AAN
Evelyn.

Ik hoor mijn telefoon rinkelen in mijn tas en weet door de ringtone dat David me belt. Ik heb in het weekend niet meer gereageerd op zijn appje omdat ik niet goed wist wat ik moest antwoorden. En toen ik hier vanochtend aankwam, heb ik het van me afgezet.

Ik reik in mijn tas en zet het geluid uit.

'Als Celia eenmaal in een gemene bui was, had het geen enkele zin om tegen haar in te gaan,' antwoordt Evelyn. 'Als de gemoederen te hoog opliepen, bond ik meestal in voor de bom echt kon barsten. Dan zei ik dat ik van haar hield en niet zonder haar kon, en trok ik mijn truitje uit, en dan was het gesprek meestal voorbij. Ze kon zich nog zo verheven voordoen, maar één ding had Celia toch wel gemeen met bijna elke hetero-man in Amerika: het liefst wilde ze gewoon aan mijn borsten zitten.'

'Maar bleef het je niet achtervolgen?' vraag ik. 'Wat ze toen zei?'

'Natuurlijk wel. Luister, toen ik jong was, had ik zelf het hardst beweerd dat ik niet meer was dan een goed stel tieten. Mijn seksualiteit was het enige wat ik in te zetten had, dus zette ik die in als betaalmiddel. Toen ik in Hollywood ging wonen had ik geen diploma, ik was niet belezen, ik was niet sterk en ik had geen acteeropleiding gevolgd. Mijn schoonheid was waar ik het van moest hebben. En trots zijn op je eigen uiterlijk is enorm verneukeratief, omdat je jezelf wijsmaakt dat het enige wat jou bijzonder maakt iets is met een erg korte houdbaarheidsdatum.

Toen Celia dat zei, was ik net dertig geworden,' gaat ze verder. 'Om eerlijk te zijn begon ik me af te vragen of ik mijn beste tijd niet zo'n beetje had gehad. Ik dacht, ja, weet je, Celia blijft wel klussen krijgen, want die wordt om haar acteerprestaties aangenomen. Als bij mij eenmaal de eerste rimpels zouden komen, was het helemaal niet meer zo zeker of ze me nog zouden vragen. Dus ja, daar raakte ze een erg gevoelige snaar mee.'

'Maar je wist toch best dat je kon acteren,' werp ik tegen. 'Je was al drie keer voor een Oscar genomineerd.'

'Jij redeneert vanuit je verstand,' zei Evelyn met een glimlach. 'Dat werkt in de praktijk niet altijd.'

IN 1974, OP MIJN ZESENDERTIGSTE VERJAARDAG, NAM IK HARRY, Celia en John mee uit eten bij het Palace Restaurant, in die tijd de duurste tent van heel New York. Ik hield wel van exorbitante, bizarre uitspattingen.

Als ik daar nu op terugkijk, vraag ik me af wat ik er zo leuk aan vond om mijn geld zo achteloos over de balk te smijten, alsof het feit dat ik het verdiende als water betekende dat ik er minder waarde aan hoefde te hechten. Daar schaam ik me nu wel een beetje voor. Alle kaviaar, de privévliegtuigen en genoeg personeel voor een heel voetbalteam.

Maar goed, wij gingen dus naar het Palace.

We lieten ons op de foto zetten in de wetenschap dat we wel in een of ander roddelblad zouden opduiken. Celia trakteerde op een fles Dom Pérignon. Harry tikte eigenhandig vier Manhattans achterover. En toen het dessert werd gebracht met een brandend kaarsje in het midden, zongen ze met zijn drieën voor me terwijl iedereen toekeek.

Harry nam als enige een stuk taart. Celia en ik deden aan de lijn en John zat op een streng eiwitdieet.

'Proef nou in ieder geval even een hapje, Ev,' zei John opgewekt terwijl hij Harry's bordje van hem afpakte en het mij toeschoof. 'Je bent verdorie jarig!'

Ik trok een wenkbrauw op, pakte een vorkje en schraapte wat ganache van de taart. 'Als je gelijk hebt, heb je gelijk,' zei ik.

'Hij vindt gewoon dat ik het niet op mag eten,' zei Harry.

John moest lachen. 'Twee vliegen in één klap.'

Celia tikte voorzichtig met haar vork tegen haar glas. 'Oké, oké,' zei ze. 'Tijd om te proosten.'

Ze zou de week daarna beginnen met filmopnames in Montana. Ze had de begindatum zo lang mogelijk uitgesteld zodat we die avond samen konden doorbrengen.

'Op Evelyn,' zei ze, haar glas heffend. 'Die elke ruimte waar ze ooit is binnengestapt opfleurt. En door wie we ons elke dag weer in een droom wanen.'

Later die avond hielp Harry me hoffelijk in mijn jas terwijl Celia en John buiten een taxi gingen aanhouden. 'Heb je in de gaten dat met mij je langste huwelijk tot nu toe is?' vroeg hij.

We waren toen al bijna zeven jaar getrouwd. 'En ook verreweg het fijnste,' zei ik.

'Ik zat te denken...'

Ik wist al waar hij aan zat te denken. Althans, ik had een vermoeden. Want ik zat er zelf ook al een tijdje aan te denken.

Ik was zesendertig. Als we nog kinderen wilden, moesten we het niet veel langer meer uitstellen.

Natuurlijk kregen vrouwen soms op latere leeftijd nog wel kinderen, maar het kwam niet vaak voor en ik was al een paar jaar geobsedeerd door baby's. Als er een kinderwagen in mijn buurt stond, kon ik me gewoon nergens anders meer op concentreren.

Als ik de kinderen van vriendinnen mocht vasthouden, liet ik pas weer los als de moeder me dat dringend verzocht. Ik stelde me voor hoe mijn eigen kind eruit zou zien. Ik stelde me voor hoe het zou voelen om een levend wezen op de wereld te zetten, iets waar wij met zijn vieren voor zouden kunnen zorgen.

Maar als ik het echt wilde, moest ik er wel vaart achter zetten.

En de beslissing om aan kinderen te beginnen ging niet alleen ons tweeën aan. Het was echt iets wat we met zijn vieren moesten overleggen.

'Toe dan,' zei ik terwijl we naar de ingang van het restaurant liepen. 'Zeg het maar.'

'Een kind,' zei Harry. 'Wij samen.'

'Heb je het er al met John over gehad?' vroeg ik.

'Niet heel specifiek,' antwoordde hij. 'Jij wel met Celia?'

'Nee.'

'Maar ben je er klaar voor?'

Het zou mijn carrière zeker schaden – daar viel niet aan te ontkomen. Ik zou van een vrouw in een moeder veranderen – en dat ging in Hollywood gewoonweg niet samen, leek het. Mijn lichaam zou veranderen. Ik zou er minstens een paar maanden uit liggen. Het sloeg nergens op om dit te willen. Toch zei ik: 'Ja, ik ben eraan toe.'

Harry knikte. 'Ik ook.'

'Oké,' zei ik. Ik dacht even na over het vervolg. 'Eerst moeten we het met John en Celia bespreken.'

'Dat lijkt me ook, ja,' zei Harry.

'En als iedereen het ziet zitten?' vroeg ik, even voor de uitgang dralend.

'Dan gaan we er werk van maken.'

'Ik weet dat adopteren het meest voor de hand zou liggen,' zei ik. 'Maar...'

'Jij voelt meer voor een biologisch kind.'

'Ja,' zei ik. 'Ik wil vermijden dat iemand ooit zal beweren dat we voor adoptie hebben gekozen omdat we iets te verbergen hadden.'

Harry knikte. 'Ik snap het,' zei hij. 'Ik wil ook het liefst een biologisch kind. Eentje dat half jou en half mij is. Dus we zitten helemaal op één lijn.'

Ik trok een wenkbrauw op. 'Je weet wel hoe kinderen gemaakt worden, hè?' vroeg ik.

Hij grijnsde, boog dichter naar me toe en fluisterde: 'Diep vanbinnen heb ik altijd al eens met je naar bed gewild, Evelyn Hugo.'

Ik moest lachen en gaf hem een stomp tegen zijn arm. 'Ach, je lult maar wat.'

'Héél diep vanbinnen wel, hoor,' wierp Harry tegen. 'Het gaat volledig tegen mijn instinct in, maar toch is het zo.'

Ik glimlachte. 'Tja,' zei ik, 'laten we dat maar voor ons houden.'

Harry grinnikte en gaf me een hand. 'Nou, Evelyn, we hebben voor de zoveelste keer een deal.'

'ZOUDEN JULLIE ALLEBEI BETROKKEN ZIJN BIJ DE OPVOEDING?' vroeg Celia. We lagen samen in bed, naakt. Mijn rug was klam van het zweet en de druppels parelden langs mijn voorhoofd. Ik rolde op mijn buik en legde mijn hand op Celia's borst.

Voor de film waar ze binnenkort aan zou beginnen werd haar haar bruin geverfd. Ik bleef maar naar haar koperrode lokken staren, ernstig bezorgd dat ze het niet in de juiste tint terug zouden verven, dat ze niet helemaal zichzelf zou zijn als ze terugkwam.

'Ja, natuurlijk,' antwoordde ik. 'Het zou van ons samen zijn. We zouden het samen opvoeden.'

'En hoe pas ik in dit hele gebeuren? En John?'

'Hoe jullie maar willen.'

'Dat zegt me niet zoveel.'

'Ik bedoel dat we gewoon gaandeweg kunnen aankijken hoe het gaat.'

Celia staarde naar het plafond terwijl ze dat even op zich liet inwerken. 'Jij wilt dit echt graag?' vroeg ze na een tijdje.

'Ja,' zei ik. 'Dolgraag.'

'Vind je het een probleem dat ik... die wens nooit heb gehad?' vroeg ze.

'Dat jij geen kinderen wilt, bedoel je?'

'Ja.'

'Nee hoor, ik geloof het niet.'

'Vind je het een probleem dat ik... die wens niet voor je kan vervullen?'
Er sloop een snik in haar stem en haar mond begon te trillen. Als Celia voor de camera moest huilen, kneep ze haar ogen altijd tot spleetjes en sloeg ze haar handen voor haar gezicht. Maar dat waren neptranen die ze zomaar uit het niks moest oproepen, zonder reden. Als ze echt moest huilen, bleef haar gezicht afgezien van haar mondhoeken juist pijnlijk onbewogen en welden er tranen op die in haar wimpers bleven hangen.

'Schatje, toch.' Ik trok haar tegen me aan. 'Natuurlijk niet.'

'Ik wou gewoon... Ik wil jou alles geven wat je hart begeert en nu is dit je grootste wens, maar kan ik hem niet vervullen.'

'Nee, joh, Celia,' zei ik. 'Zo zit het helemaal niet.'

'Niet?'

'Ik heb meer aan jou te danken dan ik ooit voor mogelijk had gehouden.'

'Weet je dat zeker?'

'Honderd procent.'

Ze glimlachte. 'Hou je van me?'

'Dat is wel héél zwak uitgedrukt,' antwoordde ik.

'Hou je zoveel van me dat je niet meer helder kunt nadenken?'

'Ik hou zoveel van je dat ik soms als ik jouw bizarre fanmail lees, denk: Ja, nogal wiedes. Ik wil ook een verzameling aanleggen van haar wimpers.'

Celia moest lachen en aaide over mijn bovenarm, met haar blik op het plafond. 'Ik wil dat je gelukkig bent,' zei ze toen ze me weer aankeek.

'Realiseer je wel dat Harry en ik met elkaar zullen moeten...'

'Kan het echt niet anders?' vroeg ze. 'Ik dacht dat vrouwen tegenwoordig ook zwanger konden worden door zaad te laten inspuiten.'

Ik knikte. 'Volgens mij kan het wel anders,' zei ik. 'Maar ik heb minder vertrouwen in die gang van zaken. Of laat ik het zo zeggen: ik weet niet hoe we er dan voor zouden zorgen dat niemand er ooit achter komt dat we het via die weg hebben gedaan.'

'Dus het komt erop neer dat je seks gaat hebben met Harry,' zei Celia.

'Ik ben verliefd op jou. Jij bent de enige met wie ik seks heb. Met Harry is het alleen een kwestie van een kind verwekken.'

Celia keek me onderzoekend aan. 'Weet je dat echt zeker?'

'Honderd procent.'

Ze keek weer naar het plafond. Ze zei een tijdje niks. Ik zag haar ogen heen en weer schieten. Ik zag haar ademhaling tot rust komen. Toen ging ze op haar zij liggen en keek ze me indringend aan. 'Als jij dit echt graag wilt... als jij een kinderwens hebt, dan... gun ik je een kind. Ik ga wel merken... we merken vanzelf hoe het loopt. Ik pas er wel een mouw aan. Misschien word ik dan wel de leuke tante. Tante Celia. Ik raak vast vanzelf aan het idee gewend.'

'En daar help ik je bij,' zei ik.

Ze moest lachen. 'Hoe zie je dat voor je?'

'Ik kan wel iets bedenken om het draaglijker voor je te maken...' zei ik, waarna ik haar in haar hals kuste. Ze vond het lekker om vlak onder en achter haar oor gekust te worden, waar haar oorlel haar nek raakte.

'O, wat ben je toch erg,' zei ze. Maar toen zei ze niks meer. Ze hield me niet tegen toen ik mijn hand over haar borsten en haar buik tussen haar benen liet glijden. Ze kreunde, trok me dichter tegen zich aan en deed hetzelfde bij mij. Zij streelde mij terwijl ik haar streelde, eerst zachtjes, toen steeds harder en sneller. 'Ik hou van je,' zei ze ademloos.

'Ik ook van jou,' antwoordde ik.

Ze keek me diep in de ogen en bracht me in diepe extase, en door met het plan in te stemmen schonk ze me die avond een kind.

PhotoMoment

23-5-1975

EVELYN HUGO EN HARRY CAMERON HEBBEN EEN DOCHTER!

Evelyn Hugo is moeder geworden! Nu kan de blonde vamp (37) eindelijk ook het ouderschap op haar cv zetten. Connor Margot Cameron werd afgelopen dinsdagnacht geboren in het Mount Sinai Hospital, met een gewicht van 2950 gram.

Trotse vader Harry Cameron liet weten 'in de wolken' te zijn met de geboorte van zijn dochtertje.

Na de reeks grote successen die Evelyn en Harry samen op het witte doek hebben gebracht, is de eerste Camerontelg vast en zeker hun favoriete coproductie tot nu toe.

VANAF HET MOMENT DAT ZE ME IN DE OGEN KEEK, WAS IK STAPEL-gek op Connor. Met haar flinke dot haar en ronde blauwe ogen deed ze me even ontzettend aan Celia denken.

Connor had altijd honger en vond het vreselijk om alleen te zijn. Het liefst lag ze de hele dag op mijn borst te slapen. Ze was gek op Harry.

Gedurende die eerste paar maanden draaide Celia achter elkaar door twee films waarvoor ze van huis was. Ik wist dat ze erg uitkeek naar een van de twee, *The Buyer*. Maar de andere, een maffiafilm, was precies het soort klus waar ze een hekel aan had. Nog afgezien van al het geweld en de grimmige sfeer duurden de opnames acht weken, waarvan vier in Los Angeles en vier op Sicilië. Toen ze haar de rol aanboden, had ik eigenlijk verwacht dat ze zou weigeren. Maar dat deed ze niet, en John besloot om met haar mee te gaan.

In hun afwezigheid waren Harry en ik eigenlijk net een klassiek getrouwd stel. Harry bakte eieren met spek voor me voor het ontbijt en liet elke dag een bad voor me vollopen. Ik gaf de baby te eten en verschoonde haar bijna elk uur.

We stonden er natuurlijk niet alleen voor. Luisa zorgde voor het huishouden. Ze verschoonde de bedden, deed de was en ruimde onze rotzooi op. Als ze een dagje vrij had, nam Harry dat allemaal van haar over.

Harry was degene die zei dat ik er prachtig uitzag, ook al wisten we allebei dat ik er weleens beter uit had gezien. Harry was degene die eindeloos veel scripts voor me doornam, zodat ik zodra Connor oud genoeg was met een perfecte rol mijn comeback kon maken. Harry was degene die elke nacht naast me lag, mijn hand vasthield tot we in slaap vielen en me troostte toen ik mezelf een vreselijke moeder vond omdat ik Connor tijdens het in bad doen per ongeluk op haar wang had gekrabd.

Harry en ik hadden altijd een hechte vriendschap gehad en beschouwden elkaar al langer als familie, maar in die tijd voelde het echt alsof we getrouwd waren. Het voelde alsof ik zijn vrouw was en hij mijn man. En ik begon steeds meer van hem te houden. Door Connor en de tijd die we samen met haar doorbrachten, groeiden Harry en ik dichter naar elkaar toe dan ik ooit voor mogelijk had gehouden. Hij vierde de mooie momenten met me en steunde me op de mindere momenten.

In die tijd begon ik te geloven dat sommige vriendschappen voorbestemd zijn. 'Als er verschillende soorten zielsverwanten bestaan,' zei ik op een middag toen we met Connor op het dakterras zaten, 'dan zijn wij dat van elkaar.'

Harry had alleen een korte broek aan en Connor lag op zijn blote bast te slapen. Hij had zich die ochtend niet geschoren, dus hij had een licht stoppelbaardje. Onder zijn kin zaten er al wat grijze haren tussen. Nu ik hen zo bij elkaar zag, zag ik pas hoe sterk ze op elkaar leken. Ze hadden dezelfde lange wimpers, dezelfde volle lippen.

Harry hield Connor met zijn ene hand vast en pakte met de andere mijn hand. 'Ik weet honderd procent zeker dat ik jou harder nodig heb dan wie dan ook ter wereld,' zei hij. 'Met als enige uitzondering...'

'Connor,' zei ik. We glimlachten tegelijk.

Dat zouden we ons hele leven blijven zeggen. Connor vormde de enige uitzondering op alles.

Toen Celia en John weer thuiskwamen, ging alles terug naar het oude. Celia woonde bij mij. Harry woonde bij John. Connor woonde bij ons, met het idee dat Harry dag en nacht langs kon komen om bij ons te zijn en voor ons te zorgen.

De eerste ochtend na haar terugkomst trok Celia precies op het moment dat Harry normaal gesproken ontbijt kwam maken haar badjas aan en liep naar de keuken om havermoutpap te maken.

Ik was net beneden, in pyjama nog, en was aan het kookeiland gaan zitten om Connor de borst te geven toen Harry binnenkwam.

'O,' zei hij toen hij Celia achter het fornuis zag staan. Luisa stond af te wassen. 'Ik kwam eigenlijk eieren met spek bakken.'

'Hoeft niet,' zei Celia. 'Ik maak een lekkere kom havermoutpap voor ons allemaal. Er is ook genoeg voor jou, hoor, als je trek hebt.'

Harry wierp mij een aarzelende blik toe. Ik keek al even aarzelend terug.

Celia bleef maar staan roeren. Toen pakte ze drie kommetjes en vulde ze. Het pannetje zette ze in de gootsteen, zodat Luisa het later kon afwassen.

Toen drong het pas tot me door hoe vreemd deze constructie was. Harry en ik betaalden samen Luisa's salaris terwijl Harry hier niet eens woonde. Celia betaalde mee aan de hypotheek op het huis dat Harry met John deelde.

Harry ging zitten en pakte de lepel die voor hem werd neergelegd. We namen op hetzelfde moment een hap van onze havermout. Toen Celia met haar rug naar ons toe stond, keken we elkaar met een scheef gezicht aan. Harry zei iets zonder geluid te maken, en al kon ik niet goed liplezen, ik wist precies wat hij wilde zeggen, want ik dacht precies hetzelfde.

Dit smaakt nergens naar.

Celia draaide zich weer naar ons om en bood ons wat rozijnen aan, waar we gretig op ingingen. En vervolgens zaten we met zijn drieën in stilte onze havermout op te eten in de wetenschap dat dit Celia's manier was om zich te laten gelden. Ik hoorde bij haar. Zij maakte mijn ontbijt. Harry was slechts op bezoek.

Connor begon te huilen, dus Harry pakte haar van me over om haar te verschonen. Luisa ging naar beneden om de was op te vouwen. En toen we alleen waren, zei Celia: 'Max Girard gaat een film doen voor Paramount met de titel Three A.M. Het schijnt een arthousefilm te worden, dus volgens mij is het echt wat voor jou.'

Ik had sporadisch contact gehouden met Max sinds hij me had geregisseerd in Boute-en-train. Ik was nooit vergeten dat ik door zijn film weer naar de top was doorgestoten. Maar ik wist dat Celia een enorme hekel aan hem had. Hij stak niet onder stoelen of banken dat hij me aantrekkelijk vond, op het obscene af. Celia noemde hem altijd gekscherend Pepé Le Pew. 'Moedig jij me nou aan om in een film van Max te spelen?'

Celia knikte. 'Ze hebben mij de rol aangeboden, maar hij past veel beter bij jou. Ik mag hem dan een neanderthaler vinden, maar ik zie heus wel dat hij goeie films aflevert. En de rol is jou echt op het lijf geschreven.'

'Hoe bedoel je?'

Celia stond op en nam mijn kom ook mee. Ze spoelde ze af in de gootsteen, draaide zich toen weer naar mij om en leunde tegen het aanrecht. 'Het is een erotische rol. Ze zijn echt op zoek naar een femme fatale.'

Ik schudde mijn hoofd. 'Ik ben tegenwoordig moeder. Dat weet iedereen.'

Celia schudde op haar beurt haar hoofd. 'Daarom moet je het júíst doen.'

'Hoezo?'

'Omdat je sexappeal hebt, Evelyn. Je bent sensueel, beeldschoon en woest aantrekkelijk. Dat moet je je niet laten afpakken. Je moet je seksualiteit niet zomaar laten afpakken. Je moet hen niet laten bepalen hoe je carrière verder verloopt. Wat wil je dan? Wil je vanaf nu alleen nog maar moeders spelen? Alleen nog maar nonnen en schooljuffen?'

'Nee,' zei ik. 'Natuurlijk niet. Ik wil alles spelen.'

'Dus dan moet je dat lekker doen,' zei ze. 'Maak eens een gewaagde keuze. Kom verrassend uit de hoek.'

'Mensen zullen het ongepast vinden.'

'De Evelyn van wie ik hou maalt daar niet om.'

Ik deed mijn ogen dicht en liet knikkend op me inwerken wat ze zei. Het was iets wat ze me gunde met de beste bedoelingen. Daar ben ik echt van overtuigd. Ze wist dat ik ongelukkig zou worden als ik me liet beperken in wat ik speelde, als ik alleen nog de mindere rollen kreeg. Ze wist dat ik wilde blijven verbazen, prikkelen, uitdagen. Maar wat ze er niet bij zei, waar ze zich misschien niet eens van bewust was, was dat ze ook wilde dat ik de rol aannam omdat ze niet wilde dat ik zou veranderen.

Ze wilde dat ik een seksbom bleef.

Het heeft me altijd gefascineerd dat iets op hetzelfde moment waar en niet waar kan zijn, dat mensen goed en slecht tegelijk kunnen zijn, dat iemand van je kan houden op een prachtige, onzelfzuchtige manier terwijl ze eigenlijk voortdurend in hun eigen belang handelen.

Daarom hield ik van Celia. Ze zat erg ingewikkeld in elkaar en ik kon nooit voorspellen hoe ze zou reageren. En nu deed ze weer iets wat ik totaal niet had zien aankomen.

Ze had gezegd: *Ga je gang, krijg maar een kind.* Maar eigenlijk had ze eraan toe willen voegen: *Als je je maar niet als een moeder gaat gedragen.*

Ze had het geluk én de pech dat ik absoluut niet van plan was me door een ander de wet te laten voorschrijven of een oor te laten aannaaien.

Dus ik las het script door en sliep er een paar nachten over. Ik vroeg aan Harry wat hij ervan vond. En toen werd ik op een dag wakker en dacht ik: ik wil die rol. Ik wil laten zien dat ik nog steeds mijn mannetje sta.

Ik belde Max Girard op om te laten weten dat ik de rol wilde, mits hij het ook zag zitten. En dat bleek zo te zijn.

'Maar het verbaast me dat jíj het ziet zitten,' zei Max. 'Weet je het honderd procent zeker?'

'Moet ik uit de kleren?' vroeg ik. 'Daar heb ik geen enkele moeite mee. Echt niet. Ik zie er geweldig uit, Max. Geen probleem, dus.' Ik zag er helemaal niet geweldig uit en zat ook niet bijster lekker in mijn vel. Dus het was wel degelijk een probleem. Maar er was een oplossing voor, én een probleem waar een oplossing voor is mag nauwelijks een probleem heten, toch?

'Nee,' zei Max grinnikend. 'Evelyn, al was je dik in de negentig, dan nog zou iedereen in de rij staan om jouw borsten te zien.'

'Waar heb je het dan over?'

'Don,' antwoordde hij.

'Don wie?'

'Voor de rol,' zei hij. 'De hele film. Alles.'

'Wat?'

'Je tegenspeler is Don Adler.'

'WAAROM GING JE DAARMEE AKKOORD?' VRAAG IK. 'WAAROM HEB je niet geëist dat hij uit de film werd gegooid?'

'Nou, ten eerste moet je alleen je zin doordrijven als je zeker weet dat het gaat lukken,' zegt Evelyn. 'En ik was er niet zeker genoeg van of Max hem zou ontslaan als ik er een punt van maakte. En ten tweede vond ik het eigenlijk een beetje gemeen. Het ging niet goed met Don. Hij had al in geen jaren meer in een succesvolle film gespeeld en het jonge filmpubliek wist nauwelijks wie hij was. Hij was gescheiden van Ruby en daarna niet meer hertrouwd, en het gerucht ging dat hij nogal was doorgeslagen in zijn alcoholgebruik.'

'Dus je had medelijden met hem? Met de man die je mishandeld had?'

'Relaties zitten ingewikkeld in elkaar,' zegt Evelyn. 'Mensen doen maar wat, en de liefde kan soms lelijk zijn. Ik ben geneigd om mensen altijd het voordeel van de twijfel te geven.'

'Dus je bedoelt dat je begrip kon opbrengen voor zijn situatie?'

'Ik bedoel dat jij misschien wat begrip kunt opbrengen voor het feit dat het voor mij allemaal niet zo simpel lag.'

Ik voel me op de vingers getikt en kijk naar de grond. Ik durf haar niet aan te kijken. 'Het spijt me,' zeg ik. 'Ik heb zelf nooit zoiets meegemaakt, dus ik... ik weet niet wat me bezielde om zomaar een oordeel te vellen. Mijn oprechte excuses.'

Evelyn glimlacht vriendelijk om te laten zien dat ze het me vergeeft. 'Ik kan niet voor iedereen spreken die ooit te maken heeft gekregen met huiselijk geweld, maar wat ik wel kan zeggen is dat vergiffenis iets anders is dan absolute vrijspraak. Don vormde geen bedreiging meer voor mij. Ik was niet bang voor hem. Ik voelde me sterk en vrij. Daarom beloofde ik Max dat ik met Don zou afspreken. Celia moedigde mijn keuze aan, maar was wel wat huiverig toen ze hoorde dat Don ook gecast was. Harry was weliswaar op zijn hoede, maar vertrouwde erop dat ik me niet gek zou laten maken. Dus belde mijn manager die van Don om een datum en tijd af te spreken voor als ik weer in Los Angeles zou zijn. Ik had het café in het Beverly Hills Hotel voorgesteld, maar op het laatste moment wijzigden Dons mensen de locatie en werd het Canter's Deli. En zo gebeurde het dat ik na vijftien jaar een Reuben-sandwich ging eten met mijn ex-man.'

'HET SPIJT ME, EVELYN,' ZEI DON ZODRA HIJ GING ZITTEN. IK HAD
al een ijsthee besteld en een halve augurk gegeten. Ik dacht dat hij zich
verontschuldigde omdat hij te laat was.

'Het is nog maar vijf over,' zei ik. 'Geeft niet, joh.'

'Nee,' zei hij hoofdschuddend. Hij was bleek, maar leek wel wat slan-
ker dan op de meeste foto's van de afgelopen tijd. Sinds we uit elkaar waren gegaan, was Don er niet bepaald knapper op geworden. Zijn gezicht
was pafferig geworden en rondom zijn middel was hij ook behoorlijk
uitgedijd. Desondanks was hij nog verreweg de knapste man in het café.
Don was zo iemand die altijd knap zou blijven, wat er ook met hem gebeurde. Zo bestendig was zijn uiterlijk wel.

'Het spijt me,' zei hij. Toen pas drong zijn ware bedoeling, de dieper-
liggende betekenis, tot me door. Dat had ik niet zien aankomen. De serveerster kwam. Hij bestelde geen martini of bier. Hij vroeg om een cola.
Toen ze weg was, wist ik niet zo goed wat ik tegen hem moest zeggen.

'Ik drink niet meer,' zei hij. 'Al tweehonderdzesenvijftig dagen niet.'

'Zo lang al, joh?' vroeg ik en ik nam een slokje ijsthee.

'Ik dronk echt veel te veel, Evelyn. Daar ben ik inmiddels wel achter.'

'En je ging vreemd en gedroeg je als een hufter,' zei ik.

Don knikte. 'Daar ben ik me ook van bewust. En het spijt me echt
ontzettend.'

Ik was naar de andere kant van het land gevlogen om te zien of ik met hem in een film dacht te kunnen spelen. Ik was daar niet voor een verontschuldiging van zijn kant. Dat was zelfs nooit bij me opgekomen. Ik was er volledig van uitgegaan dat ik net als vroeger van hem zou profiteren – dat met hem geassocieerd worden me aandacht zou opleveren.

Maar de berouwvolle man die tegenover me zat verraste en overrompelde me.

'Wat moet ik daar nou mee?' vroeg ik. 'Dat het je spijt? Wat kán ik ermee?'

De serveerster kwam onze bestelling opnemen.

'Een Reuben-sandwich, alsjeblieft,' zei ik, haar de menukaart teruggevend. Als we hier een serieus gesprek over gingen voeren, dan kon ik maar beter iets stevigs eten.

'Voor mij hetzelfde,' zei Don.

Ze herkende ons; het trekje in haar mondhoeken verried dat ze haar best moest doen om niet te glunderen.

Zodra ze wegliep, boog Don zich voorover. 'Ik weet dat ik hiermee niet goedmaak wat ik je heb aangedaan,' zei hij.

'Mooi,' antwoordde ik. 'Want dat klopt inderdaad.'

'Maar ik hoop dat het je misschien een klein beetje troost dat ik me bewust ben van mijn fouten, dat ik weet dat jij dat niet verdiend had en dat ik elke dag bezig ben om mijn leven te beteren.'

'Tja, daar kom je wel een beetje laat mee,' zei ik. 'Wat heb ik eraan dat jij je leven betert?'

'Niemand zal ooit meer het slachtoffer van mijn gedrag worden,' zei Don. 'Zoals jij en Ruby.'

Mijn hart van ijs smolt heel even, en ik moest toegeven dat dat inderdaad een troostrijke gedachte was. 'Dan nog,' zei ik. 'Je kunt gewoon niet de klootzak lopen uithangen en vervolgens verwachten dat het met een simpele verontschuldiging allemaal vergeven en vergeten is.'

Don schudde nederig zijn hoofd. 'Natuurlijk niet,' zei hij. 'Nee, dat weet ik wel.'

'En als jouw films niet waren geflopt en Ari Sullivan je er niet uit had gekickt zoals je hem met mij had laten doen, dan zou je waarschijnlijk nog steeds lekker de beest uithangen en je klem zuipen.'

Don knikte. 'Waarschijnlijk wel, ja. Tot mijn spijt denk ik dat je daar gelijk in hebt.'

Ik vond het nog niet genoeg. Had ik het liefst gezien dat hij voor me door het stof ging? Dat hij in huilen uitbarstte? Geen idee. Ik wist alleen dat dat er niet in zat.

'Ik wil in ieder geval dit nog zeggen,' zei Don. 'Ik was op slag verliefd op jou. Stapelverliefd zelfs. En dat heb ik verpest door iemand te worden waar ik niet trots op ben. En van het feit dat ik het zo heb verpest, dat ik je absoluut niet heb behandeld zoals had gemoeten, daar heb ik spijt van. Soms zou ik terug willen gaan naar onze trouwdag zodat ik het allemaal heel anders kan aanpakken, zodat ik mijn fouten goed kan maken en jij nooit hoeft te doorstaan wat ik je heb aangedaan. Ik weet dat dat niet gaat, maar wat ik wél kan doen is je diep in de ogen kijken en uit de grond van mijn hart zeggen dat ik weet wat een fantastisch mens je bent, wat een geweldig huwelijk we hadden kunnen hebben, dat het mijn schuld is dat het allemaal zo is gelopen, dat ik me nooit meer zo zal misdragen en dat het me echt heel erg spijt.'

In al die jaren sinds ik van Don gescheiden was, met al mijn films en al mijn huwelijken, had ik geen seconde gewenst dat ik terug kon gaan in de tijd in de hoop dat het een tweede keer wel goed zou gaan tussen Don en mij. Na Don had ik zelf de regie over mijn leven genomen, mijn eigen puinhopen en geluk gecreëerd, en uiteindelijk met vallen en opstaan al mijn dromen laten uitkomen.

Het ging goed met me. Ik voelde me veilig. Ik had een prachtige dochter, een toegewijde echtgenoot en een fijne relatie met een geweldige vrouw. Ik was rijk en beroemd. Ik had een prachtig huis in een stad die weer als thuis voelde. Dat nam Don Adler me echt niet zomaar af.

Ik had met hem afgesproken om te peilen of ik nog met hem door één deur kon, en dat was het geval. Ik voelde geen greintje angst meer voor hem.

En toen besefte ik: als dat zo was, wat had ik dan te verliezen?

Ik zei niet letterlijk tegen Don Adler dat ik het hem vergaf, maar ik haalde rustig mijn portemonnee uit mijn tas en vroeg: 'Wil je een foto van Connor zien?'

Hij glimlachte en knikte, en toen ik hem een foto voorhield, moest hij lachen. 'Ze lijkt als twee druppels water op jou,' zei hij.

'Dat zal ik maar als een compliment opvatten.'

'Ik zou niet weten hoe je het anders moest opvatten. Volgens mij zou iedere vrouw in heel Amerika eruit willen zien als Evelyn Hugo.'

Ik wierp mijn hoofd in mijn nek en lachte hardop. Toen we onze broodjes voor de helft hadden opgegeten en de serveerster de tafel kwam afruimen, zei ik dat ik de film wel wilde doen.

'Super,' zei hij. 'Dat vind ik heel fijn om te horen. Volgens mij kunnen we samen echt... volgens mij kunnen we er echt iets moois van maken.'

'We zijn geen vrienden, Don,' zei ik. 'Laat dat wel duidelijk zijn.'

Don knikte. 'Oké,' zei hij. 'Dat begrijp ik.'

'Maar we kunnen best op een vriendschappelijke manier met elkaar omgaan.'

Don grijnsde. 'Dat zou ik een hele eer vinden.'

NIET LANG VOOR WE STARTTEN MET DE OPNAMES WERD HARRY vijfenveertig. Hij kondigde aan dat hij geen groot feest of diner of iets dergelijks wilde. Hij wilde gewoon een gezellig dagje doorbrengen met ons allemaal.

Dus organiseerden John, Celia en ik een picknick in het park. Luisa pakte een lunch voor ons in. Celia maakte sangria. John ging naar de outdoorwinkel om een extra grote parasol te halen, zodat we niet alleen beschut waren tegen de zon, maar ook tegen voorbijgangers. Onderweg naar huis kwam hij op het lumineuze idee om ook pruiken en zonnebrillen te kopen.

Die middag zeiden we tegen Harry dat we een verrassing voor hem hadden en loodsten we hem mee naar het park, met Connor op zijn rug. Ze vond het heerlijk om bij hem in de draagzak te zitten. Ze kraaide altijd van plezier als hij met haar op en neer hobbelde.

Ik pakte zijn hand en trok hem mee.

'Waar gaan we heen?' vroeg hij. 'Geef me op z'n minst een hint.'

'Een kleine hint dan,' zei Celia toen we Fifth Avenue overstaken.

'Nee.' John schudde zijn hoofd. 'Geen hints. Hij kan te goed raden. Dan is er geen lol meer aan.'

'Connor, waar nemen ze papa mee naartoe?' vroeg Harry. Ik zag Connor giechelen bij het horen van haar naam.

Toen Celia nog geen twee straten van ons appartement het park insloeg, zag Harry meteen het kleed klaarliggen met onze parasol en picknickmanden ernaast. Er verscheen een brede lach op zijn gezicht.

'Gaan we picknicken?' vroeg hij.

'Ja, een eenvoudige picknick met z'n vijfjes,' antwoordde ik.

Harry glimlachte. Hij deed heel even zijn ogen dicht. Alsof hij in de hemel was. 'Precies wat ik wou,' zei hij.

'Ik heb de sangria gemaakt,' zei Celia. 'Luisa heeft uiteraard voor het eten gezorgd.'

'Uiteraard,' zei Harry grinnikend.

'En John heeft de parasol gehaald.'

John hurkte en pakte de pruiken. 'En deze.'

Hij gaf mij een zwarte met krullen en Celia een korte blonde. Harry pakte een rossige. En John zette er een op met lang bruin haar waardoor hij net een hippie leek.

We keken elkaar giechelend aan, maar tot mijn verbazing zagen ze er behoorlijk geloofwaardig uit. En toen ik de bijbehorende zonnebril opzette, voelde ik me een stuk vrijer.

'Dus jij hebt de pruiken gekocht en Celia heeft de sangria gemaakt, maar wat heeft Evelyn dan gedaan?' vroeg Harry terwijl hij Connor van zijn rug losmaakte en haar op het kleed legde. Ik hielp haar om rechtop te gaan zitten.

'Goeie vraag,' zei John met een grijns. 'Dat moet je maar aan haar vragen.'

'Ik heb heus ook mijn steentje bijgedragen,' zei ik.

'Goh, nou je het zegt, Evelyn, wat heb jij eigenlijk gedaan?' vroeg Celia.

Ik keek op en zag dat er drie plagerige blikken op me gericht waren.

'Ik... eh...' Ik gebaarde vaag naar de picknickmand. 'Je weet wel...'

'Nee,' zei Harry grinnikend. 'Geen idee.'

'Luister, ik heb het hartstikke druk gehad,' zei ik.

'Hm-hm,' zei Celia.

'O, goed dan.' Connor begon moeilijk te kijken, dus ik tilde haar op. Ik wist dat het anders huilen geblazen was. 'Ik heb geen reet uitgevoerd.'

Ze begonnen me alle drie uit te lachen, en toen begon Connor ook te schateren.

John deed een van de manden open. Celia schonk wijn in. Harry boog zich vooroverd en gaf Connor een kus op haar voorhoofd.

Dat was een van de laatste momenten waarop we allemaal samen waren en gezellig zaten te lachen en praten. Als een gelukkig gezin.

Want daarna verpestte ik alles.

DON EN IK ZATEN MIDDEN IN DE OPNAMES VOOR *THREE A.M.* IN New York. Terwijl ik aan het werk was pasten Luisa, Celia en Harry om beurten op Connor. Het waren langere draaidagen dan verwacht en we liepen behoorlijk uit.

Ik speelde Patricia, een vrouw die verliefd is op een drugsverslaafde, Mark, die gespeeld werd door Don. En ik merkte elke dag weer dat hij niet dezelfde Don was als vroeger, die op de set verscheen en charmant zijn tekst opdreunde. Wat hij nu liet zien was steengoed, rauw acteerwerk. Hij legde emotie in zijn spel die hij duidelijk ontleende aan zijn eigen leven.

Op de set hoop je altijd dat wat je staat te doen door de lens van de camera in iets magisch verandert. Maar dat weet je nooit helemaal zeker.

Zelfs toen Harry en ik zelf films produceerden en zo vaak terugkeken wat we die dag hadden opgenomen dat mijn ogen er pijn van deden en ik nauwelijks meer kon onderscheiden wat echt was en wat film, wisten we nooit honderd procent zeker of alles perfect samen zou komen tot we de eerste gemonteerde versie zagen.

Maar op de set van *Three A.M.* wist ik dat wel. Ik wist dat het publiek door die film op een andere manier naar mij zou gaan kijken, en naar Don. Ik dacht dat de film misschien wel zo goed zou worden dat hij mensen zou kunnen overtuigen om te gaan afkicken. Misschien zou hij zelfs blijvende impact hebben op de filmindustrie.

Dus leverde ik er van alles voor in.

Als Max meer draaidagen wilde inplannen, leverde ik tijd met Connor in om er te kunnen zijn. Als Max 's avonds wilde doorwerken, ging dat ten koste van dinertjes en avonden met Celia. Ik geloof dat ik Celia zo'n beetje dagelijks belde vanaf de set om ergens sorry voor te zeggen. Dat ik niet op tijd in het restaurant kon zijn. Dat ze thuis moest blijven om op Connor te passen.

Ik merkte dat ze spijt begon te krijgen dat ze erop had aangedrongen dat ik de rol aannam. Ik geloof dat ze het geen prettig idee vond dat ik elke dag met mijn ex-man samenwerkte. Ik geloof dat ze het geen prettig idee vond dat ik elke dag met Max Girard samenwerkte. Ik geloof dat ze niet blij werd van de lange dagen die ik maakte. En ik kreeg ook de indruk dat ze weliswaar dol was op mijn dochtertje, maar niet per se blij werd van oppassen.

Maar ze klaagde niet en steunde me. Als ik voor de zoveelste keer belde om te zeggen dat ik later thuis zou zijn, antwoordde ze steevast: 'Dat geeft niet, schatje. Maak je maar geen zorgen. Ga lekker de sterren van de hemel spelen.' In dat opzicht was ze de ideale partner, omdat ze mij en mijn werk altijd op de eerste plaats liet komen.

Op een avond, tegen het einde van de opnameperiode, stond ik na een zware dag met veel emotionele scènes op het punt om naar huis te gaan toen Max bij mijn kleedkamer aanklopte.

'Ha,' zei ik. 'Is er iets?'

Hij keek me even peinzend aan en ging toen zitten. Ik bleef staan, omdat ik graag zo snel mogelijk weg wilde. 'Volgens mij moeten we een belangrijke afweging maken, Evelyn.'

'O ja?'

'Volgende week is de seksscène.'

'Dat was me niet ontgaan.'

'Deze film, hij is bijna klaar.'

'Klopt.'

'En volgens mij ontbreekt er nog iets.'

'Wat dan?'

'Volgens mij moet de kijker inzicht krijgen in de rauwe aantrekkingskracht tussen Patricia en Mark.'

'Dat ben ik met je eens. Daarom ben ik er ook mee akkoord gegaan dat mijn borsten volledig in beeld komen. Jij mag iets wat nog geen enkele filmmaker, jouzelf meegerekend, eerder heeft gemogen. Ik zou denken dat je daar dolblij mee zou zijn.'

'Ja, natuurlijk, dat ben ik ook, maar volgens mij moeten we laten zien dat Patricia iemand is die weet wat ze wil en daar ook voor gaat, die intens kan genieten van de vleselijke geneugten van het leven. Zoals ze nu is, blijft ze een martelares, een heilige die Mark de hele film bijstaat en helpt.'

'Precies, omdat ze zoveel van hem houdt.'

'Ja, maar we moeten ook zien waaróm ze van hem houdt. Wat heeft hij haar te bieden, wat krijgt ze van hem terug?'

'Waar doel je nou op?'

'Ik wil iets in beeld brengen wat bijna nooit iemand laat zien.'

'Namelijk?'

'Ik wil dat het publiek ziet dat jij seks hebt omdat je het lekker vindt.'

Hij keek me bevlogen aan, met wijd open ogen. Hij had een artistieke opleving. Ik had altijd al geweten dat Max een beetje een geilneef was, maar dit was een ander verhaal. Dit was een manier om stof te doen opwaaien. 'Ga maar na. Seksscènes gaan altijd over liefde. Of over macht.'

'Tuurlijk. En ons doel met de seksscène van komende week is om te laten zien hoeveel Patricia van Mark houdt. Hoe erg ze in hem gelooft. Hoe sterk de band tussen hen is.'

Max schudt zijn hoofd. 'Ik wil ermee laten zien dat een van de redenen dat Patricia van Mark houdt is dat hij haar kan laten klaarkomen.'

Ik deinsde onwillekeurig een beetje achteruit en probeerde het allemaal tot me door te laten dringen. Eigenlijk is het bizar dat het zo aanstootgevend klonk, maar dat was het wel degelijk. Voor vrouwen draait seks om intimiteit. Voor mannen draait het om genot. Dat houdt de samenleving ons voor.

Het idee dat te zien zou zijn dat ik van mijn lichaam genoot, dat ik net zo goed begeerte kon voelen als een man dat kon, dat een vrouw het genot van de man niet altijd voorop hoefde te zetten... dat voelde behoorlijk gewaagd.

Max stelde in feite voor om de vrouwelijke lust in beeld te brengen. En gevoelsmatig vond ik het meteen een geweldig idee. Ik bedoel, van het vooruitzicht dat ik een expliciete seksscène zou moeten spelen met Don werd ik ongeveer net zo hitsig als van een bakje muesli, maar ik was bereid om de grenzen op te zoeken. Ik wilde graag een vrouw laten zien die lekker klaarkwam. Het idee dat ik een vrouw mocht spelen die seks had omdat ze bevredigd wilde worden en niet omdat ze uit alle macht haar partner wilde bevredigen stond me erg aan. Dus uit puur enthousiasme stond ik weer op, pakte mijn jas, stak mijn hand uit en zei: 'Ik doe 't!'

Max moest lachen, sprong op van zijn stoel en schudde me de hand. 'Fantastique, ma belle!'

Eigenlijk had ik moeten zeggen dat ik er een nachtje over wilde slapen. Ik had het zodra ik thuiskwam met Celia moeten overleggen. Ik had haar inspraak moeten geven.

Ik had haar de kans moeten geven om eventuele bezwaren te uiten. Zij kon weliswaar niet voor mij bepalen wat ik wel en niet met mijn lichaam mocht doen, maar ik had moeten beseffen dat ik het wel aan haar verplicht was om na te gaan welke gevolgen mijn keuzes eventueel voor haar zouden hebben. Ik had haar mee uit eten moeten nemen en rustig moeten uitleggen wat ik van plan was en waarom. Ik had die avond met haar moeten vrijen om haar te laten zien dat zij de enige was door wie ik bevredigd wilde worden.

Het ligt allemaal heel erg voor de hand. Zulke dingen hoor je gewoon over te hebben voor je partner als je weet dat de hele wereld straks te zien krijgt dat jij seks hebt met een ander.

Ik kon het allemaal niet opbrengen voor Celia.

Sterker nog, ik ging haar uit de weg.

Ik ging naar huis en keek of Connor al sliep. Ik liep naar de keuken en at een salade met kip die Luisa voor me in de koelkast had gezet.

Celia kwam binnen en sloeg haar armen om me heen. 'Hoe gingen de opnames vandaag?'

'Goed,' zei ik. 'Helemaal prima.'

En omdat ze niet vroeg: *Hoe was je dag?* of *Heeft Max nog iets bijzonders gedaan?* of *Wat gaan jullie volgende week nog doen?* bracht ik het niet ter sprake.

Ik nam twee shotjes whisky voor Max 'Actie!' riep. Het was een gesloten set. Ik was alleen met Don, Max, de cameraregisseur en een paar mensen voor het licht en geluid.

Ik deed mijn ogen dicht en probeerde me voor de geest te halen hoe fijn het al die jaren geleden had gevoeld om naar Don te verlangen. Ik dacht eraan terug hoe heerlijk het was geweest om mijn eigen begeerte te voelen ontwaken, om te beseffen dat ik seks lekker vond, dat het niet alleen draaide om wat mannen wilden, maar ook om mij. Ik prentte me in dat ik dat zaadje dolgraag bij andere vrouwen wilde planten. Ik dacht aan alle vrouwen die misschien wel bang waren voor hun eigen genot, hun eigen macht. Ik stelde me voor hoeveel het al zou betekenen als er één vrouw na afloop van de film tegen haar man zou zeggen: 'Dat wil ik ook.'

Ik wekte dat wanhopige verlangen bij mezelf op, dat schrijnende smachten naar iets wat alleen een ander je kan geven. Vroeger voelde ik dat bij Don. Tegenwoordig voelde ik het bij Celia. Dus ik deed mijn ogen dicht, richtte mijn aandacht helemaal naar binnen en vond dat gevoel in mezelf.

Later beweerden mensen dat Don en ik echt seks hebben in de film. Er deden allerlei geruchten de ronde dat het niet gespeeld was. Maar dat was allemaal klinkklare onzin.

Het publiek dacht gewoon dat het naar echte seks zat te kijken omdat de vonken ervanaf vlogen, omdat ik mezelf had wijsgemaakt dat ik hem op dat moment dringend nodig had, en omdat Don nog wist hoe hij naar me had verlangd voor hij voor het eerst met me naar bed ging.

Die dag liet ik me echt helemaal gaan op de set. Ik was in het moment, ongetemd en onbeteugeld. Zo had ik me voor de camera nog nooit gevoeld en zou ik me ook nooit meer voelen. Het was een moment van puur denkbeeldige diepe extase.

Toen Max 'Cut!' riep, liet ik het meteen los. Ik stond op en schoot haastig mijn badjas aan. Ik moest blozen. Ik. Evelyn Hugo. Die bloosde!

Don vroeg of alles goed ging. Ik wendde mijn gezicht van hem af en wilde niet dat hij me aanraakte.

'Het gaat prima,' zei ik, en toen ging ik naar mijn kleedkamer, deed de deur achter me dicht en jankte mijn ogen uit mijn kop.

Ik schaamde me er niet voor. Ik maakte me geen zorgen om wat het publiek ervan zou vinden. De tranen stroomden over mijn wangen omdat plots tot me doordrong wat ik Celia aandeed.

Ik was altijd iemand geweest die achter haar eigen normen en waarden stond. Anderen zouden zich er misschien niet in kunnen vinden, maar voor mij klopten ze. En dat ik altijd eerlijk moest zijn tegen Celia en moest doen wat het beste was voor haar maakte daar onderdeel van uit.

Dit was absoluut niet het beste voor Celia.

Wat ik zojuist had gedaan, zonder haar instemming, kon de vrouw van wie ik hield schaden.

Toen we klaar waren voor die dag nam ik geen taxi, maar liep ik het hele stuk van vier kilometer naar huis. Ik had even een momentje voor mezelf nodig.

Onderweg kocht ik een bos bloemen. Ik belde Harry vanuit een telefooncel om te vragen of Connor die nacht bij hem mocht slapen.

Toen ik thuiskwam zat Celia in de slaapkamer haar haar te föhnen.

'Deze zijn voor jou,' zei ik, een bos witte lelies voor haar omhoogstekend. Ik zei er maar niet bij dat de bloemist me had verteld dat witte lelies aangeven: Mijn liefde is puur.

'O, wow,' zei ze. 'Ze zijn prachtig. Dank je wel.'

Ze rook eraan en pakte toen een glas, hield het onder de kraan en zette de bloemen erin. 'Voor nu even,' zei ze. 'Tot ik in de gelegenheid ben om een geschikte vaas uit te kiezen.'

'Ik wilde je wat vragen,' zei ik.

'O jee,' zei ze. 'Waren de bloemen bedoeld als zoethoudertje?'

Ik schudde mijn hoofd. 'Nee,' antwoordde ik. 'Die zijn bedoeld als teken dat ik van je hou. Want ik wil dat je weet hoe vaak ik aan je denk, hoe belangrijk je voor me bent. Dat zeg ik niet vaak genoeg. Ik wilde het op deze manier zeggen. Met een bos bloemen.'

Ik heb nooit goed met schuldgevoelens kunnen omgaan. Bij mij steken die altijd meteen de kop op, tegelijk. Als ik me ergens schuldig over voel, moet ik ook gelijk denken aan alle andere dingen waar ik me schuldig over zou moeten voelen.

Ik ging op het voeteneind van het bed zitten. 'Ik wilde gewoon... Ik wilde even zeggen dat ik het er met Max over heb gehad, en dat de seksscène in de film waarschijnlijk wat explicieter gaat uitvallen dan we dachten.'

'Hoe expliciet?'

'Een stukje intenser. Waardoor het publiek te zien krijgt hoe wanhopig Patricia behoefte heeft aan bevrediging.'

Ik gebruikte een flagrante leugen om te verbergen wat ik níét vertelde. Ik construeerde een alternatieve werkelijkheid waarin Celia zou geloven dat ik wel degelijk om haar instemming had gevraagd vóór ik tot actie was overgegaan.

'Behoefte aan bevrediging?'

'We moeten duidelijk maken wat Patricia uit haar relatie met Mark haalt. Liefde alleen is niet genoeg. Er moet meer achter zitten.'

'Dat klinkt wel logisch,' zei Celia. 'Je bedoelt dat het antwoord geeft op de vraag: *Waarom gaat ze niet gewoon bij hem weg?*'

'Precies, ja,' antwoordde ik gretig, omdat ik begon te denken dat ze het misschien wel zou begrijpen, dat ik het misschien wel met terugwerkende kracht kon goedmaken. 'Dus gaan we een vrij plastische scène tussen Don en mij draaien. Ik ben het grootste deel van de tijd naakt. Om de kern van het verhaal echt goed over te kunnen brengen, moeten we in beeld brengen dat de hoofdpersonages zich echt kwetsbaar tegenover elkaar opstellen, dat de seks hen... verbindt.'

Celia luisterde aandachtig naar me en liet even bezinken wat ik zei. Ik kon haar zien worstelen met mijn woorden in een poging die een plaats te geven. 'Ik wil dat jij de film doet zoals het je goeddunkt,' zei ze.

'Dank je wel.'

'Maar ik heb wel...' Ze keek naar de grond en schudde haar hoofd. 'Het voelt nogal... ik weet het niet. Ik weet niet of ik dit wel trek. Het idee dat je de hele dag met Don doorbrengt, met die lange avonden steeds, en ik zie je zelf nauwelijks en dan ook nog eens... seks. Seks is iets heiligs tussen ons. Ik weet niet of ik dat wel aan kan zien.'

'Je hoeft de film niet te kijken.'

'Maar dan weet ik alsnog dat het gebeurd is. Dat die scène bestaat. En dat iedereen hem kan zien. Ik wil het echt graag prima vinden allemaal. Echt waar.'

'Dan kies je daar toch voor?'

'Ik ga mijn best doen.'

'Dank je wel.'

'Ik ga echt heel hard mijn best doen.'

'Super.'

'Maar ik denk niet dat het me lukt, Evelyn. Het idee alleen al dat je... toen je met Mick naar bed was geweest, heb ik me daar jaren beroerd over gevoeld, door het beeld van jullie samen.'

'Dat weet ik.'

'En je bent ook weet ik het hoeveel keer met Harry naar bed geweest,' zei ze.

'Dat weet ik, lieverd. Ik weet het. Maar ik ga niet met Don naar bed.'

'Maar dat heb je vroeger wel gedaan. Als mensen jullie samen in beeld zien, kijken ze naar iets wat jullie vroeger in het echt deden.'

'We doen toch maar alsof,' wierp ik tegen.

'Dat weet ik, maar je zegt net zelf dat je bereid bent om het er realistisch uit te laten zien. Je zegt dat je het er echter uit gaat laten zien dan ooit tevoren.'

'Ja,' zei ik. 'Ik geloof dat het daar wel op neerkomt.'

Ze begon te huilen. Ze sloeg haar handen voor haar gezicht. 'Het voelt alsof ik tekortschiet,' zei ze. 'Maar ik kan dit gewoon niet aan. Echt niet.

Ik ken mezelf, en ik weet dat ik dit niet aankan. Ik zou me er te beroerd bij voelen. Ik zou me opvreten bij het idee van jullie samen.' Ze schudde resoluut haar hoofd. 'Het spijt me. Ik kan het niet opbrengen. Ik wil het niet hebben. Ik zou willen dat ik sterker was, echt waar. Ik weet best dat jij er geen moeite mee zou hebben als de rollen omgedraaid waren. Het voelt alsof ik je teleurstel. En dat spijt me echt, Evelyn. Ik zal mijn uiterste best doen om het goed te maken. Al duurt het ons hele leven. Ik zal je helpen om elke rol te krijgen die je maar hebben wilt. En ik zal ook mijn best doen om te zorgen dat ik sterker ben als dit nog een keer gebeurt. Maar... alsjeblieft, Evelyn, ik trek het echt niet als jij weer met een man naar bed gaat. Ook al doen jullie maar alsof. Ik kan het niet aan. Doe het alsjeblieft niet,' zei ze nadrukkelijk.

De moed zonk me in de schoenen. Ik moest bijna overgeven.

Ik staarde naar de grond. Ik bestudeerde de spleet tussen de twee planken waar ik op stond, de schroefkoppen die een klein stukje in het hout verzonken waren.

Toen keek ik haar weer aan en zei: 'Ik heb het al gedaan.'

Ik barstte in snikken uit.

Ik smeekte om haar vergiffenis.

Ik ging letterlijk voor haar door het stof, ik ging op mijn knieën naast het bed zitten, want ik wist uit jaren ervaring dat als je iets écht wilt, je er volledig voor moet gaan.

Maar Celia liet me niet uitpraten. Ze zei: 'Mijn enige wens was dat je echt van mij was. Maar dat ben je nooit geweest. Niet helemaal. Ik heb altijd genoegen moeten nemen met een deel. En de rest van de wereld krijgt de andere helft. Ik neem het je niet kwalijk. Het betekent niet dat ik minder van je hou. Maar ik kan dit niet aan. Ik trek het gewoon niet, Evelyn. Ik wil niet voor eeuwig met een half gebroken hart blijven rondlopen.'

En ze ging op stel en sprong bij me weg.

Binnen een week had Celia al haar spullen zowel uit mijn appartement als dat van haar gehaald en was ze terugverhuisd naar L.A.

Ze nam niet op wanneer ik haar belde. Ik kreeg haar niet te pakken.

Een paar weken later vroeg ze een scheiding aan van John. Hij kreeg de documenten binnen, maar ze had ze voor hetzelfde geld rechtstreeks naar mij kunnen sturen. Het was overduidelijk dat ze door van hem te scheiden eigenlijk onze relatie definitief verbrak.

Ik kreeg John zover dat hij haar agent en haar manager belde. Via hen wist hij te achterhalen dat ze in het Beverly Wilshire Hotel verbleef. Ik vloog naar Los Angeles en bonsde bij haar op de deur.

Ik had mijn favoriete jurkje van Diane von Furstenberg aan, omdat Celia ooit had gezegd dat ze me daarin zo onweerstaanbaar sexy vond. Uit een van de andere hotelkamers kwamen een man en een vrouw naar buiten, en terwijl ze de gang uit liepen, bleven ze voortdurend naar me omkijken. Ze hadden me herkend. Maar ik weigerde me te verstoppen. Ik bleef gewoon op de deur bonzen.

Toen Celia eindelijk opendeed, keek ik haar diep in de ogen en zei niets. Ze staarde zwijgend terug. En toen zei ik met tranen in mijn ogen: 'Alsjeblieft.' Meer niet.

Ze wendde zich van me af.

'Ik heb iets doms gedaan,' zei ik. 'Het zal nooit meer gebeuren.'

De vorige keer dat we zo'n hevige ruzie hadden, had ik geweigerd om mijn excuses aan te bieden. En ik was er echt van overtuigd dat als ik deze keer toegaf dat ik het verkeerd had aangepakt, als ik oprecht en uit het diepst van mijn hart zei dat het me speet, dat ze het me dan zou vergeven.

Maar dat deed ze niet. 'Ik wil dit niet meer,' zei ze hoofdschuddend. Ze droeg een spijkerbroek met hoge taille en een T-shirt met het Coca-Cola-logo. Haar haar was lang; het kwam voorbij haar schouders. Ze was zevenendertig maar zag eruit alsof ze in de twintig was. Ze hield altijd iets jeugdigs dat ik niet had. Ik was inmiddels achtendertig en dat was me ook steeds meer aan te zien.

Toen ze dat zei, zakte ik midden op de gang van het hotel door mijn knieën en jankte de ogen uit mijn hoofd.

Ze trok me haar kamer in.

'Neem me terug, Celia,' smeekte ik. 'Neem me terug, dan geef ik alles op. Alles behalve Connor. Ik zal nooit meer in een film spelen. Ik zal openlijk voor onze relatie uitkomen. Ik ben er klaar voor om helemaal voor jou te gaan. Alsjeblieft.'

Celia liet me uitpraten. Toen ging ze rustig op de stoel naast het bed zitten en zei ze: 'Evelyn, daar ben jij helemaal niet toe in staat. En dat zal ook nooit veranderen. En het feit dat ik niet genoeg van jou kan houden om je helemaal voor mezelf te krijgen en jij niet genoeg van je kunt laten houden om je helemaal aan iemand over te geven, zal ik altijd het meest tragische aan mijn leven blijven vinden.'

Ik bleef nog even staan in de hoop dat ze nog meer te zeggen had. Maar dat was niet zo. Ze was uitgepraat. En ik kon haar op geen enkele manier meer op andere gedachten brengen.

Toen dat eenmaal tot me doordrong, vermande ik me, slikte mijn tranen in, gaf haar een kus op haar voorhoofd en vertrok.

Ik stopte mijn verdriet weg en stapte op het vliegtuig terug naar New York. Pas toen ik weer thuis was, stortte ik in. Ik huilde tranen met tuiten, alsof ze dood was.

Zo definitief voelde het ook.

Ik was te ver gegaan. En daarmee was het uit.

'was dat echt het einde van jullie relatie?' vraag ik.

'Ze had het gehad met me,' antwoordt Evelyn.

'Maar hoe liep het dan af met de film?'

'Bedoel je of het het waard was?'

'Zoiets ja.'

'De film werd een gigantisch succes. Maar het was het niet waard, nee.'

'Don Adler kreeg er een Oscar voor, toch?'

Evelyn rolt met haar ogen. 'Die eikel won een Oscar, terwijl ik niet eens genomineerd werd.'

'Waarom eigenlijk niet? Ik heb de film gezien,' zeg ik. 'Gedeeltelijk, in ieder geval. Je speelt geweldig. Echt uitzonderlijk goed.'

'Dacht je soms dat ik dat niet weet?'

'Nou, waarom was je dan niet genomineerd?'

'Daarom niet!' zegt Evelyn gefrustreerd. 'Omdat ik er niet om bejubeld mocht worden. Hij kreeg een leeftijdskeuring van achttien jaar en ouder. Ongeveer bij elke krant in het hele land kwamen stapels ingezonden brieven binnen. De film zou te aanstootgevend en te expliciet zijn. Mensen werden er opgewonden van, en daar wilden ze iemand de schuld van geven, en die zondebok werd ik. Wie moesten ze anders aanwijzen? De Franse regisseur? Zo zijn Fransen nu eenmaal. En Don Adler had net zijn leven gebeterd, dus die kwam ook niet in aanmerking. Ze gaven de schuld aan de vrouw die ze zelf tot seksbom hadden uitgeroepen en nu voor sloerie konden uitmaken. Daar gingen ze me echt geen Oscar voor geven. Ze keken de film lekker in hun eentje in een donkere bioscoop en spraken er vervolgens in het openbaar schande van.'

'Maar het heeft je carrière niet geschaad,' werp ik tegen. 'Je hebt het jaar daarna nog in twee films gespeeld.'

'Ik leverde geld op. Daar zegt niemand nee tegen. Ze castten me maar al te graag, maar vervolgens zaten ze wel achter mijn rug om over me te roddelen.'

'Een paar jaar later zette je een rol neer die door velen als een van de mooiste van de jaren zeventig wordt beschouwd.'

'Ja, oké, maar het was niet eerlijk dat ik me zo moest bewijzen. Ik had niks verkeerd gedaan.'

'Tja, maar dat weten we nu toch. Begin jaren tachtig werd er al grote bewondering geuit voor de film en jouw rol daarin.'

'Achteraf lijkt het allemaal misschien niet zo erg,' zegt Evelyn. 'Maar ik stond jarenlang bekend als een del, terwijl mannen en vrouwen door het hele land elkaar suf neukten bij de gedachte aan de "diepere lagen" van die film. Mensen vonden het schokkend om een vrouw te zien die zin had om genomen te worden. En ik weet zelf hoe plat dat klinkt, maar ik kan het niet anders verwoorden. Patricia was niet het soort vrouw dat wil vrijen. Ze wilde gewoon neuken. Dus dat brachten we in beeld. En mensen vonden het vreselijk dat ze er zo van genoten.'

Ze is er nog steeds boos over. Ik zie het aan de spanning in haar kaak.

'Kort daarna won je alsnog een Oscar.'

'Vanwege die film raakte ik Celia kwijt,' zegt ze. 'Het leven waar ik zo dol op was werd overhoopgegooid door die film. Natuurlijk weet ik dat ik het aan mezelf te danken had. Ik was zelf zo stom geweest om een nogal plastische seksscène te spelen met mijn ex-man zonder het eerst met haar te overleggen. Ik probeer echt de schuld voor mijn eigen fouten niet in andermans schoenen te schuiven. Maar toch.' Evelyn is even stil, in gedachten verzonken.

'Ik wil je iets vragen, omdat ik denk dat het belangrijk is dat je je er direct over uitspreekt,' zeg ik.

'Oké...'

'Was jouw biseksualiteit een complicerende factor in jullie relatie?' Ik wil er zeker van zijn dat ik alle nuances van haar geaardheid belicht, in al haar facetten.

'Hoe bedoel je?' vraagt ze. Er klinkt iets scherps door in haar stem.

'Je relatie ging stuk door je seksuele omgang met mannen. Dat lijkt me relevant voor jouw identiteit in bredere zin.'

Evelyn luistert aandachtig naar me en denkt even na. Dan schudt ze haar hoofd. 'Nee, mijn relatie ging stuk omdat ik beroemd zijn net zo belangrijk vond als mijn partner. Dat had niets met mijn seksuele voorkeur te maken.'

'Maar je zette je seksualiteit in om bepaalde dingen van mannen gedaan te krijgen die Celia je niet kon bieden.'

Evelyn schudt nog stelliger haar hoofd. 'Er is een verschil tussen seksualiteit en seks. Ik gebruikte seks om mijn zin te krijgen. Seks is maar een handeling. Seksualiteit is een oprechte uiting van begeerte en genot. Die bewaarde ik altijd voor Celia.'

'Zo had ik er nog niet naar gekeken,' zeg ik.

'Dat ik biseksueel ben maakte me nog niet ontrouw,' zegt Evelyn. 'Dat heeft niks met elkaar te maken. En het betekent ook niet dat Celia maar aan de helft van mijn behoeftes kon voldoen.'

Ik wil haar onderbreken. 'Ik bedoelde...'

'Ik weet dat je dat niet bedoelt,' zegt Evelyn. 'Maar ik wil dat je het in mijn bewoordingen hoort. Toen Celia zei dat ze me nooit helemaal voor zichzelf zou hebben, ging dat over het feit dat ik egoïstisch was en bang was om alles wat ik had kwijt te raken. Niet omdat ik twee kanten had die nooit allebei door een en dezelfde persoon konden worden bevredigd. Ik brak Celia's hart omdat ik de helft van de tijd van haar hield en de andere helft bezig was om die liefde verborgen te houden. Ik ben nooit vreemdgegaan – als je onder vreemdgaan verstaat dat je je aangetrokken voelt tot een ander en daar vervolgens mee naar bed gaat. Dat heb ik nooit gedaan. Zolang ik met Celia was, was ik ook alleen met haar. Het was voor ons niet anders dan in een huwelijk tussen een man en een vrouw. Keek ik weleens naar anderen? Natuurlijk. Net als iedereen die een relatie heeft. Maar ik hield van Celia en zij was de enige aan wie ik mijn ware ik blootgaf.

Het probleem was dat ik mijn lichaam inzette om andere dingen voor elkaar te krijgen. En daar hield ik zelfs voor haar niet mee op. Dat is het meest tragische aan míjn leven: dat ik mijn lichaam inzette toen dat het enige was wat ik had, maar het nog steeds deed toen ik allang andere opties had. Ik bleef het doen, ook al wist ik dat ik er mijn geliefde mee kwetste. Bovendien betrok ik haar erbij. Ik bracht haar in de positie waarin ze voortdurend maar goed moest vinden wat ik deed, ten nadele van zichzelf. Celia was weliswaar briesend weggegaan, maar in werkelijkheid ging onze relatie dood door duizend sneden. Dag in dag uit kerfde ik kleine sneetjes in haar ziel. En vervolgens was ik verbaasd dat ze een gapende wond had die te groot was om nog te genezen.

Ik was met Mick in de koffer gedoken om mijn carrière én die van haar te beschermen. Want die hadden wat mij betrof een hogere prioriteit dan ons heilige verbond. Ik had seks gehad met Harry omdat ik een kind wilde en vreesde dat mensen argwaan zouden krijgen als we er een adopteerden. Want ik wilde vooral niet de aandacht vestigen op het feit dat ons huwelijk platonisch was. Ook dat vond ik belangrijk genoeg om onze heilige relatie voor te schenden. En toen Max Girard een mooi artistiek voorstel deed voor een film, ging ik daar gretig op in. En ook dat liet ik ten koste gaan van de heiligheid van onze relatie.'

'Volgens mij ben je te streng voor jezelf,' zeg ik. 'Celia was ook niet perfect. Ze kon behoorlijk wreed zijn.'

Evelyn haalt lichtjes haar schouders op. 'Ze zorgde er altijd voor dat ze haar slechte acties compenseerde met heel veel goeie. Ik... nou ja, ik deed dat andersom niet. Bij mij was het altijd fiftyfifty. En dat is zo'n beetje het naarste wat je je dierbaren aan kunt doen: net lief genoeg voor ze zijn om ze een heleboel narigheid te laten pikken. Dat drong natuurlijk allemaal pas tot me door nadat ze het had uitgemaakt. En ik deed echt mijn best om het goed te maken. Maar het was te laat. Ze kon het gewoon niet meer aan, zoals ze al zei. Omdat ik te veel tijd nodig had om uit te vogelen wat echt belangrijk voor me was. Niet vanwege mijn geaardheid. Ik vertrouw erop dat je dat goed zult weten te verwoorden.'

'Dat zal ik zeker doen,' antwoord ik. 'Beloofd.'

'Dat weet ik. En nu we het er toch over hebben hoe ik het liefst afgeschilderd wil worden, is er nog iets wat je heel zorgvuldig moet formuleren. Als ik er niet meer ben kan ik het namelijk niet meer nuanceren. Ik wil honderd procent zeker weten dat je wat ik nu ga zeggen op de juiste manier opschrijft.'

'Oké,' zeg ik. 'Wat dan?'

Evelyn wordt plots somberder. 'Ik ben geen goed mens, Monique. Zorg dat dat duidelijk uit het boek naar voren komt. Dat ik nooit heb beweerd dat ik een goed mens ben. Dat ik van alles heb gedaan waarmee ik mensen heb gekwetst, en dat ik dat allemaal zo opnieuw zou doen als dat nodig was.'

'Ik weet het niet, hoor,' werp ik tegen. 'Volgens mij valt dat alleszins mee, Evelyn.'

'Als er iemand is die daar straks anders over denkt, ben jij het wel,' zegt ze. 'Neem dat maar van mij aan.'

En ik denk alleen maar: wat heeft ze in vredesnaam geflikt?

JOHN OVERLEED IN 1980 AAN EEN HARTAANVAL. HIJ WAS NOG GEEN vijftig. Het sloeg nergens op. Hij was juist de meest sportieve en gezonde van het stel – hij rookte niet en sportte elke dag – dus dat zijn hart ermee ophield was volkomen onlogisch. Maar het leven is nu eenmaal niet logisch. En toen hij er niet meer was, liet hij een boomlang gat achter in ons leven.

Connor was vijf. Het was moeilijk om aan haar uit te leggen waar ome John naartoe was. Het was misschien nog wel moeilijker om uit te leggen waarom haar vader zo diepongelukkig was. Wekenlang kon Harry amper zijn bed uit komen. En toen hij dat eindelijk wel weer eens deed, was het alleen maar om whisky voor zichzelf in te schenken. Hij was zelden nuchter, voortdurend neerslachtig en regelmatig onaardig.

Er kwam een foto in de krant waarop Celia in tranen, met rooddoorlopen ogen, op locatie in Arizona naar haar trailer liep. Het liefst had ik haar stevig vast willen pakken. Het liefst had ik me er samen met haar doorheen geslagen. Maar ik wist dat dat er niet in zat.

Maar Harry kon ik wel helpen. Dus waren Connor en ik elke dag bij hem thuis. Zij sliep op haar eigen kamer. Ik sliep bij hem op de kamer op de bank. Ik zorgde dat hij wat at. Ik zorgde dat hij zich waste. Ik zorgde dat hij met zijn dochtertje speelde.

Op een ochtend liep ik toen ik net wakker was de keuken in en trof ik Harry en Connor daar samen aan. Connor was melk in haar schaaltje cornflakes aan het schenken terwijl Harry in zijn pyjamabroek uit het raam stond te staren.

In zijn hand hield hij een leeg glas. Toen hij zich van het raam afwendde en naar Connor keek, zei ik: 'Goeiemorgen.'

Connor vroeg: 'Papa, waarom zijn je ogen nat?'

Ik wist niet zeker of hij gehuild had of dat hij al een paar drankjes achter de kiezen had, ondanks het vroege tijdstip.

Op de begrafenis droeg ik een zwarte vintage jurk van Halston. Harry had een zwart pak aan met een zwart overhemd, zwarte stropdas, zwarte riem en zwarte sokken. Van zijn gezicht was de hele dag diepe rouw te lezen.

Zijn intense, rauwe verdriet sloot niet aan op het verhaal dat we de pers hadden voorgeschoteld, dat Harry en John vrienden waren, dat Harry en ik het gelukkige koppel waren. En het feit dat John het huis aan Harry naliet paste daar ook niet bij. Maar tegen mijn instinct in spoorde ik Harry niet aan om zijn gevoelens verborgen te houden of het appartement te weigeren. Ik had nauwelijks meer de puf om onze ware aard te verstoppen. Ik wist ondertussen maar al te goed dat je pijn soms groter is dan je drang om de schijn op te houden.

Celia was er ook, in een zwart mini-jurkje met lange mouwen. Ze begroette me niet. Ze keurde me nauwelijks een blik waardig. Ik staarde naar haar en had dolgraag naar haar toe willen gaan om haar hand vast te houden. Maar ik zette geen stap in haar richting.

Ik was niet van plan om Harry's leed aan te grijpen om het mijne te verzachten. Ik ging geen gesprek met haar aanknopen. Niet bij die gelegenheid.

Harry vocht tegen zijn tranen toen ze Johns kist in de grond lieten zakken. Celia liep weg. Connor zag dat ik haar nakeek en vroeg: 'Mama, wie is die mevrouw? Ze komt me bekend voor.'

'Dat klopt, lieverd,' zei ik. 'Je kent haar van vroeger.'

En toen zei Connor, dat ongelooflijke schatje: 'Zij is die ene die doodgaat in jouw film.'

Het drong tot me door dat ze zich Celia helemaal niet kon herinneren. Ze herkende haar uit *Little Women*.

'Zij is die lieve. Die ene die wil dat iedereen blij is,' zei Connor.

Toen besefte ik pas echt dat mijn gezin volledig uit elkaar was gevallen.

Now This

3-7-1980

HARTSVRIENDINNEN CELIA ST. JAMES EN JOAN MARKER

De laatste tijd heeft iedereen het over ze: Celia St. James en Joan Marker, een nieuw gezicht in Hollywood. Marker, die afgelopen jaar doorbrak met haar glansrol in *Promise Me*, is uitgegroeid tot dé it-girl van dit voorjaar. En wie kan haar beter de fijne kneepjes van het vak bijbrengen dan het lievelingetje van Amerika? De dames gaan regelmatig samen winkelen in Santa Monica en lunchen in Beverly Hills, en lijken geen genoeg van elkaar te kunnen krijgen.

We hopen maar dat dit betekent dat ze binnenkort samen in een film te zien zullen zijn, want dat zou een sterrencast van jewelste opleveren!

IK WIST DAT IK HARRY'S LEVEN ALLEEN OP DE RAILS KON KRIJGEN door hem te overspoelen met werk en met Connor. Dat laatste was makkelijk. Connor was dol op haar vader. Het liefst kreeg ze elke seconde van de dag aandacht van hem. Ze begon steeds meer op hem te lijken, met zijn ijsblauwe ogen en zijn brede, lange postuur. Zolang hij haar bij zich had, bleef hij van de drank af. Hij vond het belangrijk om een goede vader te zijn, en hij wist dat het onverantwoordelijk was om in haar bijzijn te drinken.

Maar ik wist dat als hij 's avonds naar zijn eigen huis ging, iets wat we nog altijd geheimhielden voor de buitenwereld, hij zichzelf in slaap zou drinken. Ik wist dat hij op de dagen dat we hem niet zagen gewoon in bed bleef liggen.

Dus was zijn werk het enige middel. Ik moest een project vinden waar hij blij van werd. Het moest een script zijn waar hij voor warmliep en waar ik een mooie rol in kon spelen. Niet alleen omdat ik op een mooie rol zat te azen, maar ook omdat Harry nooit iets puur en alleen voor zichzelf zou doen. Als hij daarentegen geloofde dat het in mijn belang was, deed hij alles.

Dus las ik maandenlang stapels scripts door, wel honderden. En toen stuurde Max Girard me er een dat hij maar niet aan de man kon brengen. De film heette *All for Us*.

Het ging over een alleenstaande moeder met drie kinderen die naar New York verhuist om voor brood op de plank te zorgen en haar dromen na te jagen. Het ging over hoe je het hoofd boven water houdt in de grote, boze stad, maar ook over hoop en over blijven geloven dat je beter verdient. Ik vermoedde dat dat Harry wel zou aanspreken. En Renee, de moeder, was een eerlijke, integere en sterke vrouw.

Ik snelde ermee naar Harry en smeekte hem om het te lezen. Toen hij eronderuit probeerde te komen, zei ik: 'Volgens mij gaat dit me eindelijk mijn Oscar opleveren.' Dat trok hem over de streep.

Ik genoot met volle teugen van de opnames van *All for Us*. Niet omdat ik eindelijk dat stomme beeldje kreeg of omdat ik op de set een nog intiemere band kreeg met Max Girard. Ik genoot van *All for Us* omdat het Harry weliswaar niet van de drank afhield, maar hem wel uit bed kreeg.

Vier maanden na de première van de film gingen Harry en ik samen naar de Oscaruitreiking. Max Girard had topmodel Bridget Manners als zijn introducee meegebracht, maar al weken voor het evenement zei hij gekscherend dat hij niets liever wilde dan met mij aan zijn arm op de rode loper verschijnen. Zijn vaste grapje was dat hij enorm beledigd was dat ik met zoveel mannen getrouwd was geweest, maar niet met hem. Ik moest toegeven dat ik behoorlijk aan Max gehecht was geraakt. Dus al had hij een andere vrouw bij zich, toen we met zijn vieren op de voorste rij zaten voelde het toch alsof ik in het gezelschap was van de twee mannen die me het meest dierbaar waren.

Connor was in het hotel gebleven en volgde de ceremonie op de televisie met Luisa. Eerder op de dag had ze voor Harry en mij allebei een tekening gemaakt. Op die van mij stond een gouden ster. Op die van Harry een bliksemschicht. Ze zei dat die ons geluk zouden brengen. Ik stopte de mijne in mijn handtas. Harry stak die van hem in zijn borstzakje.

Toen de genomineerden voor Beste Vrouwelijke Hoofdrol werden opgenoemd, besefte ik dat ik nooit echt had geloofd dat ik zou kunnen winnen. Een Oscar bracht bepaalde dingen met zich mee waar ik altijd naar had verlangd: geloofwaardigheid en aanzien als actrice. En als ik heel eerlijk tegenover mezelf was, moest ik concluderen dat ik geen van beide had.

Toen Brick Thomas de envelop openmaakte kneep Harry in mijn hand.

En toen zei Brick zowaar mijn naam, ondanks alles wat ik mezelf had wijsgemaakt.

Ik keek strak voor me uit, met mijn hart in mijn keel, en het drong nog niet helemaal tot me door wat ik net gehoord had. Toen keek Harry me aan en zei: 'Het is je gelukt.'

Ik stond op en omhelsde hem. Ik liep het podium op, nam de Oscar aan die Brick me overhandigde en legde mijn hand op mijn borst om mijn hartslag enigszins tot bedaren te brengen.

Toen het applaus verstomde, boog ik me naar de microfoon toe en gaf ik een speech die ingestudeerd en geïmproviseerd tegelijk was. Ik deed mijn best om me voor de geest te halen wat ik voor de vorige keren, toen ik wél dacht te kunnen winnen, had voorbereid.

'Dank jullie wel,' zei ik, terwijl ik de zee van bekende, bloedmooie gezichten in keek. 'Niet alleen voor deze onderscheiding, die ik tot in de eeuwigheid zal koesteren, maar ook voor het feit dat ik onderdeel mag uitmaken van dit vakgebied. Het is niet altijd makkelijk geweest, en god weet dat ik me er met vallen en opstaan doorheen heb geslagen, maar ik prijs me ontzettend gelukkig dat ik dit leven mag leiden. Dus ik wil niet alleen alle producenten bedanken met wie ik sinds halverwege de jaren vijftig gewerkt heb – o, jezus, nu verraad ik wel meteen hoe oud ik ben – maar vooral mijn favoriete producent, Harry Cameron. Ik hou van je. Ik hou van ons kind. Hoi Connor. Ga nu maar gauw naar bed, lieverdje. Het is al laat. En ik wil ook alle andere acteurs en actrices bedanken met wie ik heb mogen werken en alle regisseurs die me de ruimte hebben gegeven om te groeien als actrice, Max Girard in het bijzonder. Trouwens, ik geloof dat we dit een "hattrick" mogen noemen, Max. En dan is er nog één iemand aan wie ik elke dag denk.'

Tien jaar eerder zou ik veel te schijterig zijn geweest om zoiets te zeggen, laat staan om er nog iets aan toe te voegen. Maar ze moest het weten.

Ook al had ik haar in geen jaren gesproken. Ik moest haar laten weten dat ik nog steeds van haar hield. En dat dat altijd zo zou blijven.

'Ik weet dat ze kijkt. En ik hoop dat ze weet hoe belangrijk ze voor me is. Dank jullie wel.'

Trillend ging ik de coulissen in, waar ik me herpakte. Ik stond ver-slaggevers te woord. Ik nam felicitaties in ontvangst. En ik zat net op tijd weer op mijn stoel om mee te maken dat Max Beste Regisseur won en Harry Beste Film. Na afloop stonden we eindeloos te poseren, alle drie met een grijns van oor tot oor.

We waren naar de hoogste top geklommen, en die avond staken we onze vlag in de grond.

ROND EEN UUR OF ÉÉN 's NACHTS, TOEN HARRY AL NAAR HET HO-tel was teruggegaan om te kijken of alles goed ging met Connor, lie-pen Max en ik samen de binnenplaats van de villa van de directeur van Paramount op. Er stond een ronde fontein die water in de avondlucht omhoogspoot. Daar zaten we ons te verwonderen over wat we samen hadden bereikt. Zijn limousine reed voor.

'Zal ik je een lift geven naar je hotel?' vroeg hij.

'Waar is je date?'

Max haalde zijn schouders op. 'Ik vrees dat die alleen maar uit was op mijn entreebewijs voor de uitreiking.'

Ik moest lachen. 'Arme Max.'

'Niks arme Max.' Hoofdschuddend vervolgde hij: 'Ik heb de avond doorgebracht met de mooiste vrouw op aarde.'

Ik schudde op mijn beurt mijn hoofd. 'Jij bent me er eentje.'

'Je ziet eruit alsof je trek hebt. Rij nou gezellig mee. Dan gaan we een hamburger halen.'

'Een hamburger?'

'Zelfs Evelyn Hugo eet toch af en toe weleens een hamburger?'

Max deed het portier van de limo open en bleef staan tot ik instapte. 'Uw rijtuig wacht,' zei hij.

Ik wilde eigenlijk naar huis om nog even bij Connor te kijken. Ik wilde kijken naar haar mond, die altijd openhing als ze sliep. Maar een hamburger halen met Max Girard klonk me ook best aantrekkelijk in de oren.

Een paar minuten later probeerde de chauffeur de limo door de drive-through van de Jack-in-the-Box te manoeuvreren, waarop Max en ik besloten dat het handiger was als we gewoon uitstapten en naar binnen gingen.

We gingen in de rij staan, ik in mijn marineblauwe zijden baljurk en hij in zijn smoking, achter twee tienerjongens die patat bestelden. En toen we aan de beurt waren, slaakte de caissière een gil alsof ze een muis had gezien.

'O mijn god!' zei ze. 'U bent Evelyn Hugo.'

Ik moest lachen. 'Ik zou niet weten waar je het over hebt,' zei ik. Na vijfentwintig jaar was dat nog steeds een waterdichte reactie.

'Maar u bent het. Evelyn Hugo.'

'Onzin.'

'Dit is de mooiste dag van mijn leven,' zei ze en ze riep de keuken in: 'Norm, je moet echt even komen kijken. Evelyn Hugo staat voor mijn neus. In een baljurk.'

Max lachte zich een breuk terwijl steeds meer mensen naar me begonnen te staren. Ik begon me net een dier in een kooi te voelen. Dat went nooit, hoor, om in kleine ruimtes zo te worden aangestaard. Een paar mensen kwamen uit de keuken om me met eigen ogen te zien.

'Kunnen we misschien ook twee hamburgers bestellen?' vroeg Max. 'Met extra kaas op die van mij, alsjeblieft.'

Hij werd straal genegeerd.

'Mag ik uw handtekening?' vroeg het meisje achter de toonbank.

'Natuurlijk,' zei ik vriendelijk.

Ik hoopte dat ik me er een beetje vlot van af kon maken, dat we snel ons eten zouden krijgen en konden gaan. Ik zette mijn handtekening op papieren menukaarten, papieren hoedjes en zelfs op een paar kassabonnen.

'We moeten er echt vandoor,' zei ik. 'Het is al laat.' Maar ze bleven komen. Ze bleven me papiertjes onder de neus duwen.

'U heeft een Oscar gewonnen,' zei een oudere dame. 'Een paar uur geleden nog maar. Ik heb het zelf gezien. Met mijn eigen ogen.'

'Dat klopt, ja,' antwoordde ik. Ik wees met mijn pen naar Max. 'Hij ook.'

Max zwaaide.

Ik zette nog een paar handtekeningen en gaf nog een paar mensen een hand. 'Goed, nu moet ik er echt vandoor,' zei ik.

Maar de menigte verdrong zich alleen nog maar meer om me heen.

'Oké,' zei Max. 'Gun de dame een beetje lucht.' Ik keek in de richting van zijn stem en zag dat hij zich door de menigte heen mijn kant op wurmde. Hij gaf me de hamburgers aan, tilde me op, gooide me over zijn schouder en liep linea recta de zaak uit, de limousine in.

'Wow,' zei ik toen hij me neerzette.

Hij stapte in en kwam naast me zitten. Hij pakte de zak van me over. 'Evelyn,' zei hij.

'Ja?'

'Ik hou van je.'

'Hoe bedoel je, je houdt van me?'

Hij boog zich voorover, plette de hamburgers en kuste me.

Het voelde alsof iemand de stroom aanzette in een gebouw dat jaren leeg had gestaan. Ik had niet meer zo'n kus gekregen sinds Celia het had uitgemaakt. Sinds de liefde van mijn leven bij me weg was gegaan had ik geen kus meer gekregen waar begeerte in zat, het soort verlangen dat aanstekelijk werkt.

En nu was daar Max, met twee misvormde hamburgers tussen ons in en zijn warme mond op die van mij.

'Dat bedoel ik,' zei hij toen hij zich terugtrok. 'Doe ermee wat je wilt.'

De volgende ochtend werd ik wakker als Oscarwinnares terwijl er een extreem schattig meisje van zeven op mijn bed zat te ontbijten.

Er werd aangeklopt. Ik schoot in mijn badjas. Ik deed de deur open. Er stond een gigantische bos rozen voor mijn neus met een briefje erbij waarop stond: 'Ik hou al van je sinds ik je voor het eerst leerde kennen. Ik heb mijn best gedaan om ermee op te houden. Het is een verloren zaak. Ga bij hem weg, ma belle. Trouw met mij. Alsjeblieft. Dikke kus, M.'

'LATEN WE HET DAAR VOOR VANDAAG BIJ HOUDEN,' ZEGT EVELYN.

Ze heeft gelijk. Het is al laat en ik vermoed dat ik nog de nodige gemiste oproepen en e-mails moet beantwoorden, evenals een voicemail die ongetwijfeld van David komt.

'Oké,' antwoord ik, en ik sla mijn blocnote dicht en zet de voicerecorder uit.

Evelyn raapt wat papieren en de gebruikte koffiekopjes bij elkaar die zich gedurende de dag over de werkkamer hebben verspreid.

Ik kijk op mijn telefoon. Twee gemiste oproepen van David. Een van Frankie. Een van mijn moeder.

Ik neem afscheid van Evelyn en haast me naar buiten.

Het is warmer dan ik had verwacht, dus ik trek mijn jas uit. Ik haal mijn telefoon uit mijn zak. Ik luister eerst de voicemail van mijn moeder af. Omdat ik niet zeker weet of ik wel wil horen wat David te zeggen heeft. Ik weet niet waar ik op hoop, dus ik weet ook niet wat me teleur zou stellen.

'Dag lieverd,' zegt mijn moeder. 'Ik bel gewoon even om je eraan te helpen herinneren dat ik bijna kom! Mijn vliegtuig komt op vrijdagavond aan. En ik weet dat je me per se op wilt komen halen van het vliegveld omdat ik die ene keer verdwaald was met de metro, maar maak je geen zorgen. Echt. Ik kan heus wel zelf uitzoeken hoe ik van JFK naar

331

het appartement van mijn dochter moet komen. Of van LaGuardia. O, jezus, ik heb toch niet per ongeluk de vlucht naar Newark geboekt, hè? Nee, joh. Dat zou ik nooit doen. Maar goed, ik heb ontzettend veel zin om je weer te zien, bolletje van me. Ik hou van je.'

Ik moet al lachen voor het bericht afgelopen is. Mijn moeder is al meerdere keren verdwaald in New York, niet maar één keer. Dat komt doordat ze altijd weigert om een taxi te nemen. Ze beweert bij hoog en bij laag dat ze het openbaar vervoer prima snapt, ook al is ze geboren en getogen in Los Angeles en heeft ze daardoor eigenlijk geen flauw idee hoe een overstap van het ene naar het andere vervoermiddel in zijn werk gaat.

Ik heb het ook altijd vreselijk gevonden als ze me haar bolletje noemt. Vooral omdat we allebei weten dat het een verwijzing is naar hoe dik ik als kind was. Ik was echt een soort bolletje.

Als haar bericht eenmaal is afgelopen en ik haar heb teruggeappt (*Superveel zin om je te zien! Ik kom je ophalen op het vliegveld. Laat maar weten welk*) ben ik op het metrostation.

Ik kan allerlei geldige redenen bedenken om Davids bericht pas af te luisteren als ik in Brooklyn ben. En dat doe ik bijna. Heel erg bijna. Maar dan blijf ik toch bovenaan de trap staan en druk ik op AFSPELEN.

'Hoi,' zegt hij met zijn vertrouwde krakerige stem. 'Ik had je geappt. Maar je hebt nog niks teruggestuurd. Ik... ik ben in New York. Ik ben thuis. Ik bedoel, ik ben in het appartement. Ons appartement. Of eigenlijk... jouw appartement. Hoe dan ook. Daar ben ik dus. Ik zit op je te wachten. Ik snap dat ik je er een beetje mee overval. Maar moeten we het niet eens goed uitpraten? Denk je ook niet dat nog niet alles gezegd is? Ik begin nu maar wat te ratelen, dus ik ga ophangen. Maar hopelijk zie ik je gauw.'

Als het bericht is afgelopen, sprint ik de trap af, hou mijn pasje voor de scanner en glip net voor hij vertrekt de metro in. Ik wurm me verder de drukke wagon in en probeer mezelf te kalmeren terwijl we van halte naar halte sjezen.

Wat doet hij in godsnaam hier?

Ik stap uit en loop de straat op. Als ik de kille avondlucht voel, trek ik mijn jas toch weer aan. Het lijkt kouder in Brooklyn dan in Manhattan.

Ik doe mijn best om niet naar mijn appartement te hollen. Ik probeer rustig te blijven en mijn zelfbeheersing te bewaren. Je hoeft je niet te haasten, praat ik op mezelf in. Bovendien wil ik niet buiten adem aankomen en wil ik niet dat mijn haar door de war gaat.

Ik loop door de vooringang en haast me de trap op.

Ik steek de sleutel in het sleutelgat.

En daar staat hij.

David.

Hij staat in mijn keuken af te wassen alsof hij hier woont.

'Hoi,' zeg ik, hem schaapachtig aankijkend.

Hij is geen spat veranderd. Blauwe ogen, volle wimpers, kort kapsel. Hij draagt een bruin T-shirt op een donkergrijze spijkerbroek.

Toen ik hem voor het eerst leerde kennen, toen we net verliefd op elkaar werden, weet ik nog dat ik dacht dat hij, omdat hij wit was, in ieder geval nooit zou zeggen dat ik niet zwart genoeg was. Ik moet denken aan het moment dat Evelyn haar werkster voor het eerst Spaans hoorde spreken.

Ik weet nog dat ik dacht dat het feit dat hij niet zo belezen was zou betekenen dat hij me nooit een slechte schrijver zou vinden. Ik moet denken aan het moment dat Celia tegen Evelyn zei dat ze niet kon acteren.

Ik weet nog dat ik dacht dat het feit dat ik duidelijk de knappere van ons tweeën was me meer zelfvertrouwen zou geven, omdat ik dacht dat dat betekende dat hij het nooit uit zou maken. Ik moet denken aan hoe Don met Evelyn omging, ook al was ze misschien wel de mooiste vrouw op aarde.

Evelyn ging haar problemen niet uit de weg.

Nu ik David daar zo zie staan, besef ik dat ik er juist voor wegloop.

Misschien al wel mijn hele leven.

'Hoi,' zegt hij.

Er welt een woordenbrij in me op. Ik heb er de tijd, de energie of de zelfbeheersing niet voor om ze goed te ordenen of rustig uit te spreken. 'Wat doe jij nou hier?' vraag ik.

David zet het kommetje dat hij in zijn hand heeft in de kast en draait zich dan weer naar me om. 'Ik kom wat dingen rechtzetten,' antwoordt hij.

'Moet ik rechtgezet worden?' vraag ik.

Ik zet mijn tas in de hoek neer. Ik schop mijn schoenen uit.

'Ik moet het met je goedmaken,' zegt hij. 'Ik heb iets doms gedaan. Wij allebei, volgens mij.'

Waarom dringt het nu pas tot me door dat mijn zelfvertrouwen het onderliggende probleem is? Dat de meeste dingen die misgaan liggen aan het feit dat ik niet voor mezelf op durf te komen en als iemand iets op me aan te merken heeft gewoon te zeggen dat ze m'n reet kunnen likken? Waarom neem ik al zo lang genoegen met minder, terwijl ik heel goed weet dat de wereld meer verwacht?

'Ik heb niks doms gedaan, hoor,' zeg ik. En ik ben al bijna net zo verbaasd als hij, of misschien wel verbaasder.

'Monique, we hebben allebei overhaast gereageerd. Ik was boos omdat jij niet naar San Francisco wilde verhuizen. Omdat ik het gevoel had dat ik het recht had om je te vragen je leven op te geven voor mij en mijn carrière.'

Ik wil reageren, maar David is nog niet uitgepraat.

'En jij was boos omdat ik dat überhaupt van je durfde te vragen, terwijl ik weet hoe belangrijk jouw leven hier voor je is. Maar... we kunnen dit ook op een andere manier oplossen. We kunnen een tijdje een langeafstandsrelatie proberen. En uiteindelijk kan ik misschien weer hier komen wonen, of jij kunt op de lange termijn toch nog naar San Francisco verhuizen. Er is van alles mogelijk. Dat bedoel ik maar te zeggen. We hoeven niet meteen te gaan scheiden. We hoeven de handdoek niet in de ring te gooien.'

Ik ga op de bank zitten om na te denken en friemel met mijn vingers. Nu hij het zo onder woorden brengt, begrijp ik waarom ik de afgelopen weken zo verdrietig was, wat me zo dwarszat en waarom ik me zo beroerd voelde.

Ik voel me niet afgewezen.

Ik heb geen liefdesverdriet.

Ik voel me verslagen.

Toen Don bij me wegging, was mijn hart niet gebroken. Het voelde alleen alsof mijn huwelijk was mislukt. En dat is iets heel anders.

Dat heeft Evelyn vorige week nog gezegd.

Nu begrijp ik pas waarom dat zoveel indruk op me maakte.

Ik ben in de war omdat ik gefaald heb. Omdat ik de verkeerde man heb uitgekozen. Omdat ik een fout huwelijk ben aangegaan. Omdat ik op mijn vijfendertigste in alle eerlijkheid nog nooit genoeg van iemand heb gehouden om alles voor hem op te geven. Ik heb me nog nooit voldoende opengesteld om iemand zo dichtbij te laten komen.

Sommige stellen hebben nu eenmaal geen tophuwelijk. Soms is de liefde niet groots en meeslepend. Soms ga je uit elkaar omdat je eigenlijk van begin af aan niet echt goed bij elkaar paste.

Soms is een scheiding geen wereldschokkende klap. Soms betekent het gewoon dat twee mensen eindelijk het licht zien.

'Ik geloof niet... Volgens mij kun je het beste teruggaan naar San Francisco,' zeg ik na een hele tijd.

David komt naast me zitten op de bank.

'En volgens mij kan ik het beste hier blijven,' ga ik verder. 'Ik geloof ook niet dat een langeafstandshuwelijk de beste zet is. Volgens mij... volgens mij kunnen we toch beter gaan scheiden.'

'Monique...'

'Het spijt me,' zeg ik als hij mijn hand pakt. 'Ik wou dat ik er anders over dacht. Maar ik vermoed dat jij diep vanbinnen precies hetzelfde denkt. Want je bent hier niet om te zeggen hoe erg je me mist. Of hoe moeilijk je het hebt zonder mij. Je zei dat je de handdoek niet in de ring wilt gooien. En ik wil het ook heus niet zomaar opgeven. Ik wil niet dat ons huwelijk op een mislukking uitloopt. Maar dat is niet een bijster goede reden om samen verder te gaan. We zouden redenen moeten hebben waaróm we het niet op willen geven. Het moet niet zo zijn dat we doorgaan omdat we het niet op willen geven. En eerlijk gezegd... kan ik geen redenen bedenken.' Ik weet niet zo goed hoe ik op een vriendelijke manier kan verwoorden wat ik wil zeggen. Dus zeg ik maar gewoon waar het op staat. 'Ik heb je nooit echt als mijn wederhelft beschouwd.'

Als David resoluut opstaat besef ik pas dat ik ervan uit was gegaan dat we hier nog een hele tijd zouden zitten. Pas als hij zijn jas aantrekt besef ik dat hij er waarschijnlijk van uit was gegaan dat hij hier zou blijven slapen.

Maar zodra hij de deurklink vastpakt, besef ik dat ik zojuist de aanzet heb gegeven tot het afronden van een kleurloze periode zodat ik een bruisend leven tegemoet kan gaan.

'Ik hoop dan maar dat je ooit iemand vindt die wel als je wederhelft voelt,' zegt David.

Zoals Celia.

'Dank je wel,' antwoord ik. 'Dat gun ik jou ook.'

David glimlacht als een boer met kiespijn. Dan loopt hij de deur uit.

Als je een punt zet achter je huwelijk, is het toch eigenlijk de bedoeling dat je daarvan wakker ligt?

Maar dat is bij mij niet het geval. Ik slaap als een roos.

De volgende ochtend belt Frankie precies op het moment dat ik me bij Evelyn thuis installeer. Ik overweeg om de telefoon naar voicemail te laten gaan, maar er spoken al te veel dingen door mijn hoofd. Als ik daar ook nog eens *Frankie terugbellen* aan toe moet voegen, ontplof ik misschien. Ik kan het maar beter meteen afhandelen. Dan is het maar achter de rug.

'Hoi, Frankie,' zeg ik.

'Ha,' zegt ze. Ze klinkt opgeruimd, bijna vrolijk zelfs. 'We moeten nog een afspraak maken met de fotografen. Ik neem aan dat Evelyn wil dat ze bij haar thuis komen?'

'O, goeie vraag,' antwoord ik. 'Momentje.' Ik zet de microfoon van mijn telefoon uit en wend me tot Evelyn. 'Ze vragen waar en wanneer je de fotoshoot wilt plannen.'

'Hier is prima,' zegt Evelyn. 'Laten we mikken op vrijdag.'

'Dat is al over drie dagen.'

'Ja, volgens mij is vrijdag de dag na donderdag. Klopt dat?'

Ik schud glimlachend mijn hoofd en zet mijn microfoon weer aan. 'Evelyn zegt op vrijdag bij haar thuis.'

'Aan het einde van de ochtend, bijvoorbeeld,' zegt Evelyn. 'Uurtje of elf.'

'Om elf uur, goed?' vraag ik aan Frankie.

Frankie is meteen akkoord. 'Helemaal super!'

Ik hang op en kijk Evelyn vragend aan. 'Dus je wilt over drie dagen een fotoshoot doen?'

'Nee, jíj wilt dat ik die fotoshoot doe, weet je nog?'

'Maar weet je zeker dat vrijdag niet te snel is?'

'Tegen die tijd zijn wij wel klaar,' zegt Evelyn. 'Je moet dan wel langer blijven dan normaal. Ik zal zorgen dat Grace die muffins haalt die je zo lekker vindt en de koffie van Peet's die je het liefst drinkt.'

'Oké,' zeg ik. 'Prima, hoor, maar we hebben nog behoorlijk wat te bespreken.'

'Geen zorgen. Vrijdag zijn we klaar.'

Als ik haar een sceptische blik toewerp, zegt ze: 'Wees nou maar blij, Monique. Je krijgt eindelijk antwoord op je vragen.'

TOEN HARRY HET BRIEFJE LAS DAT MAX ME HAD GESTUURD, LEEK hij even met stomheid geslagen. In eerste instantie dacht ik dat hij zich beledigd voelde dat ik het hem had laten lezen. Maar toen kreeg ik in de gaten dat hij aan het nadenken was.

We waren met Connor naar een speeltuin in Coldwater Canyon gegaan, een wijk in Beverly Hills. Ons vliegtuig naar New York vertrok over een paar uur. Connor was onder ons toeziend oog aan het schommelen.

'Alles zou hetzelfde blijven tussen ons,' zei hij. 'Als we zouden scheiden.'

'Maar Harry...'

'John is er niet meer. Celia is er niet meer. We hoeven ons niet meer achter dubbeldates te verschuilen. Alles zou hetzelfde blijven.'

'Maar wíj niet,' wierp ik tegen, terwijl ik toekeek hoe Connor steeds harder met haar benen zwaaide, waardoor de schommel steeds hoger ging.

Harry keek naar haar van achter zijn zonnebril en glimlachte. Hij zwaaide. 'Goed zo, lieverd,' riep hij. 'Hou je wel goed vast!'

Hij had zijn alcoholgebruik enigszins weten in te tomen. Hij had geleerd om zorgvuldig te kiezen wanneer hij zich liet gaan. En hij zorgde ervoor dat hij er altijd met zijn volle concentratie bij was als het om zijn werk of zijn dochter ging. Maar toch maakte ik me zorgen over wat hij zou doen als ik hem te veel aan zijn lot overliet.

Hij wendde zich tot mij. 'Er zou niks aan ons veranderen, Ev. Dat beloof ik. Ik zou in mijn huis blijven wonen, precies zoals nu. En jij in het jouwe. Ik zou elke dag langskomen. Connor zou bij mij kunnen komen logeren wanneer ze maar wil. Voor de buitenwereld is dat misschien nog wel logischer ook. Op een gegeven moment gaan mensen zich toch afvragen waarom we twee huizen hebben.'

'Harry...'

'Doe vooral waar je zin in hebt. Als je helemaal geen relatie met Max wilt, dan doe je het niet. Ik wil maar zeggen dat scheiden best een aantal voordelen heeft. En weinig nadelen, behalve dat ik dan niet meer kan zeggen dat jij mijn vrouw bent, wat ik altijd vol trots heb gedaan. Maar tussen ons zou er niks veranderen. Wij blijven een gezin. En... volgens mij zou het je goeddoen om weer eens verliefd te worden. Je verdient het dat iemand echt verliefd op je is.'

'Jij toch ook.'

Harry glimlachte droevig. 'Ik had een grote liefde. En die is er niet meer. Maar volgens mij is het voor jou de hoogste tijd. Misschien wordt het Max, misschien niet. Maar misschien moet er hoe dan ook wel iemand komen.'

'Ik vind het een naar idee om van jou te scheiden,' zei ik. 'Hoe weinig het in de praktijk ook uitmaakt.'

'Kijk, papa!' riep Connor, en ze zwiepte haar benen in de lucht, ging heel hoog, sprong toen van de schommel en landde op haar voeten. Ik kreeg zowat een hartverzakking.

Harry moest lachen. 'Keurig!' zei hij, mij van opzij aankijkend. 'Sorry. Ik vrees dat ze dat van mij heeft geleerd.'

'Zoiets dacht ik al.'

Connor klom weer op de schommel en Harry boog zich opzij om een arm om me heen te slaan. 'Ik weet dat je het een naar idee vindt om van me te scheiden,' zei hij. 'Maar volgens mij zie je het wel zitten om met Max te trouwen. Anders had je me dat briefje niet laten zien.'

'Weet je dit echt zeker?' vroeg ik.

Max en ik waren weer in New York, bij hem thuis. Het was drie weken geleden dat hij me de liefde had verklaard.

'Ik weet het heel zeker,' zei Max. 'Wat is ook alweer de uitdrukking? Zo zeker als één plus één twee is?'

'Als tweemaal twee vier is.'

'Best. Zo zeker als tweemaal twee vier is.'

'We kennen elkaar amper,' zei ik.

'We kennen elkaar al sinds 1960, ma belle. Je hebt gewoon niet in de gaten hoe snel de tijd is gegaan. Dat is al meer dan twintig jaar geleden.'

Ik was halverwege de veertig. Max was een paar jaar ouder. Nu ik eenmaal een dochter en een schijnechtgenoot had, dacht ik niet dat ik ooit nog verliefd zou worden. Ik kon het me niet voorstellen.

En nu had deze man, een knappe man die ik erg graag mocht, een man met wie ik het nodige had meegemaakt, me de liefde verklaard.

'Dus jij stelt voor dat ik zomaar bij Harry wegga? Alsof het niks is? Omdat het misschien wel iets zou kunnen worden tussen ons?'

Max wierp me een strenge blik toe. 'Ik ben niet zo dom als jij denkt,' zei hij.

'Ik denk helemaal niet dat je dom bent.'

'Harry is homoseksueel,' zei hij.

Onwillekeurig zette ik een stap achteruit, zo ver bij hem vandaan als ik maar kon. 'Ik zou niet weten waar je het over hebt.'

Max moest lachen. 'Daar trapte in die hamburgertent al niemand in, en nu zeker niet.'

'Max...'

'Heb je het niet gezellig met mij?'

'Natuurlijk wel.'

'En ben je het niet met me eens dat we elkaar op artistiek vlak heel goed aanvoelen?'

'Jawel.'

'Heb ik je niet geregisseerd in drie van de belangrijkste films uit je acteercarrière?'

'Zeker wel.'

'Denk je dat dat toeval is?'

Ik dacht er even over na. 'Nee,' zei ik. 'Dat is het niet.'

'Nee, inderdaad,' zei hij. 'Het komt omdat ik jou zíé. Het komt omdat ik naar je smacht. Omdat ik al vanaf de eerste keer dat ik je zag met mijn hele lijf naar je verlang. Het komt omdat ik al tientallen jaren steeds verliefder op je word. De camera ziet jou zoals ik je zie. En als dat gebeurt, stijg jij boven jezelf uit.'

'Je bent dan ook een geweldige regisseur.'

'Ja, natuurlijk ben ik dat,' zei hij. 'Maar alleen maar omdat jij me inspireert. Door jou, mijn Evelyn Hugo, door jouw talent wordt elke film waar je in speelt een succes. Je bent mijn muze. En ik ben jouw dirigent. Ik ben degene die het beste in je naar boven haalt.'

Ik haalde diep adem en liet op me inwerken wat hij zei. 'Je hebt gelijk,' zei ik. 'Je hebt helemaal gelijk.'

'Wat mij betreft is dat het meest erotische wat er is,' zei hij. 'Dat je elkaar inspireert.' Hij boog zich voorover. Ik voelde de warmte die hij uitstraalde op mijn huid. 'En wat mij betreft is er niets waardevoller dan hoe goed wij elkaar aanvoelen. Ga toch weg bij Harry. Hij overleeft het wel. Niemand kent zijn ware aard, en zelfs als dat wel zo was, heeft niemand het erover. Hij heeft jou niet meer nodig als dekmantel. Maar ik heb je wel nodig, Evelyn, zo vreselijk hard,' fluisterde hij in mijn oor. Zijn hete adem en zijn stoppels tegen mijn wang schudden me wakker.

Ik greep hem vast. Ik kuste hem. Ik trok mijn eigen shirt uit. Ik scheurde dat van hem open. Ik maakte zijn riem los en trok hem uit zijn broek. Ik trok de knoopjes van mijn eigen spijkerbroek open. Ik drukte me tegen hem aan.

Uit de gretigheid waarmee hij me naar zich toe trok en uit zijn bewegingen kon ik opmaken hoe erg hij naar me verlangde, dat hij dolgelukkig was dat hij me mocht aanraken. Toen ik mijn behabandjes liet zakken en mijn voorgevel ontblootte, keek hij me diep in de ogen en legde hij zijn handen op mijn borsten alsof hij een verborgen schat had ontdekt.

Het was zalig. Om zo te worden aangeraakt. Om mijn lust de vrije loop te laten. Hij ging op de bank liggen en ik ging boven op hem zitten. Ik bewoog hoe ik wilde, liet hem doen wat ik lekker vond en voelde voor het eerst in jaren weer iets van bevrediging.

Het was als water in de woestijn.

Na afloop had ik geen zin om hem los te laten. Ik wilde voor altijd naast hem blijven liggen.

'Je wordt wel stiefvader,' zei ik. 'Had je daar al over nagedacht?'

'Ik ben dol op Connor,' zei Max. 'Ik hou van kinderen. Dus dat vind ik alleen maar een pluspunt.'

'En Harry zal ook voortdurend over de vloer komen. Dat is een vast gegeven. Hij gaat nergens heen.'

'Daar heb ik geen moeite mee. Ik heb Harry altijd een aardige vent gevonden.'

'En ik zou in mijn huis willen wonen,' zei ik. 'Niet hier. Ik wil Connor niet dwingen om te verhuizen.'

'Prima,' zei hij.

Ik zweeg. Ik wist niet precies wat ik wilde. Behalve dat ik meer wilde. Ik wilde hem nog eens ervaren. Ik kuste hem. Ik kreunde. Ik trok hem voorzichtig boven op me. Ik deed mijn ogen dicht, en voor het eerst in jaren zag ik niet meteen Celia voor me.

'Ja,' zei ik tijdens het vrijen. 'Ik wil met je trouwen.'

Max Girard,
de grote teleurstelling

Now This

11-6-1982

EVELYN HUGO SCHEIDT VAN HARRY CAMERON EN TROUWT MET REGISSEUR MAX GIRARD

Evelyn Hugo heeft de smaak van het trouwen nog steeds te pakken! Na een huwelijk van vijftien jaar gaan Harry Cameron en zij uit elkaar. Het stel had net een succesvolle periode achter de rug – eerder dit jaar wonnen ze allebei een Oscar voor hun film *All for Us*.

Vertrouwelijke bronnen beweren echter dat Evelyn en Harry al langere tijd niet meer samenwonen. De afgelopen jaren gingen ze vooral nog op vriendschappelijke voet met elkaar om. Volgens sommigen woont Harry al een tijdje in het huis van hun overleden vriend John Braverman, op een steenworp afstand bij Evelyn vandaan.

Ondertussen heeft Evelyn niet stilgezeten en is er iets opgebloeid tussen haar en Max Girard, de regisseur van *All for Us*. Het stel heeft aangekondigd trouwplannen te hebben. De tijd zal leren of Evelyn met Max eindelijk een lang en gelukkig leven tegemoet gaat. We weten in ieder geval wel dat hij echtgenoot nummer zes wordt.

MAX EN IK TROUWDEN IN NATIONAL PARK JOSHUA TREE, MET ALS enige gasten Connor, Harry en Luc, de broer van Max. Max had eerst geopperd om onze bruiloft en huwelijksreis in Saint-Tropez of Barcelona te houden. Maar we waren allebei net klaar met filmopnames in Los Angeles en het leek mij wel een fijn idee om een kleine ceremonie te houden in de woestijn.

Ik zag af van wit, aangezien ik allang niet meer hoefde te doen alsof ik kuis en onschuldig was. Dus droeg ik een azuurblauwe lange jurk. Mijn haar was heel licht getoupeerd. Ik was inmiddels vierenveertig.

Connor had een bloem in haar haar. Harry stond naast haar in een pantalon en overhemd.

Max, de bruidegom, droeg een wit linnen pak. We vonden het wel een leuke grap als hij voor zijn eerste bruiloft wél in het wit ging.

Die avond vlogen Harry en Connor samen terug naar New York. Luc nam het vliegtuig terug naar Lyon, waar hij woonde. Max en ik bleven in een blokhut in het park overnachten, wat betekende dat we een zeldzaam nachtje met zijn tweeën hadden.

We hadden seks in bed, op het bureau en midden in de nacht op de veranda onder de sterrenhemel.

De volgende ochtend aten we een grapefruit en deden we een kaartspelletje. We zapten wat op de televisie. We hadden de grootste lol. We hadden het over films die we mooi vonden, films die we gemaakt hadden en films die we ooit nog wilden maken.

Max zei dat hij een idee had voor een actiefilm met mij in de hoofdrol. Ik zei dat ik betwijfelde of ik een geschikte actieheld zou zijn.

'Ik ben halverwege de veertig, Max,' zei ik. We waren een wandeling aan het maken door de woestijn in de brandende zon. Ik had ons water in de blokhut laten liggen.

'Jij bent leeftijdloos,' zei hij, met zijn voeten het zand opstuivend. 'Jij kunt alles. Jij bent Evelyn Hugo.'

'Ik ben Evelyn,' zei ik. Ik bleef staan. Ik pakte zijn hand vast. 'Je hoeft me niet steeds Evelyn Hugo te noemen.'

'Maar zo heet je toch,' zei hij. 'Jij bent de grote Evelyn Hugo. Je bent een fenomeen.'

Ik grijnsde en gaf hem een kus. Het was een enorme opluchting om weer verliefd te zijn, om me weer geliefd te voelen. Het gaf een enorme kick dat ik weer naar iemand verlangde. Ik dacht dat Celia nooit meer bij me terug zou komen. Maar Max stond recht voor mijn neus. Hij was van mij.

Toen we terugkwamen in de blokhut waren we allebei verbrand en uitgedroogd. Ik smeerde boterhammen met pindakaas en jam voor het avondeten en die aten we in bed op terwijl we het journaal keken. Het voelde allemaal heel vredig. We hoefden niets te bewijzen en nergens stiekem over te doen.

Ik viel in Max' armen in slaap. Ik voelde zijn hartslag tegen mijn rug.

Toen ik de volgende ochtend wakker werd met mijn haar door de war en met mijn stinkende adem zijn kant op keek, verwachtte ik een glimlach, maar hij keek stoïcijns voor zich uit, alsof hij al uren naar het plafond had liggen staren.

'Waar denk je aan?' vroeg ik.

'Niks, hoor.'

Zijn borsthaar begon grijs te worden. Dat had iets koninklijks, vond ik.

'Wat is er?' vroeg ik. 'Je kunt alles tegen me zeggen.'

Hij keek opzij naar mij. Ik streek mijn haar glad, omdat ik me toch wel een beetje schaamde dat ik er zo ongekamd bij lag. Hij richtte zijn blik weer op het plafond.

'Ik had het me heel anders voorgesteld.'

'Wat had je je anders voorgesteld?'

'Jou,' zei hij. 'Ik had me voorgesteld dat een leven met jou waanzinnig zou zijn.'

'En dat valt nu toch tegen?'

'Nee, dat bedoel ik niet.' Hij schudde zijn hoofd. 'Mag ik heel eerlijk zijn? Volgens mij is de woestijn echt niks voor mij. Er is veel te veel zon en geen lekker eten, en wat hebben we hier eigenlijk te zoeken? Wij zijn stadsmensen, mijn liefste. Laten we naar huis gaan.'

Ik grinnikte. Ik was allang blij dat er niet meer aan de hand was. 'We hebben nog voor drie dagen geboekt,' zei ik.

'Ja, dat weet ik, ma belle, maar laten we gewoon alvast naar huis gaan.'

'En onze huwelijksreis afbreken?'

'We kunnen een paar dagen in het Waldorf logeren. In plaats van hier.'

'Oké,' zei ik. 'Als jij dat echt liever wilt.'

'Dat wil ik echt liever, ja,' zei hij. Toen stond hij op om te gaan douchen.

Toen we later op het vliegveld zaten te wachten tot we mochten boarden, ging Max iets te lezen halen voor onderweg. Hij kwam terug met de People en liet de reportage over onze bruiloft zien.

Ik werd een 'pikante seksbom' genoemd en Max mijn 'prins op het witte paard'.

'Best gaaf, hè?' vroeg hij. 'We lijken wel een koninklijk bruidspaar. Je ziet er beeldschoon uit op deze foto. Uiteraard. Dat ben je nu eenmaal.'

Ik glimlachte, maar mijn gedachten schoten steeds weer naar die beroemde uitspraak van Rita Hayworth: *Mannen gaan met Gilda naar bed, maar worden met mij wakker.*

'Misschien moet ik maar een paar kilo kwijt proberen te raken,' zei hij en hij klopte op zijn buik. 'Ik wil wel knap genoeg voor je zijn.'

'Je bent al knap genoeg,' zei ik. 'Je bent altijd knap geweest.'

'Nee. Kijk nou hoe ik op deze foto sta. Het lijkt wel of ik drie onder-kinnen heb.'

'Het is gewoon een onfortuinlijke foto. In het echt zie je er geweldig uit. Ik zou niks aan je willen veranderen, echt niet.'

Maar Max hoorde amper wat ik zei. 'Volgens mij moet ik stoppen met gefrituurde dingen eten. Ik ben te Amerikaans geworden, denk je ook niet? Ik wil knap genoeg voor je zijn.'

Maar hij bedoelde niet knap genoeg voor míj. Hij bedoelde knap ge-noeg voor de foto's waar hij samen met mij op zou komen te staan.

Mijn hart brak een beetje terwijl we in het vliegtuig stapten. Naar-mate ik hem langer door het tijdschrift zag bladeren brak het in steeds meer stukjes.

Vlak voor we gingen landen kwam een man uit de economyclass naar het toilet in de eerste klas en sloeg bijna steil achterover toen hij mij zag zitten. Toen hij weg was, draaide Max zich opzij naar mij en vroeg: 'Denk je dat al deze mensen straks als ze thuis zijn aan iedereen gaan vertellen dat ze met Evelyn Hugo in het vliegtuig hebben gezeten?'

Zodra hij dat had gezegd, lag mijn hart totaal aan diggelen.

Het duurde ongeveer vier maanden voor ik in de gaten kreeg dat Max helemaal niet van plan was om van mij te gaan houden, dat hij alleen hield van het beeld dat hij van me had. Maar hoe stom het ook klinkt, toen wilde ik eigenlijk niet meer bij hem weg, omdat ik geen zin had om wéér in scheiding te liggen.

Ik was maar één keer eerder getrouwd met een man op wie ik verliefd was. Het was nog maar de tweede keer dat ik een huwelijk aanging met het idee dat het stand zou houden. En met Don was ik uiteindelijk niet degene die er een punt achter had gezet, maar hij.

Misschien zou het beter worden met Max, zou hij mijn ware ik gaan zien en ervan gaan houden. Als ik genoeg van zíjn ware ik hield, zou dat andersom op den duur ook gebeuren.

Ik dacht dat er eindelijk een betekenisvol huwelijk in het verschiet lag.

Maar helaas.

Max paradeerde met me door de stad alsof ik een trofee was – en dat was ik in zekere zin ook. Iedereen wilde Evelyn Hugo, en Evelyn Hugo wilde hem.

Iedereen was gebiologeerd door het meisje uit *Boute-en-train*. Zelfs de man die haar verzonnen had. En ik wist niet goed hoe ik tegen hem moest zeggen dat ik haar ook geweldig vond, maar dat ik dat meisje niet was.

IN 1988 SPEELDE CELIA DE ROL VAN LADY MACBETH IN EEN NIEU-
we verfilming van het toneelstuk. Ze had zich kunnen laten voordragen
voor Beste Vrouwelijke Hoofdrol. Er zat geen andere vrouw in de film
met een grotere rol. Maar waarschijnlijk had ze er zelf voor gekozen om
zich voor Beste Bijrol op te geven, want in die categorie bleek ze uiteindelijk genomineerd te zijn. Zodra ik dat zag, wist ik dat dat haar idee was
geweest. Ze was gewoon ontzettend slim.

Natuurlijk stemde ik op haar.

Op de avond dat ze de Oscar kreeg was ik met Connor en Harry in
New York. Max was dat jaar alleen naar de uitreiking gegaan. We hadden er fikse ruzie over gehad. Hij wilde per se dat ik meeging, maar ik
wilde de avond thuis met mijn gezin doorbrengen, niet in corrigerend
ondergoed en op naaldhakken van vijftien centimeter.

Als ik heel eerlijk ben, speelde het feit dat ik vijftig was ook mee. Er
was een hele nieuwe generatie actrices opgestaan waar ik mee moest
wedijveren. Ze waren allemaal even mooi, met een strakke huid en glanzend haar. Als je bekendstaat om je uiterlijk, is er niets ergers dan naast
iemand zitten die knapper is dan jij.

Het maakte niet uit hoe mooi ik vroeger was geweest. De tijd tikte
door, en het was aan me af te zien.

Er kwamen steeds minder rollen mijn kant op. Ik kreeg enkel nog rollen aangeboden als moeder van de mooie hoofdrollen die naar actrices gingen die letterlijk twee keer zo jong waren als ik. Het leven in Hollywood loopt in een klokcurve, en ik had mijn piektijd zo lang mogelijk gerekt. Ik had het langer volgehouden dan de meesten. Maar nu zat ik op de dalende lijn. En ik was nog net niet op stal gezet.

Dus nee, ik had helemaal geen zin om naar de Oscaruitreiking te gaan. Ik was veel liever thuis bij mijn dochter dan dat ik naar L.A. moest vliegen om vervolgens een halve dag in de make-up te zitten, de hele avond mijn buik in te moeten houden en kaarsrecht te moeten staan onder het toeziend oog van honderden camera's en miljoenen mensen.

Luisa was op vakantie en we hadden geen geschikte vervanger gevonden, dus verzonnen Connor en ik een spel waardoor schoonmaken leuk werd. We kookten samen. Na het eten maakten we popcorn en gingen we met Harry op de bank zitten kijken naar Celia's overwinning.

Celia had een gele zijden jurk met ruches aan. Haar rode haar, dat korter was dan vroeger, zat in een knot. Ze was zeker ouder geworden, maar ze zag er adembenemender uit dan ooit. Toen haar naam werd omgeroepen, stapte ze het podium op en nam ze de prijs in ontvangst met de ongekunstelde charme die het publiek altijd al van haar gewend was. Vlak voor ze wegliep, zei ze nog: 'En als iemand in de verleiding komt om het televisiescherm te kussen, breek je tand niet.'

'Mama, waarom huil je?' vroeg Connor.

Ik veegde met mijn hand over mijn wangen en besefte dat ze kletsnat waren van de tranen.

Harry glimlachte naar me en wreef me over mijn rug. 'Bel haar gewoon eens,' zei hij. 'Het kan nooit kwaad om je met iemand te verzoenen.'

Ik belde haar niet, maar schreef haar een brief.

Lieve Celia,

Gefeliciteerd! Je hebt het dubbel en dwars verdiend. Je bent ontegenzeggelijk de beste actrice van onze generatie.

Ik wil niets liever dan dat jij gelukkig bent. Ik heb deze keer de televisie geen kus gegeven, maar ik heb wel net zo hard voor je gejuicht als eerder.

Met veel liefs,
~~Edward~~
Evelyn

Ik stuurde hem zoals je flessenpost stuurt, zonder enige spanning, omdat ik niet rekende op een antwoord. Maar een week later lag hij op de mat: een kleine, vierkante envelop met mijn naam erop.

Lieve Evelyn,
Toen ik je brief las, voelde het alsof ik weer kon ademhalen nadat ik een hele tijd onder water had gezeten. Ik hoop dat je me niet kwalijk neemt dat ik dit nogal recht voor z'n raap zeg, maar hoe hebben we er zo'n puinhoop van weten te maken? En wat heeft het te betekenen dat we elkaar al tien jaar niet hebben gesproken, maar ik nog elke dag je stem hoor?

xxx Celia

Lieve Celia,
Alles wat er mis is gegaan kwam door mij. Ik was egoïstisch en kortzichtig. Ik hoop maar dat jij elders het geluk hebt gevonden. Dat verdien je zo. En het spijt me dat ik het je niet kon bieden.

Liefs, Evelyn

Lieve Evelyn,
Dat is een knap staaltje geschiedvervalsing. Ik was onzeker, kinderachtig en naïef. Ik nam je kwalijk dat je actie ondernam om onze geheimen niet aan het licht te laten komen. Maar eigenlijk was ik steeds weer opgelucht als jij wist te voorkomen dat de buitenwereld in ons leven binnendrong. En de gelukkigste momenten van mijn leven heb ik allemaal aan jou te danken. Daar heb ik je nooit genoeg

erkenning voor gegeven. We hebben allebei fouten gemaakt. Maar jij bent de enige die er ooit haar excuses voor heeft aangeboden. Dus om dat meteen maar even recht te zetten: het spijt me, Evelyn.

Liefs, Celia

PS Een paar maanden geleden heb ik Three A.M. voor het eerst gezien. Wat een gewaagde, dappere, belangrijke film. Het zou niet goed zijn geweest als ik dat in de weg had gestaan. Ik heb nooit voldoende onderkend hoe goed je kunt acteren.

Lieve Celia,
Denk je dat het mogelijk is om van liefde naar vriendschap te gaan? Ik zou het eeuwig zonde vinden als we de tijd die ons nog rest niet benutten door weer met elkaar in contact te komen.

Liefs, Evelyn

Lieve Evelyn,
Is het met Max net als met Harry? En met Rex?

Liefs, Celia

Lieve Celia,
Ik vrees van niet, nee. Het is anders met hem. Maar ik wil dolgraag wat met je afspreken. Kan dat?

Liefs, Evelyn

Lieve Evelyn,
Om eerlijk te zijn vind ik dat hartverscheurend om te horen. Ik weet niet of ik het in dat geval wel aankan om met je af te spreken.

Liefs, Celia

Lieve Celia,

Ik heb je afgelopen week meerdere keren geprobeerd te bellen, maar je neemt steeds niet op. Ik probeer het later nog wel een keer. Alsjeblieft, Celia. Alsjeblieft.

Liefs, Evelyn

'HALLO?' ZE KLONK NOG PRECIES ZOALS VROEGER. LIEF EN PITTIG.
'Met mij,' zei ik.

'Hoi.' Doordat dat meteen een stuk hartelijker klonk, durfde ik te hopen dat ik mijn leven terug kon brengen naar hoe het altijd had moeten zijn.

'Ik was wel verliefd op hem,' zei ik. 'Op Max. Maar die liefde is over.'

Het bleef stil aan de andere kant van de lijn.

Toen vroeg ze: 'Wat wil je daarmee zeggen?'

'Ik bedoel dat ik je graag weer eens zou zien.'

'Dat gaat niet, Evelyn.'

'Natuurlijk wel.'

'Wat wil je dan?' vroeg ze. 'Dat we elkaar wéér diepongelukkig maken?'

'Hou je nog van me?' vroeg ik.

Ze gaf geen antwoord.

'Ik hou nog wel van jou, Celia. Dat zweer ik.'

'Ik... ik weet niet of het slim is om dit gesprek aan te gaan. Zeker niet als...'

'Als wat?'

'Alles is nog precies hetzelfde, Evelyn.'

'Alles is juist helemaal anders.'

'We kunnen nog steeds niet voor onze geaardheid uitkomen.'

'Elton John is toch ook uit de kast gekomen,' zei ik. 'Jaren geleden al.'

'Elton John heeft geen kind en geen carrière die volledig berust op het beeld van hem als heteroseksueel.'

'Bedoel je dat het ons onze baan kan kosten?'

'Ik vind het ongelooflijk dat ik je dat uit moet leggen,' zei ze.

'Nou, dan zal ik je vertellen wat er in ieder geval wél veranderd is,' zei ik. 'Het kan me niks meer schelen. Ik geef het met alle liefde op.'

'Dat meen je niet.'

'Ik meen het zeker wel.'

'Evelyn, we hebben elkaar jaren niet meer gezien.'

'Ik weet dat je in de tussentijd niet stil hebt gezeten,' zei ik. 'Ik weet dat je iets met Joan had. En ze was vast niet de enige.' Ik zweeg even, in de hoop dat ze me zou tegenspreken en zou zeggen dat ze geen andere relaties had gehad. Maar dat deed ze niet. Dus ging ik verder: 'Maar kun je echt in alle eerlijkheid zeggen dat je niet meer van me houdt?'

'Natuurlijk niet.'

'Ik dus ook niet. Ik ben elke dag van je blijven houden.'

'Je bent nota bene met een ander getrouwd.'

'Ik ben met hem getrouwd omdat hij me hielp over jou heen te komen,' zei ik. 'Niet omdat ik niet meer van je hield.'

Ik hoor Celia diep inademen.

'Als ik nou naar L.A. kom,' zei ik, 'dan gaan we samen gezellig uit eten. Goed?'

'Uit eten?'

'Ja, gewoon uit eten. We hebben van alles uit te praten. Volgens mij moeten we onszelf daar gewoon eens rustig de tijd voor gunnen. Komt volgende week uit? Harry kan wel op Connor passen. Dan kan ik een paar dagen blijven.'

Celia zei weer een tijdje niets. Ik wist dat ze er eens goed over nadacht. Ik kreeg de indruk dat dit een beslissend moment was voor mijn toekomst, onze toekomst samen.

'Oké,' zei ze toen. 'Een etentje moet kunnen.'

De ochtend voor ik naar het vliegveld ging, sliep Max uit. Hij moest later die dag op de set zijn voor avondopnames, dus ik gaf hem een kneepje in zijn hand en haalde mijn spullen uit de kast.

Ik kon maar niet beslissen of ik Celia's brieven mee moest nemen of niet. Ik had ze allemaal bewaard; ze zaten met envelop en al in een doos die achter in mijn kledingkast stond. In de dagen daarvoor had ik ze tijdens het inpakken in mijn besluiteloosheid eerst bij mijn spullen gestopt en ze er toen toch weer uit gehaald.

Sinds ik weer contact had met Celia had ik ze elke dag herlezen. Ik droeg ze het liefst voortdurend bij me. Ik streek graag met mijn vingers over de woorden, om te voelen hoe haar pen in het papier had gedrukt. Ik luisterde graag naar haar stem in mijn hoofd. Maar ik vloog naar haar toe. Dus kwam ik tot de slotsom dat ik ze niet nodig had.

Ik trok mijn laarzen aan, pakte mijn jas, ritste mijn tas open en haalde de brieven eruit. Ik verstopte ze achter mijn bontjassen.

Ik liet een briefje voor Max achter: 'Maximilian, ik ben donderdag terug. Liefs, Evelyn.'

Connor stond in de keuken een pak Pop-Tarts in haar tas te proppen voor ze naar Harry ging, waar ze zou logeren tot ik terug was.

'Heeft je vader geen Pop-Tarts in huis?' vroeg ik.

'Niet die met bruine suiker. Hij haalt altijd die met aardbei, en die vind ik goor.'

Ik pakte haar vast en gaf haar een kus op haar wang. 'Dag lieverd. Gedraag je een beetje,' zei ik.

Ze rolde met haar ogen, en ik wist niet of dat in reactie op de kus of op mijn instructie was. Ze was net dertien en begon behoorlijk te puberen, waar ik toen af en toe wel om kon janken.

'Ja, ja,' zei ze. 'Ik zie je wel weer.'

Toen ik de deur uit stapte stond mijn limousine al klaar. Ik gaf mijn tas aan de chauffeur, en op dat moment drong pas tot me door dat Celia ook zou kunnen zeggen dat ze me na dat etentje nooit meer hoefde te zien. Misschien zou ik op de terugvlucht wel heviger naar haar verlangen dan ooit. Ik besloot dat ik de brieven toch bij me wilde hebben.

'Wacht even,' zei ik tegen de chauffeur en ik snelde weer naar binnen. Precies op dat moment kwam Connor met haar rugzak op haar rug de lift uit.

'Nu al terug?' vroeg ze.

'Ik ben wat vergeten. Veel plezier dit weekend, lieverdje. Zeg maar tegen je vader dat ik over een paar dagen weer thuis ben.'

'Ja, prima. Max is trouwens net wakker.'

'Ik hou van je,' zei ik terwijl ik het liftknopje indrukte.

'Ik ook van jou,' zei Connor. Ze zwaaide naar me en stapte de voordeur uit.

Ik ging naar boven en liep de slaapkamer in. En midden in mijn inloopkast zat Max op de grond.

De vloer was bezaaid met de brieven van Celia die ik zo zorgvuldig had bewaard. Hij had ze lukraak uit de enveloppen getrokken, alsof het ongewenste reclamepost was.

'Waar ben jij nou mee bezig?' vroeg ik.

Hij had een zwart T-shirt en een joggingbroek aan. 'Waar ben ík mee bezig?' zei hij. 'Je maakt een grapje. Jij durft aan mij te vragen waar ík mee bezig ben.'

'Die brieven zijn privé.'

'Dat is wel duidelijk, ma belle.'

Ik hurkte en probeerde ze van hem af te pakken. Hij trok ze uit mijn handen.

'Dus je gaat vreemd?' zei hij met een glimlach. 'Wat Frans van je.'

'Hou op, Max.'

'Ik heb geen moeite met een beetje overspel, schat. Als het maar tactvol wordt aangepakt. En je er geen bewijsmateriaal van laat slingeren.'

Daaruit kon ik opmaken dat hij sinds we getrouwd waren nog met andere mensen naar bed was geweest, en ik vroeg me af of vrouwen ooit echt veilig waren voor mannen als Max en Don. Ik moest denken aan alle vrouwen die waarschijnlijk dachten dat hun man nooit vreemd zou gaan als ze net zo knap waren geweest als Evelyn Hugo. Maar het heeft de mannen in mijn leven er nooit van weerhouden.

'Ik ga niet vreemd, Max. Dus hou er nou maar over op.'

'Misschien niet,' zei hij. 'Dat geloof ik eigenlijk best. Maar wat ik werkelijk ongelooflijk vind, is dat je een pot bent.'

Ik deed mijn ogen dicht, omdat ik zo witheet werd van woede dat ik me even voor de wereld moest afsluiten, om terug te komen in mijn lijf.

'Ik ben geen pot,' zei ik.

'Uit deze brieven blijkt toch iets anders.'

'Die brieven gaan jou helemaal niks aan.'

'Misschien niet,' zei Max. 'Als het alleen een kwestie is van Celia St. James die schrijft over haar vroegere gevoelens voor jou, dan heb ik het bij het verkeerde eind. En dan leg ik ze meteen weg en bied ik je ter plekke mijn excuses aan.'

'Mooi.'

'Ik zei áls.' Hij stond op en kwam op me af. 'Maar het lijkt me erg onwaarschijnlijk. Als deze brieven eigenlijk de aanleiding zijn dat je vandaag naar Los Angeles gaat, dan ben ik boos, want dat betekent dat je me bedriegt.'

Ik ben ervan overtuigd dat als ik had gezegd dat ik absoluut niet van plan was om Celia in Los Angeles op te zoeken, als ik het echt overtuigend had weten te brengen, hij het verder zou hebben laten rusten. Misschien had hij zelfs wel sorry gezegd en me hoogstpersoonlijk naar het vliegveld gebracht.

Instinctief wilde ik eigenlijk ook liegen, me indekken en mijn ware aard en voornemens verbergen. Maar toen ik mijn mond opendeed om hem een of ander smoesje voor te schotelen, kwam er iets anders uit.

'Je hebt gelijk. Ik heb inderdaad met Celia afgesproken.'

'Dus je was van plan om vreemd te gaan?'

'Ik was van plan om bij je weg te gaan,' zei ik. 'Volgens mij wist je dat al. Volgens mij wist je het al een tijdje. Ik ga bij je weg. Niet eens zozeer voor haar, als wel voor mezelf.'

'Voor haar?' vroeg hij.

'Ik hou van haar. Al een eeuwigheid.'

Max leek uit het lood geslagen, alsof hij ervan uit was gegaan dat als hij maar lang genoeg bleef pushen, ik het spelletje vanzelf zou opgeven. Hij schudde vol ongeloof zijn hoofd. 'Jezus,' zei hij. 'Ongelooflijk. Ik ben met een pot getrouwd.'

'Zeg dat nou niet steeds,' zei ik.

'Evelyn, als je seks hebt met vrouwen, ben je lesbisch. Ga nou niet de homofoob uithangen. Dat is... dat siert je niet.'

'Het kan me niet schelen of jij vindt dat iets me siert of niet. Ik ben helemaal niet homofoob. Ik ben nota bene verliefd op iemand die homoseksueel is. Maar ik was ook oprecht verliefd op jou.'

'Alsjeblieft, zeg,' zei hij. 'Zet me nou niet nog meer voor schut. Ik heb jaren van je gehouden en kom er nu pas achter dat jij daar totaal geen boodschap aan had.'

'Je hebt geen dag van mij gehouden,' zei ik. 'Je hield ervan om met een filmster te kunnen rondparaderen. Je hield ervan om degene te zijn die 's nachts naast mij lag. Dat is geen liefde. Dat is hebzucht.'

'Ik zou niet weten waar je het over hebt,' zei hij.

'Natuurlijk niet,' zei ik. 'Want jij begrijpt het verschil niet eens.'

'Heb je ooit van mij gehouden?'

'Jazeker. Toen bleek dat je bepaalde lustgevoelens in me aanwakkerde en goed voor mijn dochter zorgde. Ik dacht dat jij mij als geen ander doorzag. En ik dacht dat je een artistieke visie en talent had als geen ander. Ik hield heel veel van je.'

'Dus je bent niet lesbisch,' zei hij.

'Ik ga dit gesprek niet met jou aan.'

'Nou, je zult wel moeten.'

'Nee,' zei ik, terwijl ik de brieven en de enveloppen bij elkaar harkte en ze in mijn jaszakken propte. 'Ik moet helemaal niks.'

'Jawel,' zei hij, de weg naar de uitgang versperrend.

'Ga aan de kant, Max. Ik ga.'

'Niet naar haar toe,' zei hij. 'Dat kun je niet maken.'

'Natuurlijk wel.'

De telefoon ging, maar hij stond te ver weg om op te nemen. Ik wist dat het mijn chauffeur was. Ik wist dat ik mijn vlucht zou missen als ik nu niet vertrok. Er gingen later natuurlijk wel weer andere vluchten, maar ik wilde per se die halen. Ik wilde zo snel mogelijk bij Celia zijn.

'Evelyn, wacht,' zei Max. 'Denk nou even na. Dit slaat nergens op. Je kunt niet bij me weggaan. Ik kan je met één telefoontje te gronde richten. Het maakt niet eens uit aan wie ik het vertel, maar als ik dit doorvertel, zal jouw leven nooit meer hetzelfde zijn.'

Het was niet bedoeld als dreigement. Hij zette gewoon helder uiteen waar het op stond. Hij had net zo goed kunnen zeggen: *Lieverd, je weet niet waar je mee bezig bent. Dit loopt slecht voor je af.*

'Jij bent geen slechte vent, Max,' zei ik. 'Ik kan me best voorstellen dat je zo kwaad kunt worden dat je me iets aan zou willen doen. Maar volgens mij probeer jij meestal toch de juiste keuze te maken.'

'En wat nou als ik dat deze keer niet doe?' vroeg hij. En daar was dan toch het dreigement.

'Ik ga bij je weg, Max. Het kan nu of het kan later, maar het gebeurt hoe dan ook. Als jij besluit dat je dat genoeg reden vindt om me te gronde te richten, dan is dat verder aan jou.'

Hij weigerde opzij te gaan, dus ik duwde hem aan de kant en liep resoluut de deur uit.

De liefde van mijn leven zat op me te wachten, en ik ging alles op alles zetten om haar terug te krijgen.

TOEN IK BIJ SPAGO BINNENSTAPTE, ZAT CELIA ER AL. ZE HAD EEN zwarte broek aan met een doorschijnend crèmekleurig bloesje zonder mouwen. Buiten was het warm, een graad of vijfentwintig, maar in het restaurant stond de airconditioning behoorlijk hoog en ze leek het een beetje koud te hebben. Ze had kippenvel op haar armen.

Ze had nog altijd even schitterend rood haar, maar het was duidelijk geverfd. De gouden gloed die het vroeger van nature had, had nu een wat kunstmatiger kopertint. Ze had nog altijd even verleidelijke blauwe ogen, maar de huid eromheen zat inmiddels wat losser.

Ik was in de jaren daarvoor een paar keer bij een plastisch chirurg geweest. Zij waarschijnlijk ook. Ik droeg een zwarte jurk met een diepe V-hals en een riem om mijn middel. Mijn blonde haar, dat intussen wat lichter was door het grijs dat erdoorheen schemerde en korter was geknipt, omrandde mijn gezicht.

Zodra ze me zag stond ze op. 'Evelyn,' zei ze.

Ik omhelsde haar. 'Celia.'

'Wat zie je er geweldig uit,' zei ze. 'Als altijd.'

'Jij ziet er nog precies zo uit als toen ik je voor het laatst zag,' antwoordde ik.

'We hebben nooit tegen elkaar gelogen,' zei ze met een glimlach. 'Laten we dat zo houden.'

'Je bent prachtig,' zei ik.

'Insgelijks.'

Ik bestelde een glas witte wijn, zij een tonic met limoen.

'Ik ben gestopt met drinken,' zei Celia. 'Ik kan er niet goed meer tegen.'

'Geen probleem. Als je wilt, giet ik mijn wijn uit het raam zodra ze hem op tafel zetten.'

'Nee, joh,' zei ze grinnikend. 'Mijn lage alcoholtolerantie is toch niet jouw probleem?'

'Ik wil dat jij volledig mijn probleem wordt,' zei ik.

'Hoor je wel wat je zegt?' fluisterde ze, zich verder over tafel buigend. De kraag van haar bloesje viel open en hing in het broodmandje. Even was ik bang dat er boter op zou komen, maar dat viel gelukkig mee.

'Je hebt me tot twee keer toe kapotgemaakt,' zei ze. 'Het heeft me jaren gekost om dat te boven te komen.'

'Maar lukte het? Beide keren?'

'Niet helemaal.'

'Dat zegt toch al iets.'

'Waarom nu?' vroeg ze. 'Waarom heb je me niet al jaren geleden gebeld?'

'Ik heb je wel duizend keer gebeld nadat je was weggegaan. Ik heb zo'n beetje je deur ingetrapt,' hielp ik haar herinneren. 'Ik dacht dat je me niet kon luchten of zien.'

'Dat was ook zo,' zei ze. Ze leunde weer een stukje achterover. 'Nog steeds, geloof ik. Een beetje, tenminste.'

'Dacht je soms dat dat niet wederzijds is?' Ik deed mijn best om niet te hard te praten, zodat het voor de mensen om ons heen gewoon een gesprek tussen twee vriendinnen van vroeger leek. 'Dat ik niet ook een beetje een hekel aan jou heb?'

Celia glimlachte. 'Nee, dat lijkt me eigenlijk wel logisch.'

'Maar dat houdt mij niet tegen,' zei ik.

Ze slaakte een zucht en keek op de menukaart.

Ik boog me samenzweerderig over tafel. 'Eerder dacht ik dat ik geen schijn van kans maakte,' ging ik verder. 'Toen je het had uitgemaakt, dacht ik dat de deur dichtzat. Maar nu staat hij op een kier, en ik zou hem het liefst helemaal opengooien en gewoon naar binnen wandelen.'

'Waaruit maak je op dat de deur op een kier staat?' vroeg ze, het menu bestuderend.

'We zijn toch samen uit eten?'

'Als vrienden,' zei ze.

'Wij zijn nooit vrienden geweest.'

Ze klapte de menukaart dicht en legde hem neer. 'Ik heb een leesbril nodig! Dat geloof je toch niet? Een leesbril.'

'Welkom bij de club.'

'Als ik me gekwetst voel, kan ik erg gemeen uit de hoek komen,' hielp ze me herinneren.

'Dat weet ik toch allang?'

'Ik gaf je het gevoel dat je niet kon acteren,' zei ze. 'Ik probeerde je het gevoel te geven dat je me nodig had omdat je door mij geloofwaardiger werd.'

'Dat weet ik.'

'Maar je bent altijd geloofwaardig geweest.'

'Daar ben ik inmiddels ook achter,' zei ik.

'Ik had verwacht dat je me zou bellen nadat je die Oscar had gewonnen. Ik dacht dat je het me wel onder de neus zou willen wrijven.'

'Heb je mijn speech gehoord?'

'Natuurlijk,' antwoordde ze.

'Ik zocht contact met je,' zei ik. Ik pakte een stukje brood en smeerde er boter op. Maar ik legde het meteen weer neer, nog voor ik een hap genomen had.

'Ik wist het niet zeker,' zei Celia. 'Ik bedoel, ik wist niet zeker of je het tegen mij had.'

'Ik noemde je zo goed als bij naam.'

'Je zei alleen "ze".'

'Precies, ja.'

'Ik dacht dat er misschien een andere "ze" in je leven was.'

Ik had weleens naar andere vrouwen gekeken. Ik had me weleens voorgesteld hoe het zou zijn met een andere vrouw dan Celia. Maar voor mijn gevoel was iedereen al mijn hele leven verdeeld in de categorieën Celia en niet Celia. Alle andere vrouwen met wie ik overwoog een gesprek aan te knopen hadden nog net niet 'niet Celia' op hun voorhoofd staan. Als ik mijn hele carrière en alles wat me dierbaar was voor iemand op het spel moest zetten, dan alleen voor haar.

'Jij bent de enige "ze" voor mij,' zei ik.

Celia deed haar ogen dicht en liet dit op zich inwerken. Toen nam ze het woord. Het leek wel of ze had geprobeerd zich te bedwingen, maar het niet langer voor zich kon houden. 'Maar er waren wel andere mannen.'

'Krijgen we dit weer.' Ik moest de neiging onderdrukken om met mijn ogen te rollen. 'Ik heb een relatie gehad met Max. Jij hebt overduidelijk een relatie gehad met Joan. Kon Joan aan mij tippen?'

'Nee,' antwoordde Celia.

'En Max kon in de verste verte niet tippen aan jou.'

'Maar jullie zijn nog wel getrouwd.'

'Ik heb de benodigde formulieren al aangevraagd. Hij gaat ergens anders wonen. We zijn praktisch gescheiden.'

'Dat is plotseling.'

'Nee, hoor, ik had het juist al veel eerder moeten doen. En hij had bovendien jouw brieven gevonden,' zei ik.

'Dus nu gaat hij bij je weg?'

'Nee, als ik niet bij hem blijf dreigt hij aan de grote klok te hangen dat ik ook op vrouwen val.'

'Hè?'

'Ik ga bij hém weg,' zei ik. 'En hij ziet maar wat hij doet. Want ik ben ondertussen vijftig en ik heb er de puf niet meer voor om me tot ik stokoud ben en omval zorgen te blijven maken over wat er zoal over me beweerd wordt. Ik krijg alleen maar baggerrollen aangeboden. Ik heb een Oscar op de schoorsteenmantel staan. Ik heb een fantastische dochter. Ik heb Harry. Ik ben een gevestigde naam in Hollywood. Er zal nog jaren over mijn films worden geschreven. Wat kan ik me verder nog wensen? Een gouden standbeeld?'

Celia moest lachen. 'Dat is een Oscar toch eigenlijk al,' zei ze.

Ik moest ook lachen. 'Precies! Goed punt. Dus dat heb ik ook al. Ik heb niks meer te wensen, Celia. Ik hoef geen bergen meer te beklimmen. Ik heb me mijn hele leven verstopt zodat niemand me ervanaf kon gooien. Maar weet je wat? Het is mooi geweest. Laat ze maar komen. Voor mijn part gooien ze me in een diepe put. Ik ga later dit jaar nog één film doen voor Fox, en dan ben ik er klaar mee.'

'Dat meen je niet echt.'

'Zeker wel. Alle andere oplossingen die ik ooit heb bedacht... hebben me jou gekost. Ik heb wel genoeg verloren in mijn leven.'

'Het gaat niet alleen om onze carrières,' zei ze. 'Je kunt nooit helemaal voorspellen wat de gevolgen zullen zijn. Wat nou als ze Connor bij je weghalen?'

'Omdat ik verliefd ben op een vrouw?'

'Omdat ze denken dat haar ouders allebei "van de verkeerde kant" zijn.'

Ik nam een slokje wijn. 'Ik kan het ook nooit goed doen bij jou,' zei ik na een korte stilte. 'Als ik onze relatie wil verbergen, noem je me laf. Als ik er openlijk voor uit wil komen, zeg je dat ze mijn dochter van me af zullen pakken.'

'Het spijt me,' zei Celia. Ze leek niet zozeer spijt te hebben van wat ze had gezegd, maar het vooral spijtig te vinden dat de wereld zo in elkaar zat. 'Meen je het serieus?' vroeg ze toen. 'Zou je bereid zijn om alles op te geven?'

'Ja,' antwoordde ik. 'Ik wel.'

'Weet je het zeker?' vroeg ze, en precies op dat moment zette de ober haar biefstuk voor haar neer en mijn salade voor mij. 'Ik bedoel, honderd procent zeker?'

'Ja.'

Celia zweeg even. Ze staarde naar haar bord. Ze leek de hele situatie op zich in te laten werken, en hoe langer het duurde voor ze iets zei, hoe verder ik onwillekeurig naar haar toe boog om dichter bij haar te zijn.

'Ik heb COPD,' zei ze na een hele tijd. 'Een ongeneeslijke longziekte. Waarschijnlijk word ik niet veel ouder dan zestig.'

Ik keek haar schaapachtig aan. 'Je liegt,' zei ik.

'Ik ben bang van niet.'

'Jawel, je liegt. Dat kan helemaal niet.'

'Toch is het zo.'

'Nee, niet waar,' zei ik.

'Toch wel,' zei ze. Ze pakte haar vork. Ze nam een slok water.

Mijn hoofd tolde, mijn gedachten schoten alle kanten op en mijn hart bonsde in mijn keel.

Toen nam Celia weer het woord, en de enige reden dat ik mijn aandacht er weer bij kreeg was omdat ik wist dat het belangrijk was. Ik wist dat ze iets heel belangrijks wilde zeggen. 'Volgens mij moet je die laatste film nog doen,' zei ze. 'Je carrière mooi afronden. En dan... dan denk ik dat we daarna in Spanje aan de kust moeten gaan wonen.'

'Wat?'

'Ik heb het altijd een mooi idee gevonden om mijn laatste jaren aan het strand door te brengen. Met een lieve vrouw die van me houdt,' zei ze.

'Ben je... ben je echt ongeneeslijk ziek?'

'Ik kan alvast in Spanje naar wat huizen gaan kijken terwijl jij met de opnames bezig bent. Ik zal een plek zoeken waar Connor naar een goede school kan. Dan verkoop ik mijn huis hier en zoek ik ergens een landgoed waar Harry ook een eigen plek zou hebben. En Robert.'

'Robert als in je broer?'

Celia knikte. 'Hij is hier een paar jaar geleden komen wonen voor zijn werk. We zijn erg naar elkaar toe gegroeid. Hij... hij weet hoe ik echt in elkaar zit. Hij steunt me.'

'Wat is COP...?'

'COPD, het staat voor *chronic obstructive pulmonary disease*. Eigenlijk is het een soort longemfyseem,' zei ze. 'Het komt door het roken. Rook jij nog? Want dan moet je er echt meteen mee stoppen.'

Ik schudde mijn hoofd. Ik was al jaren geleden gestopt.

'Er zijn wel behandelingen waar ze het proces mee kunnen vertragen. Ik kan nog best een tijd een redelijk normaal leven leiden.'

'En daarna?'

'Op den duur krijg ik steeds meer moeite met fysieke inspanning en krijg ik steeds minder lucht. En dan houdt het op een gegeven moment op. Voor zover ik weet, heb ik als het meezit nog een jaar of tien te gaan, pak 'm beet.'

'Een jaar of tien? Je bent nog maar negenenveertig!'

'Ik weet het.'

Ik barstte in huilen uit. Ik kon het niet helpen.

'Niet doen,' zei ze. 'Zo trek je te veel aandacht.'

'Ik kan er niks aan doen,' zei ik.

'Oké,' zei ze. 'Oké.'

Ze pakte haar tas en smeet een briefje van honderd op tafel. Ze trok me uit mijn stoel en we liepen naar de parkeerwacht. Ze gaf hem haar kaartje. Ze zette me naast zich in de auto. Ze nam me mee naar huis. Ze zette me bij haar op de bank.

'Kun je dit aan?' vroeg ze.

'Hoe bedoel je?' vroeg ik. 'Natuurlijk kan ik dit niet aan.'

'Als je dit wél aan zou kunnen,' zei ze, 'dan kunnen we samen verder. Dan kunnen we volgens mij... de rest van ons leven samen zijn, Evelyn. Als je denkt dat je het trekt. Maar ik kan je dit niet aandoen als je denkt dat het je te veel wordt.'

'Als wat me te veel wordt?'

'Om me nog eens kwijt te raken. Ik wil niet dat je weer van me gaat houden als je niet nog een laatste keer afscheid van me kunt nemen.'

'Natuurlijk kan ik dat niet. Maar ik wil het toch. Ik doe het toch. Ja,' antwoordde ik na een tijdje. 'Ik kan dit aan. Ik sla me er liever doorheen dan dat ik het helemaal niet mee mag maken.'

'Weet je het zeker?' vroeg ze.

'Ja,' zei ik. 'Ik weet het zeker. Ik ben nog nooit ergens zo zeker van geweest. Ik hou van je, Celia. Ik ben altijd van je blijven houden. En ik vind dat we alle tijd die ons nog rest samen moeten doorbrengen.'

Ze legde haar handen op mijn wangen. Ze kuste me. En ik huilde tranen met tuiten.

Zij begon ook te huilen, en even later wist ik niet meer of de tranen die ik proefde van mij waren of van haar. Ik wist alleen dat ik eindelijk weer in de armen lag van de vrouw die voor mij was voorbestemd.

Niet veel later lag Celia's bloesje op de grond en zat mijn jurk opgeschort om mijn heupen. Ik voelde haar mond op mijn borsten, haar handen op mijn buik. Ik stapte uit mijn jurk. Haar lakens waren spierwit en heerlijk zacht. Ze rook niet meer naar sigaretten en alcohol, maar naar citrusvruchten.

De volgende ochtend werd ik wakker met haar haar in mijn gezicht, uitgewaaierd op het kussen. Ik rolde op mijn zij en vlijde me tegen haar rug.

'Dit is het plan,' zei Celia. 'Je regelt de scheiding met Max. Ik bel ondertussen een vriend van me uit het Congres. Hij is een van de afgevaardigden van Vermont. Hij kan wel wat media-aandacht gebruiken. Je laat je her en der met hem op de foto zetten. We gaan het gerucht de wereld in brengen dat je Max bedriegt met een jongere vent.'

'Hoe oud is hij dan?'

'Negenentwintig.'

'Jezus, Celia. Hij is nog maar een kind,' zei ik.

'Dat is precies wat de mensen ervan zullen zeggen. Ze zullen het schokkend vinden dat je iets met hem hebt.'

'En als Max probeert me zwart te maken?'

'Dan maakt het al niet meer uit wat hij over je beweert. Iedereen denkt gewoon dat hij verbitterd is.'

'En daarna?'

'Daarna trouw je, op iets langere termijn, met mijn broer.'

'Waarom zou ik met Robert trouwen?'

'Zodat alles na mijn dood naar jou gaat. Dan krijg jij de zeggenschap over mijn bezit. En mag jij mijn nalatenschap beheren.'

'Dat kun je toch gewoon in je testament laten zetten?'

'Zodat ze dat achteraf kunnen aanvechten omdat we een relatie hadden? Nee. Het is beter zo. Het is slimmer zo.'

'Maar met je broer trouwen? Ben je gek of zo?'

'Hij stemt er wel mee in,' zei ze. 'Voor mij. En omdat het een flierefluiter is die het liefst naar bed zou gaan met elke vrouw die hij tegenkomt. Jij bent goed voor zijn reputatie. Het is voor alle partijen gunstig.'

'Al die moeite om maar niet de waarheid te hoeven vertellen?'

Onder me voelde ik Celia's borstkas uitzetten en weer samentrekken.

'Dat kunnen we ons niet veroorloven. Heb je niet gezien hoe er op Rock Hudson wordt gereageerd? Als hij in plaats van aids kanker had gehad, hadden ze er goededoelenprogramma's aan gewijd.'

'Mensen snappen niet wat aids is,' zei ik.

'Ze snappen het best,' zei Celia. 'Ze vinden gewoon dat hij het verdient door de manier waarop hij besmet is geraakt.'

Ik liet mijn hoofd op het kussen zakken en voelde dat de moed me in de schoenen zonk. Ze had natuurlijk gelijk. De jaren daarvoor had ik moeten aanzien hoe Harry de ene na de andere vriend verloor aan aids, veelal voormalige partners. Ik had moeten aanzien hoe Harry huilde uit angst dat hij zelf ziek zou worden en uit frustratie dat hij zijn dierbaren niet kon helpen. En ik had moeten aanzien dat Ronald Reagan amper erkende wat voor vreselijks er vlak voor onze neus gebeurde.

'Ik weet dat er een hoop is veranderd sinds de jaren zestig,' zei ze. 'Maar ook weer niet zoveel. Nog niet zo lang geleden zei Reagan nog dat homorechten niet hetzelfde zijn als burgerrechten. Je mag niet riskeren dat je Connor kwijtraakt. Dus ik bel Jack, die vriend in het Huis van Afgevaardigden. We verspreiden het gerucht. Jij speelt in die laatste film. Dan trouw je met mijn broer en verhuizen we met zijn allen naar Spanje.'

'Ik moet het eerst met Harry overleggen.'

'Natuurlijk,' antwoordde ze. 'Overleg het met Harry. Als hij een hekel heeft aan Spanje gaan we lekker naar Duitsland. Of naar Scandinavië. Of Azië. Het maakt mij niet uit. We moeten gewoon ergens heen waar het niemand wat kan schelen wie we zijn, waar we met rust worden gelaten en waar Connor onder normale omstandigheden kan opgroeien.'

'Jij zou medische zorg nodig hebben.'

'Ik kan overal heen vliegen als het nodig is. Of we kunnen mensen naar mij toe laten komen.'

Ik dacht er even over na. 'Het is een goed plan.'

'Vind je?' Celia voelde zich duidelijk gevleid.

'De leerling heeft de meester overtroffen,' zei ik.

Ze giechelde en ik kuste haar.

'We zijn thuis,' zei ik.

Ik woonde daar niet. We hadden daar ook nooit samengewoond. Maar ze wist wat ik bedoelde.

'Ja,' zei ze. 'We zijn thuis.'

Now This

1-7-1988

VECHTSCHEIDING EVELYN HUGO EN MAX GIRARD: IS HUGO VREEMDGEGAAN?

Evelyn Hugo gaat voor de zoveelste keer scheiden. Afgelopen week diende ze de aanvraag in op basis van 'onoverkomelijke problemen'. En al heeft ze hier natuurlijk ruime ervaring mee, deze keer lijkt het echt op een vechtscheiding uit te lopen.

Volgens betrokkenen probeert Max Girard er stevige partneralimentatie uit te slepen, en verschillende bronnen hebben bevestigd dat Girard Hugo vreselijk zwart probeert te maken.

'Hij is zo boos dat hij haar van zo'n beetje alles beschuldigt wat bij hem opkomt,' zegt een goede vriend van het voormalige echtpaar. 'Je kunt het zo gek niet bedenken of hij heeft het beweerd: dat ze vreemd zou gaan, dat ze lesbisch zou zijn, dat ze haar Oscar aan hem te danken zou hebben... Hij is er duidelijk kapot van.'

Hugo werd vorige week met een véél jongere man gespot. Jack Easton, afgevaardigde bij de Democraten vanuit Vermont, is nog maar negenentwintig – ruim twintig jaar jonger dan Evelyn! En als we de foto's van hun gezellige etentje in Los Angeles mogen geloven, bloeit er iets moois op tussen die twee.

Hugo is zeker niet de onschuld zelve, maar in dit geval staat één ding als een paal boven water: bij Girard zijn de druiven zuur!

HARRY ZAG HET NIET ZITTEN.

Hij vormde het enige onderdeel van het plan waar ik geen invloed op had, de enige bij wie ik mijn zin niet wilde doordrijven. En hij had geen zin om alles achter te laten en naar Europa te verkassen.

'Dus je wilt dat ik met pensioen ga,' zei Harry. 'Maar ik ben nog niet eens zestig. Wat moet ik dan in vredesnaam de hele dag gaan doen, Evelyn? Een beetje kaarten op het strand?'

'Klinkt dat niet heerlijk?'

'Best, maar na anderhalf uur heb ik het wel weer gezien,' zei hij. Hij had een drankje in zijn hand dat eruitzag als sinaasappelsap maar vermoedelijk een Screwdriver was. 'En dan moet ik mezelf de rest van mijn leven zien te vermaken.'

We zaten in mijn kleedkamer op de set van *Theresa's Wisdom*. Harry had het script ontdekt en het aan Fox verkocht met als voorwaarde dat ik Theresa mocht spelen, een vrouw die gaat scheiden van haar man maar ondertussen wanhopig probeert te voorkomen dat haar gezin uit elkaar valt.

Het was de derde draaidag en ik zat al in kostuum klaar, een wit broekpak van Chanel en een parelsnoer, om straks de kerstdinerscène op te nemen, waarin Theresa en haar man hun scheiding aankondigen. Harry was knapper dan ooit in een kakikleurige broek en een polo. Hij was tegen die tijd bijna helemaal grijs en ik was openlijk jaloers op het feit dat hij er door de jaren heen steeds maar beter uit ging zien terwijl ik mezelf elke dag verder zag aftakelen, als een schimmelende citroen.

'Heb jij dan geen genoeg van de schijn ophouden, Harry?'

'Welke schijn?' vroeg hij. 'Voor jou is het misschien schijn. Omdat je een leven wilt opbouwen met Celia. En je weet dat ik dat met alle liefde ondersteun. Maar voor mij voelt het niet zo.'

'Jij hebt ook partners,' zei ik en ik kon niet voorkomen dat er ongeduld in mijn stem doorklonk, alsof Harry probeerde me in de maling te nemen. 'Doe nou maar niet alsof jij geen partners hebt.'

'Natuurlijk, maar daar zit niet één man tussen met wie ik echt een betekenisvolle relatie zou kunnen krijgen,' zei Harry. 'Omdat John mijn enige liefde was. En die is er niet meer. Ik ben alleen maar beroemd omdat jij beroemd bent, Ev. Het kan de mensen niet schelen wie ik ben of wat ik doe tenzij het iets met jou te maken heeft. Als ik een leuke man ontmoet, zie ik die een paar weken, en dan is het weer klaar. Ik hoef helemaal de schijn niet op te houden. Ik leef gewoon zoals ik wil.'

Ik haalde diep adem en probeerde niet overstuur te raken – ik moest zo de set op om te doen alsof ik een onderdrukte vrouw uit de protestantse bovenklasse was. 'Kan het je dan niks schelen dat ik me wel moet verstoppen?'

'Jawel,' zei hij. 'Dat weet je best.'

'Nou dan...'

'Maar waarom moet je vanwege je relatie met Celia Connors hele leven overhoopgooien? En het mijne?'

'Ze is de liefde van mijn leven,' zei ik. 'Dat weet je. Ik wil met haar samen zijn. Het is tijd dat we weer allemaal samen zijn.'

'We kunnen nooit meer allemaal samen zijn,' zei hij en hij sloeg met zijn vlakke hand op tafel. 'Niet allemaal.' En toen liep hij weg.

Harry en ik vlogen elk weekend naar huis om bij Connor te zijn, en als we doordeweeks aan het draaien waren, sliep ik bij Celia en hij bij... tja, dat wist ik eigenlijk niet. Maar hij maakte een opgewekte indruk, dus ik viel hem er maar niet over lastig. Diep vanbinnen vermoedde ik dat hij iemand had ontmoet waar hij niet na een paar dagen genoeg van zou hebben.

Toen het opnameschema van *Theresa's Wisdom* drie weken uitliep omdat mijn tegenspeler Ben Madley met vermoeidheidsverschijnselen naar het ziekenhuis moest, zat ik dus behoorlijk in dubio.

Aan de ene kant wilde ik het liefst weer elke avond bij mijn dochter zijn.

Aan de andere kant leek Connor zich met de dag meer aan me te ergeren. Ze vond haar moeder de meest gênante persoon op aarde. Het feit dat ik een wereldberoemde filmster was, deed blijkbaar niks af aan hoe belachelijk Connor me vond. Dus als ik in Los Angeles was, bij Celia, was ik vaak een stuk gelukkiger dan in New York, waar ik voortdurend door mijn bloedeigen kind werd afgewezen. Maar als Connor ook maar één avondje met me door wilde brengen, had ik zonder aarzelen het eerste vliegtuig gepakt.

De dag na de afronding van de draaiperiode was ik in mijn huurhuisje in de Hollywood Hills wat spullen aan het inpakken en had tegelijkertijd Connor aan de telefoon om iets leuks af te spreken voor de volgende dag.

'Je vader en ik nemen de nachtvlucht, dus als je morgenochtend wakker wordt ben ik weer thuis,' zei ik.

'Oké,' zei ze. 'Top.'

'Het leek me leuk om te gaan ontbijten bij Channing.'

'Ontbijten bij Channing is echt zo afgezaagd, mam.'

'Sorry dat ik het zeg, maar als ík bij Channing ga ontbijten, is Channing meteen weer hip.'

'Dit bedoel ik nou als ik zeg dat er met jou echt niet te praten valt.'

'Ik wil alleen maar wentelteefjes met je gaan eten, Connie. Er zijn ergere dingen in de wereld.'

Er werd aangeklopt. Toen ik opendeed, bleek Harry voor de deur te staan.

'Ik moet gaan, mam,' zei Connor. 'Karen komt langs. Luisa maakt gehaktbrood met barbecuesaus voor ons.'

'Wacht heel even,' zei ik. 'Je vader komt net binnen. Hij wil je nog even gedag zeggen. Dag, lieverd. Tot morgen.'

Ik gaf de telefoon aan Harry. 'Hoi druifje... nou ja, daar heeft ze wel een punt. Als je moeder ergens komt, wordt het inderdaad meteen een soort hotspot... Dat is prima... Ja, prima. Morgenochtend gaan we met zijn drieën ontbijten bij die hippe nieuwe tent... Hoe heet het daar? Wiffles? Wat is dat voor rare naam? ... Oké, oké. We gaan ontbijten bij Wiffles. Goed, lieverd, slaap lekker alvast. Ik hou van je. Tot morgen.'

Harry ging op mijn bed zitten en keek me aan. 'Blijkbaar gaan we bij Wiffles ontbijten.'

'Je bent als was in haar handen, Harry,' zei ik.

Hij haalde zijn schouders op. 'Ik schaam me er niet voor.' Hij stond op en schonk zichzelf een glas water in terwijl ik verderging met inpakken. 'Luister, ik heb een idee,' zei hij. Toen hij dichterbij kwam, rook ik een vage alcohollucht om hem heen.

'Wat voor idee?'

'Over Europa.'

'Oké...' zei ik. Ik had me voorgenomen om het ter sprake te brengen als we terug waren in New York. Ik ging ervan uit dat we dan pas weer genoeg tijd en ruimte zouden hebben om er dieper op in te gaan.

Het leek mij een goed idee voor Connor. Hoe dol ik ook op New York was, het werd wel een steeds gevaarlijker stad om te wonen. De criminaliteit liep de spuigaten uit en overal waar je keek werd drugs gedeald of gebruikt. In de Upper East Side zaten we redelijk veilig, maar ik vond het toch geen prettig idee dat Connor in de buurt van zoveel onrust opgroeide. En belangrijker nog, ik betwijfelde of het goed voor haar was dat haar ouders voortdurend naar de andere kant van het land vlogen, waardoor Luisa heel vaak de zorg voor haar op zich moest nemen.

Ja, het zou haar leven drastisch overhoopgooien. En ik wist dat ze het me vreselijk kwalijk zou nemen dat ik haar dwong om afscheid te nemen van haar vrienden. Maar ik wist ook dat het haar goed zou doen om in een kleiner plaatsje te wonen. Ze zou beter af zijn met een moeder die meer thuis was. Bovendien was ze bijna oud genoeg om de roddelbladen te lezen en het entertainmentnieuws te kijken. Was het nou echt goed voor een kind om op televisie te zien hoe de zesde scheiding van haar moeder breed werd uitgemeten?

'Volgens mij heb ik de oplossing,' zei Harry. Ik ging naast hem op het bed zitten. 'We verhuizen hiernaartoe. We gaan weer in Los Angeles wonen.'

'Harry...' zei ik.

'En Celia trouwt met een vriend van mij.'

'Een vriend van jou?'

Harry schoof wat dichter naar me toe. 'Ik heb iemand ontmoet.'

'Wat?'

'We hebben elkaar op het terrein van de studio leren kennen. Hij werkt aan een andere productie. Ik dacht dat het gewoon iets tijdelijks was. Hij volgens mij ook. Maar ik geloof dat ik... Ik geloof dat ik wel een toekomst met hem zie.'

Ik was ontzettend blij voor hem. 'Ik dacht dat je na John nooit meer een echte relatie wilde,' zei ik aangenaam verrast.

'Nee, dat was ook zo,' zei hij.

'Maar nu...?'

'Nu dus wel.'

'Ik ben echt heel blij voor je, Harry. Je hebt geen idee hoe blij. Maar ik weet niet zeker of het wel zo'n goed idee is,' zei ik. 'Ik ken hem nog niet eens.'

'Dat hoeft ook niet,' zei Harry. 'Ik bedoel, ik heb Celia toch ook niet uitgekozen? Dat heb jij gedaan. En ik... Nu kies ik hem.'

'Ik wil niet meer acteren, Harry.'

Tijdens de opnames van die laatste film merkte ik dat ik er klaar mee was. Als er gevraagd werd om een scène over te doen, had ik de neiging om met mijn ogen te rollen. Het hele proces voelde als een marathon die ik al duizend keer gelopen had. Zo makkelijk, zo weinig uitdagend, zo weinig inspirerend dat het al vernederend voelde als de regisseur me vroeg om mijn veters te strikken.

Als me nog rollen werden aangeboden waar ik blij van werd, als ik nog het gevoel had gehad dat ik iets moest bewijzen, had ik misschien wel anders gereageerd.

Er zijn zat vrouwen die nog tot hun tachtigste of negentigste fantastisch werk blijven afleveren. Celia was zo iemand. Zij had tot in lengte van dagen de ene na de andere geweldige acteerprestatie kunnen blijven neerzetten, omdat zij er altijd volledig in opging.

Maar ik kon het niet meer opbrengen. Ik deed het nooit puur voor de kunst, maar altijd om mezelf te bewijzen. Om te bewijzen hoe sterk ik was, wat ik waard was, dat ik talent had.

Dat was allemaal al gelukt.

'Dat is niet erg,' zei Harry. 'Dat hoeft ook niet.'

'Maar als ik niet meer in films speel, waarom zou ik dan in Los Angeles gaan wonen? Ik wil ergens wonen waar ik vrij kan zijn, waar niemand me op de vingers kijkt. Weet je niet meer dat er toen je jong was altijd wel een stel oudere dames in de buurt woonde, zogenaamd als huisgenoten, en dat niemand daar ooit vraagtekens bij zette omdat het niemand wat kon schelen? Zo'n dametje wil ik worden. Dat kan hier niet.'

'Dat kan nergens,' zei Harry. 'Dat is de consequentie van je roem.'

'Dat ben ik niet met je eens. Volgens mij kan het best.'

'Nou, ik zie het in ieder geval niet zitten. Dus mijn voorstel is dat wij hertrouwen. En dat Celia met mijn vriend trouwt.'

'We hebben het er later wel over,' zei ik en ik stond op om in de badkamer mijn toilettas in te pakken.

'Evelyn, jij kunt niet zomaar in je eentje bepalen wat er met dit gezin gebeurt.'

'Wie zegt dat ik dat probeer? Ik zei alleen maar dat ik het er later over wil hebben. We hebben verschillende opties. We kunnen in Europa gaan wonen, we kunnen hier gaan wonen of in New York blijven.'

Harry schudde zijn hoofd. 'Hij kan niet naar New York verhuizen.'

Ik slaakte een zucht van ongeduld. 'Des te meer reden om het er láter over te hebben.'

Harry stond op alsof hij me eens flink de waarheid wilde vertellen.

Maar toen kwam hij weer tot bedaren. 'Je hebt gelijk,' zei hij. 'We hebben het er later wel over.'

Hij kwam naar me toe terwijl ik mijn zeepjes en make-up bij elkaar raapte. Hij pakte me bij mijn arm en gaf me een kus op mijn voorhoofd.

'Kom je me vanavond halen?' vroeg hij. 'Bij mij thuis? Dan hebben we de hele rit naar het vliegveld en de vlucht om het verder te bespreken. We kunnen er in het vliegveld een paar Bloody Mary's bij nemen.'

'We komen er wel uit,' drukte ik hem op het hart. 'Dat weet je toch, hè? Ik zou nooit iets beslissen zonder jou. Je bent mijn beste vriend. We zijn familie.'

'Dat weet ik,' zei hij. 'Dat is wederzijds. Ik had nooit gedacht dat ik na John ooit nog iets voor een man zou voelen. Maar met hem... Evelyn, ik begin echt verliefd te worden. En het idee dat dat nog kan, dat ik nog in staat ben om...'

'Ik weet het,' zei ik. Ik pakte zijn hand en gaf er een kneepje in. 'Ik weet het. Ik beloof dat ik mijn uiterste best zal doen om een goeie oplossing te verzinnen.'

'Oké,' antwoordde Harry. Hij kneep zachtjes terug en liep de deur uit. 'We komen er wel uit.'

Mijn chauffeur, die zich voorstelde als Nick terwijl ik instapte, kwam me rond een uur of negen 's avonds halen.

'Naar het vliegveld?' vroeg Nick.

'We moeten eerst nog even in de Westside langs,' zei ik en ik gaf hem Harry's huuradres.

Terwijl we de stad doorkruisten, door de sjofeler wijken van Hollywood en over de Sunset Strip, vond ik het deprimerend om te zien hoe lelijk Los Angeles sinds mijn vertrek was geworden. Het deed in dat opzicht wel aan Manhattan denken. Het was er door de jaren heen niet beter op geworden. Harry had het er dus over om Connor hier groot te brengen, maar ik bleef het gevoel houden dat we voorgoed uit de grote stad weg moesten.

Toen we stilstonden voor een rood stoplicht in de buurt van Harry's huurhuis, draaide Nick zich even naar me om en glimlachte. Hij had een stevige kaaklijn en zijn haar was aan de zijkant opgeschoren. Ik vermoedde dat hij enkel met zijn glimlach al de nodige dames had weten te verleiden.

'Ik ben ook acteur,' zei hij. 'Net als u.'

Ik glimlachte beleefd. 'Wat leuk.'

Hij knikte. 'Ik heb deze week een manager gevonden,' zei hij toen we verder reden. 'Voor mijn gevoel ben ik nu echt goed op weg. Maar als we een beetje op tijd op het vliegveld aankomen, hoor ik het graag als u tips hebt voor mensen die net in het vak zitten, zeg maar.'

'Hm-hm,' mompelde ik, uit het raam starend. Terwijl we over donkere kronkelweggetjes op Harry's huis af reden, besloot ik dat als Nick er op het vliegveld nog eens naar zou vragen, ik zou zeggen dat het vooral een kwestie is van mazzel hebben.

En dat je bereid moet zijn om je afkomst te verloochenen, je lichaam aan te passen, te liegen tegen mensen die dat niet verdienen, je dierbaren op te geven om het publiek niet tegen je in het harnas te jagen en keer op keer te kiezen voor de neppe versie van jezelf tot je nauwelijks nog weet wie je was toen je begon of waarom je er überhaupt mee begonnen bent.

Maar toen we Harry's smalle privéweg insloegen, werden al mijn gedachten in één klap weggevaagd.

Ik zat als versteend op mijn stoel.

Voor ons stond een auto met een omgevallen boom erbovenop.

Het leek erop dat de wagen met volle vaart tegen de stam was geknald, waarna de boom was geknakt en op de auto terecht was gekomen.

'Eh, mevrouw Hugo...' zei Nick.

'Ik zie het,' zei ik, al wilde ik eigenlijk niet onder ogen zien dat dit echt was, dat het geen gezichtsbedrog was.

Hij zette de taxi aan de kant. Ik hoorde takken langs het portier schrapen. Ik bleef stokstijf zitten met mijn hand op de deurklink. Nick sprong uit de taxi en snelde erop af.

Ik deed mijn portier open en zette mijn voeten op de grond. Nick stond naast de verongelukte auto en probeerde een van de portieren open te trekken. Maar ik liep rechtstreeks naar de voorkant, waar de boom stond. Ik keek door de voorruit naar binnen.

Daar zag ik wat ik al vreesde maar nog niet echt voor mogelijk had gehouden.

Harry hing slap over het stuur.

Ik keek opzij en zag naast hem een jongere man zitten.

Iedereen gaat er altijd maar van uit dat je in paniek raakt als je getuige bent van een ongeluk of in een levensbedreigende situatie terechtkomt. Maar bijna iedereen die daadwerkelijk zoiets heeft meegemaakt zal zeggen dat je je op zo'n moment geen paniek kunt veroorloven.

Op het moment zelf denk je amper na bij wat je doet en handel je slechts naar de informatie die je hebt.

Pas als het achter de rug is, schreeuw je. En huil je. En ga je je afvragen hoe je er in vredesnaam doorheen bent gekomen. Want als het echt een traumatische ervaring is, hebben je hersenen waarschijnlijk niet goed opgeslagen wat er is gebeurd. Alsof de camera aanstaat maar niemand de opname heeft gestart. Dus als je de band achteraf wilt terugkijken, staat er bijna niks op.

Dit is wat ik me nog kan herinneren.

Ik weet nog dat Nick Harry's portier openwrikte.

Ik weet nog dat ik hem hielp om Harry uit de auto te tillen.

Ik weet nog dat ik bedacht dat we Harry beter niet konden verplaatsen omdat hij dan verlamd kon raken.

Maar ik weet ook nog dat ik dacht dat ik Harry daar niet zo op het stuur kon laten liggen.

Ik weet nog dat ik Harry bloedend en al in mijn armen hield.

Ik weet nog dat hij een diepe snee in zijn wenkbrauw had, waardoor zijn halve gezicht onder het geronnen bloed zat.

Ik weet nog dat ik kon zien waar de gordel in zijn hals had gesneden.

Ik weet nog dat er twee afgebroken stukjes tand op zijn schoot lagen.

Ik weet nog dat ik hem heen en weer wiegde.

Ik weet nog dat ik zei: 'Blijf bij me, Harry. Blijf bij me. Door dik en dun, weet je nog?'

Ik weet nog dat de andere man naast me op de weg lag. Ik weet nog dat Nick zei dat hij dood was. Ik weet nog dat ik dacht dat dat nogal wiedes was als je er zo uitzag.

Ik weet nog dat Harry één oog opendeed. Ik weet nog dat er hoop in me oplaaide bij het zien van zijn oogwit, dat helder afstak tegen het roestige rood van het bloed. Ik weet nog dat zijn adem en zelfs zijn huid naar drank rook.

Ik weet nog hoe plotseling tot me doordrong – zodra ik wist dat Harry het mogelijk zou overleven – wat me te doen stond.

Het was niet zijn auto.

Niemand wist dat hij hier was.

Ik moest hem zo snel mogelijk naar het ziekenhuis brengen en ervoor zorgen dat niemand er ooit achter kwam dat hij achter het stuur had gezeten. Hij mocht niet de bak indraaien. Wat nou als ze hem zouden veroordelen voor dood door schuld?

Mijn dochter mocht nooit te weten komen dat haar vader dronken achter het stuur had gezeten en dat dat iemand het leven had gekost. Zijn geliefde, om precies te zijn. De man die hem had laten zien dat hij nog tot liefde in staat was.

Ik vroeg Nick om me te helpen Harry in de taxi te tillen en vervolgens om de andere man terug te leggen in de gecrashte auto, maar dan achter het stuur.

Toen trok ik gauw een sjaaltje uit mijn tas en veegde ik het bloed van het stuur en van de veiligheidsgordel. Ik wiste alle sporen van Harry uit.

Vervolgens reden we met Harry naar het ziekenhuis.

Daar aangekomen belde ik vanuit een telefooncel huilend en onder het bloed de politie om het ongeluk te melden.

Toen ik ophing en me omdraaide, zag ik Nick in de wachtkamer zitten, met bloed op zijn borst, op zijn armen en zelfs in zijn hals.

Ik liep naar hem toe. Hij stond op.

'Je kunt maar beter naar huis gaan,' zei ik.

Hij knikte. Hij was nog niet van de schrik bekomen.

'Lukt het alleen naar huis te gaan? Wil je dat ik vervoer voor je regel?'

'Ik weet het niet,' zei hij.

'Ik bel wel een taxi voor je.' Ik pakte mijn handtas. Ik haalde twee briefjes van twintig uit mijn portemonnee. 'Dit zou genoeg moeten zijn.'

'Oké,' zei hij.

'Je gaat naar huis en je vergeet alles wat er gebeurd is. Alles wat je gezien hebt.'

'Wat hebben we gedaan?' vroeg hij. 'Hoe hebben we... Hoe konden we...'

'Bel me,' zei ik. 'Ik neem een kamer in het Beverly Hills Hotel. Daar bel je me morgen. Zodra je wakker wordt. In de tussentijd praat je met niemand. Heb je me gehoord?'

'Ja.'

'Niet met je moeder of je vrienden, zelfs niet met de taxichauffeur. Heb je een vriendin?'

Hij schudde zijn hoofd.

'Een huisgenoot?'

Hij knikte.

'Je vertelt alleen dat je een man hebt gevonden op straat en dat je die naar het ziekenhuis hebt gebracht, oké? Verder vertel je niks, en je vertelt het alleen als hij ernaar vraagt.'

'Oké.'

Hij knikte. Ik belde een taxi voor hem en bleef bij hem tot die kwam. Ik zette hem achterin.

'Wat doe je morgenochtend als je wakker wordt?' vroeg ik door het open raampje.

'U bellen.'

'Goed zo,' zei ik. 'Als je niet kunt slapen, denk dan maar eens goed na. Over wat je nodig hebt. Over wat ik voor je kan doen om je te bedanken.'

Hij knikte en de taxi stoof weg.

Ik werd aangestaard. Evelyn Hugo in een broekpak vol bloed. Ik was bang dat de paparazzi elk moment konden opduiken.

Ik ging weer naar binnen. Ik kreeg iemand zover dat ik operatiekleding mocht lenen en dat ik een eigen kamer tot mijn beschikking had waar ik in mocht wachten. Ik gooide mijn kleren weg.

Toen iemand van het ziekenhuispersoneel kwam vragen om een verklaring over wat er met Harry was gebeurd, vroeg ik: 'Voor hoeveel laat je me met rust?' Tot mijn opluchting noemde hij een bedrag dat lager was dan wat ik in mijn portemonnee had zitten.

Iets na zessen kwam een arts de kamer in om te melden dat Harry's dijslagader was doorgesneden. Het bloedverlies was te groot.

Even vroeg ik me af of ik mijn oude kleren toch weer moest gaan halen zodat ik hem wat van zijn eigen bloed kon teruggeven, of het zo werkte. Maar ik werd ruw uit mijn mijmering losgerukt door wat de arts toen zei.

'Hij gaat het niet redden.'

Ik hapte naar adem toen tot me doordrong dat Harry, mijn Harry, dood zou gaan.

'Wilt u misschien nog even afscheid nemen?'

Toen ik binnenkwam lag hij in bed, buiten bewustzijn. Hij zag bleker dan normaal, maar ze hadden hem wel gewassen. Hij zat niet meer onder het bloed. Ik kon zijn knappe gezicht weer zien.

'Hij heeft niet lang meer,' zei de arts. 'Maar we kunnen u wel even alleen laten.'

Ik kon me geen paniek veroorloven.

Dus ik ging naast hem in bed liggen. Ik hield zijn hand vast, ook al lag die slap naast zijn lichaam. Misschien had ik boos op hem moeten zijn omdat hij achter het stuur was gekropen terwijl hij gedronken had. Maar ik kon nooit boos worden op Harry. Ik wist dat hij altijd zijn uiterste best deed, ondanks de pijn die hij continu met zich meedroeg. En hoe tragisch het ook was, hij had gedaan wat hij kon.

Ik legde mijn voorhoofd tegen dat van hem aan en zei: 'Ik wil je niet kwijt, Harry. We hebben je nodig, Connor en ik.' Ik klampte me steviger vast aan zijn hand. 'Maar als je moet gaan, ga dan maar. Als het te veel pijn doet. Als het tijd is. Als je maar weet dat er mensen zijn die van je houden, dat ik je nooit zal vergeten, dat je voor eeuwig voort zult leven in alles wat Connor en ik doen. Als je maar weet dat ik pure liefde voor jou voel, Harry, en dat je een geweldige vader was. Als je maar weet dat ik jou altijd al mijn geheimen heb toevertrouwd. Omdat je mijn beste vriend was.'

Harry overleed een uur later.

Na zijn dood kon ik me eindelijk veroorloven om in blinde paniek te raken.

De volgende ochtend, een paar uur nadat ik bij het hotel had ingecheckt, werd ik wakker gebeld.

Mijn ogen waren dik van het huilen en mijn keel deed pijn. Het kussen was nog nat van mijn tranen. Ik was er vrij zeker van dat ik hooguit een uur had geslapen.

'Hallo?' zei ik.

'Met Nick.'

'Nick?'

'De taxichauffeur.'

'O,' zei ik. 'Ja. Hoi.'

'Ik weet wat ik wil.'

Hij klonk zelfverzekerd. Dat boezemde me angst in. Ik voelde me op dat moment ontzettend zwak. Maar ik wist dat ik zelf had bedacht dat dit telefoontje moest plaatsvinden. Ik had zelf bepaald waar het over zou gaan. *Zeg maar wat je wilt hebben om je mond te houden*, had ik in feite gezegd zonder het hardop te zeggen.

'Ik wil dat u me helpt om beroemd te worden,' zei hij, en door die opmerking verloor ik het laatste greintje genegenheid dat ik nog voor het sterrendom voelde.

'Besef je goed wat daar de gevolgen van zijn?' vroeg ik. 'Als je beroemd bent, kan gisteravond ook jou behoorlijk in de problemen brengen.'

'Maakt u zich daar maar geen zorgen over,' zei hij.

Ik slaakte een teleurgestelde zucht. 'Goed dan,' zei ik gelaten. 'Ik kan ervoor zorgen dat je rollen krijgt. Verder moet je het zelf opknappen.'

'Dat is prima. Meer heb ik niet nodig.'

Ik vroeg hem om de naam van zijn manager en hing op. Ik pleegde twee telefoontjes. Eerst naar mijn eigen manager, om hem op te dragen Nick van die andere vent te kapen, en toen naar een man die de hoofdrol speelde in de best bezochte actiefilm van het moment, over een politiecommissaris die tegen de zestig loopt en op de dag voor hij met pensioen gaat nog even een groep Russische terroristen verslaat.

'Don?' zei ik toen hij opnam.

'Evelyn! Wat kan ik voor je doen?'

'Je moet een vriend van me in je volgende film casten. In een zo groot mogelijke rol.'

'Oké, zei hij. 'Komt voor de bakker.' Hij vroeg niet waarom. Hij vroeg niet hoe het met me ging. We hadden zoveel meegemaakt samen dat hij aanvoelde dat hij dat beter niet kon doen. Ik gaf hem alleen nog Nicks naam en toen hing ik op.

Nadat ik de telefoon weer op de haak had gelegd, barstte ik in huilen uit. Ik trok de lakens naar me toe. Ik miste de enige man voor wie ik ooit een langdurige, betekenisvolle liefde had gevoeld.

Met pijn in mijn hart bedacht ik dat ik het straks aan Connor moest vertellen, dat ik eigenlijk geen dag zonder hem kon en dat de wereld het vanaf nu zonder Harry Cameron moest stellen.

Harry had mij gemaakt tot wie ik was, had me kracht gegeven, onvoorwaardelijk van me gehouden, me een gezin en een dochter geschonken.

Dus ik brulde mijn hele hotelkamer bij elkaar. Ik zette de ramen open en gilde naar de buitenlucht. Ik liet alles vertroebelen door mijn tranen.

Als ik in betere doen was geweest, had ik me misschien wel verwonderd over Nicks opportunistische, agressieve verzoek.

In mijn jonge jaren zou ik er misschien van onder de indruk zijn geweest. Harry zou ongetwijfeld hebben gezegd dat die jongen wel lef had. Als je op het juiste moment op de juiste plek bent, kan bijna iedereen daar wel wat van maken. Maar Nick wist op de een of andere manier carrière te maken door op het verkeerde moment op de verkeerde plek te zijn.

Aan de andere kant moet ik dat moment binnen Nicks verhaal misschien ook weer niet té belangrijk maken. Hij nam een andere naam aan, liet zich een ander kapsel aanmeten en kreeg uiteindelijk een glansrijke carrière. En ergens denk ik dat hij het hoe dan ook wel voor elkaar had gekregen, ook als hij mij nooit had ontmoet. Het komt er volgens mij op neer dat het niet alleen maar een kwestie van geluk is.

Het is een kwestie van geluk én van pakken wat je pakken kunt.

Dat heb ik van Harry geleerd.

Now This

28-2-1989

PRODUCENT HARRY CAMERON OVERLEDEN

Harry Cameron, gevierd filmproducent en een van de voormalige echtgenoten van Evelyn Hugo, is afgelopen weekend in Los Angeles overleden aan een hersenbloeding. Hij is 58 jaar geworden.

Na een hoge functie bij Sunset Studios was hij als onafhankelijk producent verantwoordelijk voor een aantal Hollywoodklassiekers, waaronder *To Be with You* en *Little Women* in de jaren vijftig, en verschillende publieksfavorieten uit de jaren zestig, zeventig en tachtig, waaronder *All for Us* uit 1981. Cameron had net de opnames voor zijn nieuwste film afgerond, *Theresa's Wisdom*, die volgend jaar zal verschijnen.

Cameron stond bekend om zijn uitstekende gevoel voor stijl en zijn vriendelijke doch vastberaden manier van doen. Heel Hollywood treurt om het verlies van een van zijn favoriete vakgenoten. 'Harry zette de acteur altijd op de eerste plaats,' aldus een voormalig collega. 'Als hij een project oppakte, dan wilde je daar sowieso deel van uitmaken.'

Cameron laat een dertienjarige dochter achter uit zijn huwelijk met Evelyn Hugo, Connor Cameron.

Now This

4-9-1989

WAT EEN WILDEBRAS

WE NOEMEN GEEN NAMEN!

Welke telg van Hollywoodroyalty ging afgelopen weekend met de billen bloot – letterlijk?

De veertienjarige dochter van een van de beroemdste filmsterren ooit heeft het nogal zwaar te verduren gehad. Maar in plaats van het een beetje rustig aan te doen, zet ze juist flink de bloemetjes buiten.

We hebben vernomen dat deze wildebras al een tijdje niet meer op haar prestigieuze middelbare school is gesignaleerd, maar wél regelmatig te vinden is in de hipste clubs van New York – waar je haar zelden, ahum, nuchter aan schijnt te treffen. En dan hebben we het niet alleen over alcohol. *Meisje, er zit iets wits onder je neus...*

Het schijnt dat haar moeder haar uit alle macht onder controle probeert te krijgen, maar de rapen waren echt gaar toen onze wildebras in bed werd betrapt met niet één maar twee klasgenoten!

EEN HALFJAAR NA HARRY'S DOOD DRONG TOT ME DOOR DAT ER NIKS anders op zat dan met Connor te verhuizen, de stad uit. Verder had ik alles al geprobeerd. Ik had haar alle mogelijke aandacht en liefde geschonken. Ik had geprobeerd om haar in therapie te krijgen. Ik had gesprekken met haar gevoerd over haar vader. In tegenstelling tot de rest van de wereld wist zij wel dat hij een auto-ongeluk had gehad. En ze begreep waarom we voorzichtig moesten zijn met die informatie. Maar ik wist ook dat het haar nog meer stress opleverde. Ik deed mijn best om haar aan het praten te krijgen. Maar het lukte me niet om haar voor slechte keuzes te behoeden.

Ze was veertien en had haar vader net zo plotseling en pijnlijk verloren als ik mijn moeder al die jaren geleden. Ik moest doen wat het beste was voor mijn kind. Ik moest ingrijpen.

Mijn gevoel zei dat ik haar uit de spotlight moest halen, weg van de mensen die bereid waren om haar drugs te verkopen, om misbruik te maken van haar verdriet. Ik moest haar ergens mee naartoe nemen waar ik haar in de gaten kon houden, waar ik haar kon beschermen.

Ze had tijd nodig om haar rouw te verwerken. En in de wereld die ik om ons heen had gebouwd was dat onmogelijk.

'Aldiz,' zei Celia.

We hingen met elkaar aan de telefoon. Ik had haar in geen maanden gezien, maar we spraken elkaar elke avond. Celia hield me met beide benen op de grond en zorgde ervoor dat ik naar de toekomst kon blijven kijken. Meestal had ik het als ik in bed met Celia aan de lijn was alleen maar over het verdriet van mijn dochter. En als ik het al over iets anders kon hebben, dan ging het over mijn eigen verdriet. Ik begon er net een beetje uit te komen, licht te zien aan het einde van de tunnel, toen Celia Aldiz opperde.

'Waar ligt dat?'

'Aan de zuidkust van Spanje. Het is een klein plaatsje. Ik heb het er met Robert over gehad. Hij gaat wat vrienden bellen die in Málaga wonen, wat er niet ver vandaan ligt. Hij gaat vragen of er Engelstalige scholen zijn. Het is eigenlijk vooral een vissersdorp. Ik krijg niet de indruk dat ze warm of koud van ons zullen worden.'

'Is het er rustig?' vroeg ik.

'Volgens mij wel,' zei ze. 'Volgens mij zou Connor erg haar best moeten doen om daar in de problemen te komen.'

'Dat klinkt wel als iets wat ze zou doen,' zei ik.

'Jij bent er toch voor haar. Ik ben ook in de buurt. Robert is er. We zorgen er samen voor dat het goed met haar gaat. We zorgen dat ze zich gesteund voelt, dat ze altijd iemand heeft om mee te praten. Dat ze met de juiste mensen omgaat.'

Ik wist dat ik Luisa kwijt zou raken als we naar Spanje verhuisden. Ze was al met ons meegegaan van L.A. naar New York. Ze zou niet opnieuw haar hele leven achterlaten en naar Spanje vertrekken. Maar ik wist ook dat ze al tientallen jaren voor ons gezin zorgde en dat ze een beetje op was. Het leek me dat als wij naar het buitenland gingen, dat voor haar een mooie aanleiding was om de volgende stap te zetten. Ik zou er natuurlijk voor zorgen dat ze er warmpjes bij zat. En ik had sowieso wel zin om een wat actievere rol in het huishouden te gaan spelen.

Ik wilde iemand zijn die kookte, zelf de wc schoonmaakte en altijd voor mijn dochter klaarstond.

'Doen jouw films het goed in Spanje?' vroeg ik.

'De laatste paar niet, nee,' antwoordde Celia. 'En die van jou?'

'Alleen Boute-en-train,' zei ik. 'Nee dus.'

'Ben je er echt klaar voor?'

'Nee,' zei ik, nog voor ik wist waar Celia specifiek op doelde. 'Wat bedoel je precies?'

'Onbeduidend worden.'

Ik moest lachen. 'O, hemel,' zei ik. 'Ja, dat is zo'n beetje het enige waar ik echt klaar voor ben.'

Toen de plannen rond waren, toen ik wist naar welke school Connor zou gaan, welke huizen we gingen kopen, hoe het leven er daar uit zou zien, stapte ik Connors kamer binnen en ging op haar bed zitten.

Ze had een T-shirt van Duran Duran aan en een vale spijkerbroek. Er zat een beetje donkere uitgroei in haar blonde haar. Ze had nog steeds huisarrest vanwege dat trio waar ik haar op betrapt had, dus ze moest wel met een zuur gezicht blijven luisteren naar wat ik te zeggen had.

Ik vertelde dat ik ging stoppen met acteren. Ik vertelde dat we naar Spanje gingen verhuizen. Ik vertelde dat ik dacht dat we gelukkiger zouden zijn met fijne mensen om ons heen, ver weg van alle media-aandacht en camera's.

En toen legde ik weifelend en heel voorzichtig uit dat ik verliefd was op Celia. Ik vertelde dat ik met Robert ging trouwen, en ik legde kort en bondig uit waarom. Ik behandelde haar niet als een klein kind. Ik praatte met haar alsof ze volwassen was. Ik vertelde haar eindelijk de waarheid. Mijn waarheid.

Ik vertelde niet over Harry of over hoelang mijn relatie met Celia al duurde of andere dingen die ze niet hoefde te weten. Dat zou allemaal vanzelf wel een keer komen bovendrijven.

Ik vertelde haar gewoon datgene waar ze recht op had.

En toen ik klaar was, zei ik: 'Ik wil graag alles horen wat je te zeggen hebt. Ik geef graag antwoord op al je vragen. Laten we het er eens goed over hebben.'

Maar ze bleef met haar rug tegen de muur op haar bed zitten en haalde enkel haar schouders op. 'Het kan me niet schelen, mam,' zei ze. 'Echt niet. Je moet lekker zelf weten van wie je houdt. En met wie je trouwt. Jij mag bepalen waar we wonen. Naar welke school ik moet. Het kan me geen ene moer schelen, oké? Ik wil alleen maar met rust gelaten worden. Dus... ga alsjeblieft weg. Alsjeblieft. Zolang je dat doet, vind ik het verder allemaal best.'

Ik keek haar diep in de ogen en voelde haar schrijnende verdriet. Ik vreesde dat ze met haar blonde haar en haar vermagerde gezicht meer op mij leek dan op Harry. In conventionele zin betekende dat natuurlijk dat ze knapper was. Maar ze moest op Harry lijken. Dat was wel het minste wat het universum voor ons kon doen.

'Goed dan,' zei ik. 'Ik laat je voorlopig even alleen.'

Ik stond op. Ik gaf haar wat ruimte.

Ik pakte onze spullen in. Ik huurde een verhuisbedrijf in. Ik maakte plannen met Celia en Robert.

Twee dagen voor we uit New York vertrokken, ging ik weer naar haar kamer en zei ik: 'In Aldiz laat ik je helemaal vrij. Je mag zelf een kamer uitkiezen. Ik zal ervoor zorgen dat je af en toe terug kunt vliegen om bij je vrienden op bezoek te gaan. Ik zal mijn uiterste best doen om het leven draaglijk voor je te maken. Maar dan moet je me twee dingen beloven.'

'Wat dan?' vroeg ze. Ze klonk ongeïnteresseerd, maar ze ontweek tenminste mijn blik niet. Ze ging tenminste het gesprek met me aan.

'We eten elke avond samen.'

'Mam...'

'Ik geef je alle ruimte. En een hele hoop vertrouwen. Ik vraag maar twee dingen. Het eerste is samen eten.'

'Maar...'

'Ik ga er niet met je over in discussie. Over drie jaar ga je toch naar de universiteit. Eén maaltijd per dag moet toch wel lukken.'

Ze wendde haar blik af. 'Best. En het tweede ding?'

'Je gaat naar een psycholoog. In ieder geval een tijdje. Je hebt veel te veel meegemaakt. Dat geldt voor ons allemaal. Je moet er echt met iemand over praten.'

Toen ik dit maanden eerder al eens probeerde, was ik niet kordaat genoeg. Ik gaf haar de ruimte om nee te zeggen. Dat ging deze keer niet gebeuren. Ik stond steviger in mijn schoenen. Ik kon een betere moeder zijn.

Misschien hoorde ze dat aan mijn stem, want ze ging niet tegen me in. Het enige wat ze zei was: 'Oké, wat jij wil.'

Ik omhelsde haar en gaf haar een kus op haar kruin, en toen ik haar net weer los wilde laten, sloeg ze haar armen ook om mij heen en beantwoordde ze mijn knuffel.

EVELYN HEEFT VOCHTIGE OGEN. DAT IS AL EEN TIJDJE ZO. ZE STAAT
op om een zakdoekje te pakken.

Het is zo'n sensationele vrouw – daarmee bedoel ik dat ze al een sensatie is om te zien. Maar ze is ook door en door menselijk. En het is op dit moment onmogelijk om objectief te blijven. Volledig tegen mijn journalistieke integriteit in geef ik gewoon te veel om haar om niet ontroerd te zijn door haar verdriet, om niet mee te leven met al haar leed.

'Wat moet het zwaar zijn... om dit te doen, je hele verhaal zo openlijk te vertellen. Ik wil gewoon even zeggen dat ik dat heel bewonderenswaardig vind.'

'Zeg dat nou niet,' antwoordt Evelyn. 'Oké? Doe me een lol en laat dat soort uitspraken achterwege. Ik ken mezelf. En morgen ken jij mij ook.'

'Dat zeg je voortdurend, maar we hebben allemaal onze gebreken. Geloof je nou echt dat de jouwe onvergeeflijk zijn?'

Ze gaat er niet op in. Ze kijkt uit het raam en ontwijkt mijn blik.

'Evelyn,' zeg ik. 'Denk je echt dat...'

Ze wendt zich weer tot mij en onderbreekt me. 'Je hebt beloofd dat je niet aan zou dringen. We zijn gauw genoeg klaar. En dan wordt alles duidelijk.'

Ik kijk haar aan sceptisch aan.

'Echt waar,' zegt ze. 'In dit geval kun je me op mijn woord geloven.'

Robert Jamison,
de vriendelijkheid zelve

Now This

8-1-1990

EVELYN HUGO TROUWT VOOR DE ZEVENDE KEER

Afgelopen zaterdag stapte Evelyn Hugo in het huwelijksbootje met zakenman Robert Jamison. Voor Evelyn is trouwen na zeven keer gesneden koek, maar voor Robert was het zijn eerste bruiloft.

Als je denkt: waar ken ik die naam toch van, dan komt dat wellicht omdat Evelyn niet de enige Hollywoodcoryfee in zijn omgeving is. Jamison is een van de oudere broers van Celia St. James. We hebben uit betrouwbare bron vernomen dat het kersverse bruidspaar elkaar twee maanden geleden op een feestje van Celia ontmoette. Sindsdien zijn ze stapelverliefd op elkaar.

De bruiloft werd voltrokken op het stadhuis van Beverly Hills. Evelyn was gekleed in een crèmekleurige jumpsuit en Robert in een fraai streepjespak. Evelyns dochter Connor, uit haar huwelijk met wijlen Harry Cameron, was het bruidsmeisje.

Kort daarna zijn ze met z'n drieën naar Spanje vertrokken. We vermoeden dat ze op bezoek zijn gegaan bij Celia, die recent een huis heeft gekocht aan de Spaanse zuidkust.

OP DE ROTSIGE STRANDEN VAN ALDIZ KWAM CONNOR LANGZAAM maar zeker weer tot leven, als een bloem die ontluikt.

Ze scrabbelde graag met Celia. Zoals beloofd aten we elke avond samen, en soms kwam ze zelfs uit eigen beweging helpen met koken. Dan maakten we tortilla's of *caldo gallego* naar het recept van mijn moeder.

Maar ze trok het sterkst naar Robert toe.

Robert, een lange, brede man met een bierbuikje en zilvergrijs haar, had in eerste instantie geen idee wat hij met een tienermeisje aan moest. Volgens mij was hij zelfs een beetje bang voor haar. Hij wist niet zo goed wat hij tegen haar moest zeggen. Dus gaf hij haar alle ruimte; zeg maar gerust dat hij met een flinke boog om haar heen liep.

Uiteindelijk was Connor degene die aansluiting zocht, die hem vroeg om haar te leren pokeren, hoe het bankwezen werkte, of hij samen wilde gaan vissen.

Hij werd nooit Harry's vervanger. Dat kon helemaal niet. Maar hij gaf haar wel een beetje troost. Ze vroeg hem wat hij van bepaalde jongens vond. Ze deed haar best om als verjaardagscadeau de perfecte trui voor hem te vinden.

Hij verfde haar slaapkamer voor haar. In het weekend maakte hij spareribs op de barbecue met haar lievelingsmarinade.

En langzaamaan durfde Connor er weer op te vertrouwen dat het best veilig was om je hart voor de wereld open te stellen. Ik wist dat ze het verlies van haar vader nooit helemaal te boven zou komen, dat de littekens zich gedurende haar hele middelbareschooltijd bleven vormen. Maar ze hield in ieder geval op met feesten. Ze ging steeds hogere cijfers halen. En toen ze werd toegelaten tot Stanford, keek ik naar haar en besefte ik dat mijn dochter stevig met beide benen op de grond stond en niet op haar achterhoofd was gevallen.

De avond voor ik haar naar de universiteit bracht, namen Celia, Robert en ik Connor mee uit eten. We gingen naar een piepklein restaurant aan het water. Robert had een cadeautje voor haar gekocht dat hij zelf had ingepakt. Het was een pokerset. Hij zei: 'Verdien maar lekker bij met al die flushes van je.'

'En dan kun jij me helpen het slim te beleggen,' zei ze met een snood lachje.

'Zo ken ik mijn meisje weer,' zei hij.

Robert beweerde altijd dat hij alleen maar met me was getrouwd omdat hij alles voor Celia overhad. Maar volgens mij speelde het feit dat hij er een gezin aan overhield toch ook wel een rol. Hij zou zich nooit aan één vrouw binden. En Spaanse vrouwen bleken net zo van hem gecharmeerd te zijn als Amerikaanse. Maar hij mocht deel uitmaken van deze structuur, dit gezin, en volgens mij wist hij dat toen hij ermee instemde.

Of misschien kwam Robert per ongeluk terecht in iets wat hem goed beviel en wist hij pas dat hij dit wilde toen hij het had. Sommige mensen hebben in dat opzicht gewoon mazzel. Ikzelf heb mijn dromen altijd uit alle macht nagestreefd. Anderen krijgen het geluk min of meer in de schoot geworpen. Soms zou ik willen dat ik ook zo was. Zij wensen andersom vast en zeker ook weleens dat ze waren zoals ik.

Connor verhuisde voor haar studie terug naar de vs en kwam alleen nog in de vakanties thuis, waardoor Celia en ik meer tijd voor elkaar hadden dan ooit. We hoefden ons niet druk te maken over filmopnames of roddelbladen. We werden zelden herkend – en áls mensen een van ons herkenden, lieten ze ons over het algemeen met rust en bazuinden ze het niet rond.

In Spanje was mijn leven helemaal zoals ik het wilde. Nu ik weer elke ochtend wakker werd met Celia's haar op mijn kussen kwam ik volledig tot rust. Ik koesterde elk moment dat we samen doorbrachten, elke seconde die ik haar mocht vasthouden.

Onze slaapkamer had een gigantisch balkon met uitzicht op de oceaan. 's Nachts waaide de zilte zeelucht vaak onze slaapkamer in. Als we een ochtendje lui wilden doen, zaten we daar lekker de hele ochtend de krant te lezen tot onze vingers zwart waren van de inkt.

Ik begon zelfs weer Spaans te praten. In eerste instantie was dat puur uit noodzaak. Er waren zoveel mensen met wie we moesten communiceren, en ik was de enige die daar werkelijk toe in staat was. Maar volgens mij was die noodzaak gunstig voor me, want daardoor kon ik niet in mijn onzekerheid blijven hangen – er moesten nu eenmaal dingen afgehandeld worden. En na een tijdje was ik trots dat het me nog zo makkelijk afging. Het was een ander accent – het Cubaans-Spaans uit mijn jeugd wijkt behoorlijk af van het Castiliaans dat ze in Spanje spreken – maar dat ik de woorden jaren niet had uitgesproken betekende niet dat ze uit mijn geheugen waren gewist.

Vaak sprak ik zelfs thuis Spaans, en dan liet ik Celia en Robert met hun beperkte kennis van de taal ontcijferen wat ik zei. Ik vond het heerlijk dat ik het met ze kon delen, dat ik een deel van mezelf kon laten zien dat ik zo lang verdrongen had. Tot mijn vreugde zat het er nog toen ik het probeerde op te diepen.

Maar hoe perfect de dagen ook leken, als de avond viel, drong de realiteit van Celia's ziekte toch steeds weer akelig tot ons door.

Het ging niet goed met Celia. Ze ging hard achteruit. Ze had niet veel tijd meer.

'Ik weet dat het geen enkele zin heeft,' zei Celia op een avond toen we klaarwakker naast elkaar in het donker lagen. 'Maar soms ben ik zo boos op ons dat we zoveel jaren verloren hebben laten gaan. Dat we zoveel tijd hebben verspild.'

Ik pakte haar hand vast. 'Ik weet het,' zei ik. 'Ik ook.'

'Als je genoeg van iemand houdt, zou je alle obstakels moeten kunnen overwinnen,' zei ze. 'En wij hebben altijd zoveel van elkaar gehouden, meer dan ik ooit voor mogelijk hield. Dus waarom... waarom konden wij onze obstakels dan niet overwinnen?'

'Dat hebben we toch gedaan,' zei ik en ik keek opzij naar haar. 'We zijn nu hier.'

Ze schudde haar hoofd. 'Maar al die jaren,' zei ze.

'We zijn allebei koppig,' zei ik. 'En we kregen ons happy end ook niet echt op een presenteerblaadje aangereikt. We zijn allebei gewend om de touwtjes in handen te hebben. We zijn allebei geneigd om te denken dat alles om ons draait...'

'En we moesten verborgen houden dat we lesbisch zijn,' zei ze. 'Of preciezer gezegd, dat ik lesbisch ben en jij biseksueel.'

Ik glimlachte in het donker en kneep in haar hand.

'Het werd ons niet makkelijk gemaakt,' zei ze.

'Volgens mij hadden we allebei onrealistische verwachtingen. In een kleiner stadje waren we er vast en zeker wel uit gekomen samen. Jij had juf kunnen worden. Ik misschien verpleegster. Dan hadden we het onszelf een stuk makkelijker gemaakt.'

Ik voelde dat Celia haar hoofd schudde. 'Maar dat is niet wie we zijn en we hadden ook nooit zo kunnen worden.'

Ik knikte. 'Jezelf zijn – je ware, enige echte zelf – voelt volgens mij altijd als tegen de stroming in zwemmen.'

'Precies,' zei ze. 'Maar als ik kijk naar de afgelopen paar jaar met jou kan het ook bevrijdend voelen, een beetje zoals wanneer je aan het eind van de dag je beha uitdoet.'

Ik moest lachen. 'Ik hou van jou,' zei ik. 'Blijf voor altijd bij me.'

Maar toen ze antwoordde: 'Ik ook van jou. Dat zal ik doen,' wisten we allebei dat ze zich niet aan die belofte zou kunnen houden.

Ik vond het een onverdraaglijk idee dat ik haar nog eens kwijt zou raken, maar dan definitiever dan ooit. Ik vond het onverdraaglijk dat ik haar de rest van mijn leven zou moeten missen zonder dat ik aan haar gebonden was.

'Wil je met me trouwen?' vroeg ik.

Ze begon te lachen, maar ik onderbrak haar.

'Ik meen het! Ik wil met je trouwen. Voor altijd en eeuwig. Dat heb ik toch verdiend? Mag ik na zeven huwelijken niet eindelijk trouwen met de vrouw van mijn leven?'

'Ik geloof niet dat het zo werkt, lieverd,' zei ze. 'En mag ik je erop wijzen dat ik mijn broer zijn vrouw zou afpakken?'

'Ik meen het, Celia.'

'Ik ook, Evelyn. Wij kunnen gewoon niet met elkaar trouwen.'

'Trouwen is in feite niks anders dan elkaar een belofte doen.'

'Als jij het zegt,' antwoordde ze. 'Jij bent de ervaringsdeskundige.'

'Laten we nu met elkaar trouwen. Jij en ik. In dit bed. Je hoeft niet eens een witte pyjama aan te trekken.'

'Waar heb je het over?'

'Ik heb het over een spirituele gelofte, tussen ons tweeën, voor de rest van ons leven.'

Toen Celia geen antwoord gaf, wist ik dat ze er serieus over nadacht. Ze vroeg zich af of het werkelijk iets betekende, zo samen in bed.

'Zo gaan we het doen,' zei ik in een poging haar over te halen. 'We kijken elkaar diep in de ogen, we houden elkaars handen vast en dan zeggen we wat we voelen en beloven we er altijd voor elkaar te zijn. We hebben helemaal geen officiële formulieren of getuigen of kerkelijke goedkeuring nodig. Het maakt helemaal niks uit dat ik voor de wet al getrouwd ben, want we weten allebei dat ik alleen maar met Robert getrouwd ben om bij jou te kunnen zijn. We hoeven het niet volgens de regels te doen. Als we elkaar maar hebben.'

Ze zei niks. Ze slaakte een diepe zucht. En toen zei ze: 'Goed dan, ik doe mee.'

'Echt waar?' Ik was verbaasd over de serieuze wending die de avond had genomen.

'Ja,' zei ze. 'Ik wil met je trouwen. Dat heb ik altijd al gewild. Ik had gewoon... Het was gewoon nooit bij me opgekomen dat het kan. Dat we geen toestemming nodig hebben.'

'Nee, inderdaad,' zei ik.

'Dan wil ik.'

Ik moest lachen en ging rechtop in bed zitten. Ik knipte het lampje op mijn nachtkastje aan. Celia kwam ook overeind. We gingen tegenover elkaar zitten en pakten elkaars handen vast.

'Volgens mij moet jij de plechtigheid maar leiden,' zei ze.

'Tja, ik heb wel meer bruiloften meegemaakt dan jij,' grapte ik.

Ze moest lachen, en ik lachte mee. We waren achter in de vijftig, maar werden toch behoorlijk melig bij het idee dat we eindelijk gingen doen wat we jaren eerder hadden moeten doen.

'Oké,' zei ik. 'Genoeg gelachen. Kom op, we doen het.'

'Oké,' zei ze met een grijns. 'Ik ben er klaar voor.'

Ik haalde diep adem. Ik keek haar aan. Ze had kraaienpootjes om haar ogen. Ze had lachrimpels om haar mond. Haar haar zat in de war door het kussen. Ze had een T-shirt aan van de New York Giants met een gat op de schouder. Het kan me niet schelen wat zogenaamd als mooi geldt – in mijn ogen zag ze er prachtiger uit dan ooit.

'Geachte aanwezigen,' zei ik. 'Tja, dat zijn wij eigenlijk gewoon.'

'Oké,' zei Celia. 'Dat klinkt logisch.'

'We zijn hier vandaag bijeengekomen om in de echt te verbinden... jou en mij.'

'Super.'

'Twee mensen die zich voor de rest van hun leven aan elkaar willen wijden.'

'Mee eens.'

'Celia, neem jij mij, Evelyn, tot je wettige echtgenote en verklaar je getrouw alle plichten te vervullen die de wet aan de huwelijkse staat heeft verbonden? Wat is hierop je antwoord?'

Ze lachte naar me. 'Ja.'

'En Evelyn, neem ik jou, Celia, tot mijn wettige echtgenote en verklaar ik getrouw alle plichten te vervullen die de wet aan de huwelijkse staat heeft verbonden? Wat is hierop mijn antwoord? Ja.' Ik besefte dat er een probleempje was. 'Wacht, we hebben geen ringen.'

Celia zocht om zich heen naar een geschikt alternatief. Zonder haar handen los te laten speurde ik het nachtkastje af.

'Hier,' zei Celia en ze haalde het elastiekje uit haar haar.

Ik moest lachen en trok mijn staart ook los.

'Goed,' zei ik. 'Celia, zeg mij na. Evelyn, draag deze ring als teken van mijn eeuwigdurende liefde.'

'Evelyn, draag deze ring als teken van mijn eeuwigdurende liefde.'

Celia pakte haar haarelastiek en wond het drie keer om mijn ringvinger.

'Zeg: met deze ring beloof ik je eeuwige trouw.'

'Met deze ring beloof ik je eeuwige trouw.'

'Oké, en nu ik. Celia, draag deze ring als teken van mijn eeuwigdurende liefde. Met deze ring beloof ik je eeuwige trouw.' Ik schoof mijn haarelastiek om haar vinger. 'O, ik ben de geloften vergeten. Wil je een gelofte doen?'

'Dat is goed,' zei ze. 'Als jij dat wilt.'

'Oké,' zei ik. 'Neem even een momentje om te bedenken wat je wilt zeggen. Dan doe ik dat ook.'

'Daar hoef ik niet over na te denken,' zei ze. 'Ik weet het al. Ik ben er klaar voor.'

'Oké,' zei ik en tot mijn eigen verbazing ging mijn hart behoorlijk tekeer van de spanning. 'Ga je gang.'

'Evelyn, ik ben al verliefd op je sinds 1958. Ik heb het misschien niet altijd even handig geuit, ik heb er misschien weleens wat tussen laten komen, maar weet dat ik al zo lang van je hou. Dat dat altijd zo is gebleven. En dat het ook altijd zo zal blijven.'

Ik deed even mijn ogen dicht om tot me door te laten dringen wat ze zei.

Toen sprak ik mijn eigen gelofte uit: 'Ik ben zeven keer getrouwd, maar het heeft nog nooit half zo goed gevoeld als nu. Volgens mij is mijn liefde voor jou het meest oprechte van mijn leven.'

Ze glimlachte zo breed dat ik dacht dat ze in tranen zou uitbarsten. Maar dat deed ze niet.

Ik zei: 'Als ambtenaar van de burgerlijke stand van... onze slaapkamer verklaar ik dat jij en ik nu door de echt aan elkaar zijn verbonden.'

Celia moest lachen.

'Ik mag nu de bruid kussen,' zei ik, en ik liet haar los, nam haar gezicht tussen mijn handen en kuste haar. Mijn vrouw.

ZES JAAR LATER, TOEN CELIA EN IK RUIM TIEN JAAR SAMEN AAN DE Spaanse kust hadden gewoond, Connor was afgestudeerd en op Wall Street was gaan werken, toen de wereld *Little Women*, *Boute-en-train* en de drie Oscars van Celia zo goed als vergeten was, overleed Cecelia Jamison aan longfalen.

Ze lag in mijn armen. In ons bed.

Het was zomer. De ramen stonden open zodat er een briesje kon binnenwaaien. Het rook naar ziekte op de kamer, maar als je hard genoeg je best deed, rook je ook het zilte van de zee. Haar ogen werden dof. Ik riep de verpleegster, die beneden in de keuken was. Volgens mij liet mijn geheugen het weer afweten toen Celia me voorgoed werd afgenomen.

Ik weet alleen nog dat ik haar stevig vasthield. Ik weet alleen nog dat ik tegen haar zei: 'Er is ons niet genoeg tijd gegund.'

Toen de ambulancebroeders haar meenamen, voelde het alsof ze mijn ziel uit mijn lijf rukten. En toen de deur dichtviel en iedereen weg was, toen Celia uit het zicht verdwenen was, keek ik naar Robert. Ik zakte op de grond in elkaar.

De tegels voelden koud aan tegen mijn oververhitte huid. Mijn hele lichaam deed pijn door de harde tegels. Er vormden zich plasjes tranen onder mijn gezicht, maar het lukte niet om mijn hoofd op te tillen.

Robert hielp me niet overeind.

Hij kwam naast me op de grond zitten. En huilde tranen met tuiten.

Ik was haar kwijt. Mijn geliefde. Mijn Celia. Mijn zielsverwant. De vrouw voor wie ik mijn hele leven had gestreden.

Zomaar verdwenen.

Onherroepelijk en voorgoed.

En pas toen kon ik het me weer veroorloven om me door blinde paniek te laten overspoelen.

Now This

5-7-2000

GRANDE DAME VAN HET WITTE DOEK CELIA ST. JAMES OVERLEDEN

Drievoudig Oscarwinnares Celia St. James is afgelopen week overleden aan de gevolgen van longemfyseem. Ze is 61 jaar geworden.

De roodharige St. James, de jongste in een welgesteld gezin van vier uit Georgia, werd aan het begin van haar carrière vaak het Snoepje uit Georgia genoemd. Nadat ze in 1959 met haar vertolking van Beth in de verfilming van *Little Women* haar eerste Oscar had gewonnen, groeide ze uit tot een onvervalste filmdiva.

St. James werd in de dertig jaar die volgden nog voor vier andere rollen genomineerd en mocht het beeldje nog twee keer mee naar huis nemen: voor Beste Vrouwelijke Hoofdrol in *Our Men* in 1970 en voor Beste Vrouwelijke Bijrol als Lady Macbeth in de Shakespeareverfilming uit 1987.

Naast haar uitzonderlijke acteertalent stond St. James bekend om haar girl-next-door-look en vijftien jaar durende huwelijk met footballlegende John Braverman. Het stel vroeg eind jaren zeventig een scheiding aan, maar bleef tot Bravermans dood in 1980 goed bevriend. St. James is nooit hertrouwd.

Haar nalatenschap zal worden beheerd door haar broer, Robert Jamison, echtgenoot van actrice Evelyn Hugo – die ooit nog St. James' tegenspeelster was.

CELIA KWAM NET ALS HARRY OP BEGRAAFPLAATS FOREST LAWN IN Los Angeles te liggen. Robert en ik hielden haar begrafenis op een donderdagochtend. De plechtigheid was in besloten kring, maar de pers wist dat we daar waren, dat we haar daar te ruste legden.

Toen ze haar kist lieten zakken, staarde ik naar het gat in de grond. Ik staarde naar het glanzende hout. Ik kon me niet beheersen. Ik kon mijn ware gevoelens niet verborgen houden.

'Geef me even een momentje,' zei ik tegen Robert en Connor, en toen wendde ik me van het graf af.

Ik liep weg. Steeds verder over de kronkelende paadjes van de begraafplaats, tot ik vond wie ik zocht.

Harry Cameron.

Ik ging bij zijn grafsteen zitten en huilde al mijn verdriet eruit. Ik huilde tot ik me leeg voelde. Ik zei niks. Daar had ik geen behoefte aan. Ik praatte al zo lang in gedachten en in mijn hart met Harry dat het voelde alsof woorden overbodig waren.

Hij was degene die me mijn hele leven door dik en dun had gesteund. En nu had ik hem harder nodig dan ooit. Dus zocht ik hem op, op de enige manier die ik kon bedenken. Ik liet me door hem troosten zoals alleen hij dat kon. En toen stond ik op, klopte de aarde van mijn rok en draaide me om.

Tussen de bomen stonden twee paparazzi foto's van me te maken. Ik voelde me niet geërgerd of gevleid. Het liet me gewoon koud. Je overal wat van aantrekken kost enorm veel energie, en ik had al mijn energie volledig opgebruikt.

Dus liep ik weg.

Twee weken later, toen Robert en ik weer thuis waren in Aldiz, stuurde Connor me een tijdschrift met op de cover die foto van mij bij Harry's graf. Ze had er een briefje op geplakt. Er stond alleen maar op: 'Ik hou van je.'

Ik trok het briefje eraf en las de kop: FILMLEGENDE EVELYN HUGO HUILT JAREN LATER BIJ GRAF HARRY CAMERON.

Zelfs toen ik allang over mijn hoogtepunt heen was, lieten de mensen zich nog steeds heel makkelijk zand in de ogen strooien als het om mijn gevoelens voor Celia St. James ging. Maar nu was het anders. Want ik hield helemaal niks verborgen.

De waarheid lag voor het oprapen, als ze maar een beetje hadden opgelet. Ik zocht oprecht als mezelf troost bij mijn beste vriend voor mijn verdriet om het verlies van mijn geliefde.

Maar ze sloegen de plank natuurlijk weer gigantisch mis. Het kon ze ook helemaal niet schelen hoe het werkelijk in elkaar zat. De media schrijven gewoon op waar ze zin in hebben. Dat is altijd zo geweest en zal ook altijd zo blijven.

Op dat moment drong tot me door dat als ik wilde dat mensen de waarheid over mijn leven kenden, ik ze die zelf zou moeten vertellen.

In boekvorm.

Ik bewaarde het briefje van Connor en gooide het tijdschrift in de prullenbak.

TOEN CELIA EN HARRY ER ALLEBEI NIET MEER WAREN EN MIJ AL-leen nog een platonisch maar stabiel huwelijk restte, was er officieel niks schandaligs meer aan mijn leven.

Evelyn Hugo veranderde van de ene op de andere dag in een saai oud vrouwtje.

Robert en ik bleven nog elf jaar op vriendschappelijke voet getrouwd. Rond 2005 verhuisden we terug naar Manhattan om dichter bij Connor te zijn. We lieten dit appartement opknappen. We doneerden een deel van Celia's geld aan organisaties die zich inzetten voor de rechten van de lhbt+-gemeenschap en voor onderzoek naar longziekten.

Met Kerstmis organiseerden we elk jaar een benefietavond voor dak-loze jongeren in New York. Na jaren op een verlaten strand was het leuk om weer wat aansluiting te vinden.

Maar eigenlijk was Connor het enige waar ik nog echt om gaf.

Ze had zich opgewerkt naar een hoge functie bij Merrill Lynch, maar kort nadat Robert en ik weer in New York waren komen wonen, biecht-te ze aan hem op dat ze het bankwezen vreselijk vond. Ze zei dat ze toe was aan iets anders. Hij was duidelijk teleurgesteld dat ze niet gelukkig werd van wat hem zo gelukkig had gemaakt, maar hij was nooit teleur-gesteld in haar.

Toen ze niet veel later een baan kreeg als docente aan Wharton Business School stond hij als eerste klaar om haar te feliciteren. Ze heeft nooit geweten dat hij een paar telefoontjes voor haar had gepleegd. Hij wilde niet dat ze erachter kwam. Hij wilde gewoon helpen waar hij kon. En dat bleef hij ook met alle liefde doen tot hij op 81-jarige leeftijd overleed.

Connor hield een afscheidsrede op zijn begrafenis. Haar vriend Greg was een van de kistdragers. Na afloop bleven Greg en zij een tijdje bij mij logeren.

'Na zeven echtgenoten betwijfel ik of je wel alleen kunt zijn, mam,' zei ze terwijl we aan de keukentafel zaten, dezelfde keukentafel waaraan ze vroeger op haar kinderstoel had gezeten met Harry, Celia, John en mij.

'Voor jij geboren werd had ik een bruisend sociaal leven, hoor,' zei ik. 'Ik heb eerder alleen gewoond, en dat lukt me heus nog wel een keer. Greg en jij moeten gewoon verder gaan met jullie eigen leven. Echt.'

Maar zodra ik de deur achter hen dichtdeed, besefte ik pas hoe gigantisch dit appartement eigenlijk was, en hoe leeg.

Toen nam ik Grace in dienst.

Ik had miljoenen van Harry en Celia geërfd, en nu ook nog van Robert. En behalve Connor had ik niemand om het aan uit te geven. Dus stopte ik Grace en haar gezin ook af en toe een extraatje toe. Ik werd er blij van om hen gelukkig te maken, om hun een stukje van de luxe mee te geven die ik het grootste deel van mijn leven heb genoten.

Alleen wonen is helemaal niet zo erg als je er eenmaal aan gewend geraakt bent. En in zo'n groot appartement als dit, tja, ik heb het gehouden omdat ik het aan Connor na wilde laten, maar in een aantal opzichten heb ik het hier altijd prettig wonen gevonden. Het was natuurlijk altijd gezelliger als Connor kwam logeren, zeker nadat het uit was met Greg.

Diners organiseren voor het goede doel en een mooie kunstverzameling aanleggen is hartstikke leuk. Je vindt altijd wel manieren om gelukkig te zijn, ongeacht de omstandigheden.

Tot je dochter komt te overlijden.

Tweeënhalf jaar geleden kreeg Connor de diagnose borstkanker, op haar negenendertigste. Het was al in een vergevorderd stadium, dus ze gaven haar nog hooguit een paar maanden. Ik had al eens eerder met het besef moeten leven dat een van mijn dierbaren veel eerder zou sterven dan ik. Maar ik was in de verste verte niet voorbereid op de pijn die ik voelde toen ik lijdzaam moest toezien hoe mijn kind wegkwijnde.

Ik hield haar vast als ze door de chemo moest overgeven. Ik wikkelde haar in dekentjes als ze moest huilen van de kou. Ik kuste haar op haar voorhoofd alsof ze weer een klein meisje was, omdat ze altijd mijn kleine meisje zou blijven.

Ik zei elke dag tegen haar dat zij het grootste geschenk was dat de wereld me ooit had gegeven, dat ik ervan overtuigd was dat ik niet op de wereld was gezet om in films te spelen of in smaragdgroene jurken naar het publiek te zwaaien, maar om haar moeder te worden.

Ik ging naast haar bed zitten. 'Ik ben nooit zo trots geweest,' zei ik, 'als op de dag dat ik jou ter wereld bracht.'

'Dat weet ik toch,' zei ze. 'Dat heb ik altijd geweten.'

Ik had me vast voorgenomen om na de dood van haar vader altijd volkomen eerlijk tegen haar te zijn. We hadden het soort band waarbij je elkaar volledig vertrouwt en in elkaar gelooft. Ze wist dat er van haar gehouden werd. Ze wist dat ze mijn leven had veranderd, dat ze de wereld had veranderd.

Ze hield het nog anderhalf jaar vol, en toen overleed ze.

Toen ze haar naast haar vader in de grond lieten zakken, stortte ik in als nooit tevoren.

Ik kon het me veroorloven om me volledig door blinde paniek te laten verzwelgen.

En dat gevoel is nooit meer overgegaan.

DAAR HOUDT MIJN VERHAAL OP. NA HET VERLIES VAN AL MIJN DIER-baren. Nu ik alleen in mijn prachtige grote appartement in de Upper East Side ben achtergebleven en iedereen moet missen die ooit iets voor me betekend heeft.

Als je het einde schrijft, Monique, zorg dan dat er duidelijk uit naar voren komt dat ik niet gehecht ben aan dit appartement, dat ik niks geef om al mijn geld, dat het me geen reet kan schelen of mensen me als een legende beschouwen, dat ik nooit warm of koud ben geworden van het feit dat ik voor miljoenen mensen een idool was.

Als je het einde schrijft, Monique, zeg er dan bij dat ik alleen de mensen mis. Iedereen mag weten dat ik me vergist heb. Dat ik veelal de verkeerde keuzes heb gemaakt.

Als je het einde schrijft, Monique, zorg dan dat de lezer begrijpt dat ik altijd alleen maar op zoek was naar een eigen gezin. Zorg dat duidelijk wordt dat ik dat gevonden heb en dat mijn hart gebroken is nu ik het weer kwijt ben.

Desnoods zet je het er letterlijk zo in.

Schrijf maar dat het Evelyn Hugo niks kan schelen of haar naam vergeten wordt. Dat het Evelyn Hugo niks kan schelen of ze volkomen in de vergetelheid raakt.

Beter nog: help de lezer eraan herinneren dat Evelyn Hugo nooit bestaan heeft. Ik heb haar verzonnen. Zodat de mensen van me zouden gaan houden. Schrijf maar dat ik heel lang een verknipt beeld had van wat liefde is. Schrijf maar dat ik er inmiddels achter ben, en dat ik hun liefde niet meer nodig heb.

Vertel de lezers: 'Het enige wat Evelyn Hugo nog wil is thuiskomen. Het is tijd dat ze zich bij haar dochter, haar geliefde, haar beste vriend en haar moeder voegt.'

Schrijf maar dat Evelyn Hugo iedereen vaarwel zegt.

'HOE BEDOEL JE, VAARWEL? JE ZEGT TOCH GEEN VAARWEL, EVELYN.'

Ze kijkt me strak aan en negeert mijn opmerking.

'Als je het allemaal in één verhaal samenvoegt,' zegt ze, 'zorg dan dat duidelijk is dat ik alles, maar dan ook echt alles wat ik heb gedaan om mijn gezin te beschermen opnieuw zou doen. En als ik dacht dat ik hen ermee had kunnen redden, was ik nog veel verder gegaan en had ik nog veel ergere dingen gedaan.'

'Volgens mij denkt bijna iedereen er zo over,' antwoord ik. 'Over hun leven en hun dierbaren.'

Mijn reactie lijkt Evelyn teleur te stellen. Ze staat op en loopt naar haar bureau. Ze haalt een papier uit een laatje.

Het is oud. Gekreukeld, met een donkeroranje gloed aan een van de randen.

'De man met wie Harry in de auto zat,' zei Evelyn. 'Die ik heb laten liggen.'

Dat is natuurlijk het meest schokkende wat ze ooit gedaan heeft. Maar ik kan niet met zekerheid zeggen dat ik niet hetzelfde zou hebben gedaan voor iemand van wie ik hield. Ik zeg niet dat ik hetzelfde zou hebben gedaan, alleen dat ik het niet met zekerheid kan zeggen.

'Harry was verliefd op een zwarte man. Hij heette James Grant. Hij verongelukte op 26 februari 1989.'

WEET JE WAT HET RARE IS AAN WOEDE?

Het begint in je borst.

Het begint als angst.

Die angst slaat algauw om in ontkenning. *Nee, dat kan niet kloppen. Nee, dat kan niet.*

En dan komt de waarheid binnen als een mokerslag. *Ja, het kan heel goed kloppen. Ja, ze heeft gelijk.*

Want het dringt tot je door. *Ja, het is waar.*

En dan moet je kiezen. Ben je verdrietig of ben je boos?

En uiteindelijk komt het precaire evenwicht tussen die twee emoties neer op een aantal vragen. Ten eerste: kun je een schuldige aanwijzen?

Toen ik als zevenjarige mijn vader verloor kon ik daar altijd maar één iemand de schuld van geven. Mijn vader zelf. Mijn vader was dronken achter het stuur gekropen. Zoiets had hij nooit eerder gedaan. Het was niks voor hem. Maar toch was het zo. Dus ik kon het hem kwalijk nemen óf ik kon proberen er begrip voor op te brengen. *Je vader is onder invloed in de auto gestapt en de controle over het stuur kwijtgeraakt.*

Maar dit. De wetenschap dat mijn vader nooit willens en wetens achter het stuur is gaan zitten terwijl hij gedronken had, dat deze vrouw hem dood langs de weg heeft laten liggen, hem voor zijn eigen dood heeft laten opdraaien en zijn goede naam heeft bezoedeld. Het feit dat ik ben opgegroeid in de overtuiging dat hij het ongeluk zelf had veroorzaakt. Er ligt een hele berg schuld te wachten tot ik hem Evelyn voor de voeten werp.

En uit de manier waarop ze tegenover me zit, met berouw maar geen echte spijt, blijkt wel dat ze daar klaar voor is.

Die houding werkt als een vuursteen op mijn jarenlange verdriet. Dus ik barst in woede uit.

Mijn hele lijf wordt witheet. Mijn ogen vullen zich met tranen. Ik bal mijn handen tot vuisten en zet een stap achteruit, omdat ik bang ben dat ik mezelf anders niet in bedwang kan houden.

Maar het voelt te grootmoedig om haar meer ruimte te geven, dus ik loop langzaam terug naar waar ze zit, druk haar tegen de bank en zeg: 'Ik ben blij dat je niemand meer hebt. Ik ben blij dat er niemand meer is die van je houdt.'

Ik schrik van mezelf en laat haar los. Ze gaat weer rechtop zitten. Ze kijkt me aan.

'Denk je echt dat je het goed hebt gemaakt door me je levensverhaal te vertellen?' vraag ik. 'Je hebt me hier al die tijd gehouden en je verhaal laten aanhoren zodat je kon opbiechten wat je gedaan hebt, en je denkt dat je dat kunt goedmaken met je biografie?'

'Nee,' antwoordt ze. 'Volgens mij ken je me inmiddels goed genoeg om te weten dat ik niet zo naïef ben dat ik in vrijspraak van alle zonden geloof.'

'Wat wil je dan van me?'

Evelyn strekt haar arm uit en houdt me het papier voor.

'Dit vond ik in Harry's broekzak. Op de avond van zijn dood. Ik vermoed dat hij hem net had gelezen en dat hij daarom zoveel had gedronken. Het is een brief van je vader.'

'Nou en?'

'Nou... het gaf mij enorm veel rust toen mijn dochter eenmaal mijn ware aard kende. Ik vond het een enorme troost om haar door en door te kennen. Ik wilde... Ik denk dat ik de enige ben die nog leeft die jou dat kan bieden. Jou en je vader. Ik wil dat je weet wie hij werkelijk was.'

'Ik weet wie hij voor mij was,' zeg ik en dan besef ik dat dat niet helemaal klopt.

'Ik dacht dat je zijn hele verhaal zou willen kennen. Hier, Monique, pak aan. Lees de brief nou maar. Je hoeft hem niet te houden als je dat niet wilt. Maar ik ben altijd van plan geweest om hem je te sturen. Ik heb altijd gevonden dat je het recht had om te weten wat er echt was gebeurd.'

Ik gris hem uit haar hand. Ik ben zelfs te boos om hem rustig van haar aan te pakken. Ik ga zitten. Ik vouw hem open. Er zitten vlekken bovenaan het vel, bloedvlekken waarschijnlijk. Even vraag ik me af of het mijn vaders bloed is of dat van Harry. Ik besluit er niet over na te denken.

Voor ik ook maar één regel heb gelezen, kijk ik op naar haar.

'Kun je weggaan?' vraag ik.

Evelyn knikt en loopt haar eigen werkkamer uit. Ze trekt de deur achter zich dicht. Ik kijk omlaag. Er is zoveel wat ik een plek moet zien te geven.

Mijn vader heeft niks verkeerd gedaan.

Mijn vader was niet verantwoordelijk voor zijn eigen dood.

Ik heb hem jarenlang vanuit die invalshoek bekeken en geprobeerd met dat besef in het reine te komen.

Maar nu heb ik voor het eerst in bijna dertig jaar nieuwe woorden van mijn vader voor me, een frisse blik op wie hij was.

Lieve Harry,

Ik hou van je. Ik hou meer van je dan ik ooit voor mogelijk had gehouden. Ik heb het grootste deel van mijn leven gedacht dat het een fabeltje was dat je zo innig van iemand kunt houden. Maar nu ervaar ik het zelf, als iets tastbaars, en snap ik eindelijk waar The Beatles steeds over zongen.

Ik wil niet dat je naar Europa gaat verhuizen. Maar ik weet ook dat wat ik wil niet per se het beste is voor jou. Dus ondanks mijn wensen moet je het volgens mij doen.

Ik kan je hier in Los Angeles niet het leven bieden waar je van droomt, nu niet en nooit niet.

Ik kan niet met Celia St. James trouwen – al vind ik net als jij dat het een beeldschone vrouw is en moet ik toegeven dat ik vanwege haar rol in Royal Wedding wel een oogje op haar had.

Maar feit blijft dat ik nooit bij mijn vrouw weg zal gaan, ook al heb ik nooit van haar gehouden zoals ik van jou hou. Ik ben te gehecht aan mijn gezin om dat ook maar een seconde in gevaar te brengen. Ik leef voor mijn dochter, die je hopelijk ooit nog eens kunt leren kennen. En ik weet dat zij het gelukkigst is als ze haar moeder en mij allebei om zich heen heeft. Ik weet dat ze alleen het beste uit het leven kan halen als ik blijf waar ik ben.

Nu ik ware hartstocht heb geproefd, nu ik echte liefde heb ervaren, weet ik dat Angela misschien niet de liefde van mijn leven is. Maar ik denk dat zij in heel veel opzichten evenveel voor mij betekent als Evelyn voor jou. Ze is mijn beste vriendin, mijn steun en toeverlaat, mijn maatje. Ik vind het knap dat Evelyn en jij zo openlijk met elkaar over jullie seksualiteit en jullie behoeften praten. Maar zo zit onze relatie niet in elkaar en ik weet ook niet of ik daar verandering in wil brengen. We hebben geen spannend seksleven, maar ik hou van haar zoals dat hoort in een partnerschap. Ik zou het mezelf nooit vergeven als ik haar verdriet deed. En als ik van haar gescheiden zou zijn, zou ik haar alsnog continu willen bellen om te vragen hoe het gaat en om te horen wat haar bezighoudt.

Mijn hele hart ligt bij mijn gezin. En dat kan ik niet kapotmaken. Zelfs niet voor het soort liefde dat ik met jou ontdekt heb, liefste Harry.

Ga naar Europa. Als je denkt dat dat het beste is voor jouw gezin.

En weet dat ik hier in Los Angeles bij mijn gezin ben en aan je denk.

Voor eeuwig de jouwe,
James

Ik leg de brief neer. Ik staar voor me uit in het luchtledige. En dan dringt het pas tot me door.

Mijn vader was verliefd op een man.

IK WEET NIET HOELANG IK OP DE BANK NAAR HET PLAFOND BLIJF zitten staren. Ik denk aan al mijn herinneringen aan mijn vader: hoe hij me in de achtertuin in de lucht gooide, dat ik af en toe een bananensplit van hem kreeg als ontbijt.

Die herinneringen zijn altijd gekleurd door hoe hij was overleden. Omdat ik dacht dat hij door zijn eigen fout te jong was gestorven hadden ze altijd iets bitterzoets.

Maar nu weet ik niet meer hoe ik hem moet zien. Ik weet niet wat ik van hem moet vinden. Een bepalend aspect van zijn nagedachtenis is vervangen door allerlei nieuwe inzichten – of ik daar nu blij mee ben of niet.

Nadat ik dezelfde beelden keer op keer voor mijn geestesoog heb afgespeeld – herinneringen aan mijn vader van toen hij nog leefde, zelfverzonnen beelden van zijn laatste uren en zijn dood – merk ik op een gegeven moment dat ik niet meer stil kan blijven zitten.

Dus ik sta op, loop de gang in en ga op zoek naar Evelyn. Ik tref haar met Grace in de keuken aan.

'Dus daarom ben ik hier?' vraag ik en ik hou de brief omhoog.

'Grace, zou je ons even alleen willen laten?'

Grace staat op van haar kruk. 'Natuurlijk.' Ze vertrekt naar de gang.

Als ze weg is, wendt Evelyn zich tot mij. 'Het is niet de enige reden dat ik je wilde ontmoeten. Natuurlijk heb ik je opgespoord om je de brief te geven. En ik zocht al een tijdje naar een manier om me aan je voor te stellen die niet te veel uit de lucht kwam vallen, die je niet te veel zou afschrikken.'

'Daarvoor bood *Vivant* mooi uitkomst.'

'Het gaf me een goed excuus, ja. Ik vond het minder ongemakkelijk om je door een groot tijdschrift te laten sturen dan je zelf te bellen om uit te leggen waar ik je naam van kende.'

'Dus je dacht: kom, ik lok haar met de belofte van een bestseller?'

'Nee,' antwoordt ze hoofdschuddend. 'Toen ik eenmaal onderzoek naar je ging doen, heb ik bijna alles van je gelezen. Met veel aandacht. In het bijzonder je stuk over euthanasie.'

Ik leg de brief op tafel. Ik overweeg om te gaan zitten. 'Ja, dus?'

'Ik vond het erg goed geschreven. Het was weloverwogen, intelligent, evenwichtig en begaan. Het getuigde van moed. Ik vond het knap hoe je met zo'n gevoelig en ingewikkeld onderwerp wist om te gaan.'

Ik wil niet dat ze me complimenten maakt, omdat ik haar niet wil hoeven bedanken. Maar ik heb van mijn moeder geleerd om altijd beleefd te blijven, zelfs wanneer ik dat helemaal niet van plan was. 'Dank je.'

'Toen ik het las, had ik meteen het idee dat je iets heel moois van mijn verhaal kunt maken.'

'Omdat ik één aardig stukje heb geschreven?'

'Omdat je talent hebt en me bij uitstek iemand leek die snapt hoe complex ik in elkaar zit en waarom ik bepaalde keuzes heb gemaakt. En naarmate ik je beter leerde kennen, werd dat alleen maar meer bevestigd. Wat voor boek je ook over me zult schrijven, je zult mijn leven niet in hapklare brokken voorschotelen. Ik durf wel te stellen dat jij niet zult terugdeinzen om ook de lelijke kanten van het leven te belichten. Ik wilde je die brief geven én jou mijn biografie laten schrijven, omdat ik denk dat jij daar de meest geschikte persoon voor bent.'

'Dus je hebt dit allemaal gedaan om je eigen schuldgevoel te bezweren en meteen ook te zorgen dat je biografie precies zo wordt geschreven als je voor ogen hebt?'

Evelyn schudt haar hoofd en staat op het punt me te corrigeren, maar ik ben nog niet uitgepraat.

'Eigenlijk is het ongelooflijk hoe egoïstisch je bent. Dat het zelfs op het moment dat je iets lijkt te willen goedmaken nog steeds alleen maar om jou draait.'

Evelyn steekt haar hand in de lucht. 'Doe nou niet alsof je hier zelf niet van hebt geprofiteerd. Je hebt willens en wetens meegewerkt aan mijn plan. Jij wilde dit verhaal. Je hebt gebruikgemaakt – en handig ook, moet ik zeggen – van de positie waarin ik je heb gebracht.'

'Even serieus, Evelyn,' zeg ik. 'Dat is echt gelul.'

'Wil je mijn verhaal niet?' vraagt Evelyn. 'Het is graag of niet, hoor. Dan gaat het met mij het graf in. Mij best.'

Ik zeg niets, omdat ik niet goed weet wat ik daarop moet zeggen, wat ik wíl zeggen.

Evelyn houdt verwachtingsvol haar hand op. Het was niet bedoeld als een retorische vraag. Ze verwacht een concreet antwoord. 'Ga je aantekeningen en opnames maar halen,' zegt ze. 'Dan vernietigen we ze ter plekke.'

Ik maak geen aanstalten, al geeft ze me alle tijd.

'Nee, dat leek mij ook niet,' zegt ze.

'Dat is toch wel het minste waar ik recht op heb,' verweer ik me. 'Het is godverdomme wel het minste wat je voor me kunt doen.'

'Niemand heeft ooit ergens recht op,' zegt Evelyn. 'Het is altijd een kwestie van bereid zijn om je bepaalde dingen toe te eigenen. En jij hebt laten zien dat je bereid bent om te gaan voor wat je wilt, Monique. Dus kom daar dan ook eerlijk voor uit. Niemand is honderd procent slachtoffer of winnaar. We zitten er altijd ergens tussenin. Mensen die doen alsof ze ofwel het een ofwel het ander zijn, houden niet alleen zichzelf voor de gek, maar zijn ook nog eens wandelende clichés.'

Ik sta op van de keukentafel en loop naar het aanrecht. Ik was mijn handen, omdat ze vies klam aanvoelen. Ik droog ze af en wend me weer tot Evelyn. 'Ik haat jou, weet je dat?'

Evelyn knikt. 'Bof jij even. Haat is zo'n heerlijk eenvoudige emotie, vind je niet?'

'Ja,' antwoord ik. 'Inderdaad.'

'Verder zit alles in het leven ingewikkelder in elkaar. Vooral jouw vader. Daarom vond ik het belangrijk dat jij die brief te lezen kreeg. Ik wilde dat je het wist.'

'Wat precies? Dat hij onschuldig was? Of dat hij van een andere man hield?'

'Dat hij van jóú hield. En ook zoveel. Hij was bereid om een romantische relatie op te geven om bij jou te kunnen blijven. Besef je wel wat een fantastische vader je had? Hoe ontzettend veel er van je gehouden werd? Er zijn zat mannen die beweren dat ze hun gezin nooit in de steek zouden laten, maar jouw vader werd op de proef gesteld en twijfelde geen seconde. Ik vond dat je dat moest weten. Als ik zo'n vader had gehad, had ik dat ook willen weten.'

Niemand is honderd procent goed of slecht. Dat weet ik natuurlijk best. Ik heb het al op jonge leeftijd ondervonden. Maar soms verlies je uit het oog hoe waar het is. En dat het voor iedereen geldt.

Tot je tegenover de vrouw zit die het lijk van je vader achter het stuur van een verongelukte auto zette om de reputatie van haar beste vriend te redden, en tot je doordringt dat ze bijna dertig jaar lang een brief heeft bewaard omdat ze per se wilde dat jij wist hoeveel je vader van je hield.

Ze had je de brief eerder kunnen geven. Ze had hem ook weg kunnen gooien. Dat is nou typisch Evelyn Hugo. Ze zit er ergens tussenin.

Ik ga zitten, leg mijn handen op mijn ogen en wrijf erin, in de hoop dat als ik maar hard genoeg wrijf, ik in een andere werkelijkheid terechtkom.

Als ik mijn ogen weer opendoe, ben ik nog steeds hier. Er zit niks anders op dan me erbij neerleggen.

'Wanneer kan ik het boek uitbrengen?'

'Ik heb niet heel lang meer,' zegt Evelyn en ze gaat op een kruk aan het kookeiland zitten.

'Je hebt er nu wel genoeg omheen gedraaid, Evelyn. Wanneer kan ik het uitbrengen?'

Evelyn begint afwezig een servetje te vouwen dat toevallig binnen handbereik ligt. Dan kijkt ze me aan. 'Het is geen geheim dat borstkanker erfelijk is,' zegt ze. 'Al zou de wereld een stuk rechtvaardiger zijn als je er als moeder eerder aan doodging dan je dochter.'

Ik speur naar subtiele bewegingen in Evelyns gelaatstrekken, in de stand van haar mondhoeken, ogen en wenkbrauwen. Er valt weinig emotie aan af te lezen. Ze kijkt even stoïcijns als wanneer ze de krant voor zou lezen.

'Heb je borstkanker?' vraag ik.

Ze knikt.

'In welk stadium?'

'Het is ver genoeg gevorderd om hier een beetje vlot een punt achter te willen zetten.'

Als ze me aankijkt, wend ik mijn blik af. Ik weet niet waarom. Het is niet uit boosheid, maar uit schaamte. Ik voel me schuldig dat ik ergens geen enkel medelijden met haar heb, maar ook dom omdat ik diep vanbinnen juist wél medelijden met haar heb.

'Ik heb gezien hoe mijn dochter dit moest doorstaan,' zegt Evelyn. 'Ik weet wat me te wachten staat. Het is belangrijk dat ik orde op zaken stel. Ik heb een nieuwe versie van mijn testament laten opmaken, gezorgd dat Grace voorzien is en mijn meest gewaardeerde jurken aan Christie's overgedragen. En dit... dit is de laatste stap. Deze brief. En dit boek. Jij.'

'Ik ga er nu vandoor,' zeg ik. 'Ik ben hier even klaar mee.'

Evelyn begint iets te zeggen, maar ik hou haar tegen.

'Nee,' zeg ik. 'Ik wil niks meer van jou horen. Ik wil godverdomme geen woord meer van je horen, ja?'

Ik moet zeggen dat het me niet verbaast dat ze toch het woord neemt. 'Ik wilde alleen maar zeggen dat ik daar begrip voor heb en dat ik je morgen weer zie.'

'Morgen?' vraag ik, en op hetzelfde moment bedenk ik dat Evelyn en ik nog niet van elkaar af zijn.

'Voor de fotoshoot.'

'Ik weet niet of ik nog wel zin heb om hier terug te komen.'

'Oké,' zegt Evelyn, 'maar ik hoop toch dat je het doet.'

ALS IK THUISKOM, GOOI IK UIT GEWOONTE MIJN TAS OP DE BANK.
Ik ben moe, ik ben boos en mijn ogen voelen droog en pijnlijk, als nat
wasgoed dat hardhandig is uitgewrongen.

Ik neem niet de moeite om mijn jas of schoenen uit te trekken, maar
ga meteen zitten. Ik beantwoord de e-mail van mijn moeder met haar
vluchtinformatie voor morgen. Dan til ik mijn voeten op en leg ze op de
salontafel. Als ik dat doe, raken ze een envelop die erbovenop ligt.

Dan dringt pas tot me door dat er überhaupt een salontafel staat.

David heeft hem teruggebracht. En er ligt een envelop op waar mijn
naam op staat.

M –

*Ik had het tafeltje nooit mee mogen nemen. Ik heb het helemaal niet nodig. Het
is suf om het in de opslag te laten staan. Ik gedroeg me nogal kinderachtig toen
ik wegging.*

*In deze envelop vind je mijn sleutel van het appartement en het kaartje van
mijn advocaat.*

*Er zit volgens mij niks anders op dan je te bedanken dat jij de knoop wel durf-
de door te hakken.*

– D

Ik leg de brief terug op het tafeltje. Ik leg mijn voeten er weer op. Ik wurm me uit mijn jas. Ik schop mijn schoenen uit. Ik laat mijn hoofd achterovervallen. Ik haal diep adem.

Zonder Evelyn Hugo had ik waarschijnlijk nooit een punt gezet achter mijn huwelijk.

Zonder Evelyn Hugo had ik waarschijnlijk nooit tegen Frankie in durven gaan.

Zonder Evelyn Hugo had ik waarschijnlijk nooit de kans gekregen om een gegarandeerde bestseller te schrijven.

Zonder Evelyn Hugo had ik waarschijnlijk nooit geweten hoe verknocht mijn vader werkelijk aan mij was.

Dus Evelyn heeft het volgens mij op z'n minst in één opzicht mis.

Haar haten is verre van eenvoudig.

ALS IK DE VOLGENDE OCHTEND BIJ HET APPARTEMENT VAN EVELYN aankom, weet ik niet eens precies wanneer ik besloten heb om daadwerkelijk te gaan.

Ik werd wakker en toen was ik ineens onderweg. Toen ik vanaf de metro kwam aangelopen en de hoek omging, drong tot me door dat niet gaan nooit een optie was geweest.

Ik weiger mijn plek bij *Vivant* in gevaar te brengen. Ik heb er zo hard voor geknokt om zelfstandig correspondent te worden dat ik het niet op het laatste moment ga verknallen.

Ik ben precies op tijd, maar op de een of andere manier kom ik toch als laatste aan. Als Grace de deur opendoet, lijkt het net of ze door een orkaan is getroffen. Er vallen plukken haar uit haar staart en ze doet harder dan ooit haar best om vrolijk te blijven kijken.

'Ze waren bijna drie kwartier te vroeg,' fluistert ze me toe. 'Evelyn had in alle vroegte iemand laten komen voor haar make-up zodat ze al klaar was voor de make-upmensen van het tijdschrift er waren. Ze had vanochtend om halfnegen een lichtconsulent besteld om haar advies te geven over waar in huis het licht het meest flatteus is. Blijkbaar is dat op het dakterras, dat ik de afgelopen tijd niet zo vaak had schoongemaakt omdat het nog zo koud is. Maar goed, ik ben dus net twee uur bezig geweest om het een flinke schrobbeurt te geven.' Grace legt quasivermoeid haar hoofd op mijn schouder. 'Het is maar goed dat ik gauw op vakantie mag.'

'Monique!' zegt Frankie als ze me op de gang ziet staan. 'Waar bleef je nou?'

Ik kijk op mijn horloge. 'Het is nog maar zes over.' Ik moet denken aan mijn eerste ontmoeting met Evelyn Hugo. Ik weet nog hoe zenuwachtig ik was. Ik weet nog wat een overweldigende indruk ze op me maakte. Inmiddels weet ik hoe pijnlijk normaal ze is. Maar voor Frankie is het allemaal nog nieuw. Zij heeft de echte Evelyn nog niet te zien gekregen. Zij denkt nog dat we niet zomaar een persoon fotograferen, maar een icoon.

Ik stap het dakterras op en zie Evelyn zitten, omringd door lampen, reflectoren, snoeren en camera's. Er scharrelen allerlei mensen om haar heen. Ze zit op een krukje. Haar grijsblonde haar wordt door een windmachine omhooggeblazen. Ze is gekleed in haar karakteristieke smaragdgroen, in dit geval een zijden jurk met lange mouwen. Billie Holiday klinkt ergens uit een luidspreker. Achter Evelyn schijnt de zon. Ze ziet eruit als het absolute middelpunt van het universum.

Ze voelt zich als een vis in het water.

Ze lacht naar de camera, met een sprankeling in haar bruine ogen die ik nooit eerder bij iemand heb gezien. Ze lijkt zich volledig op haar gemak te voelen te midden van al die aandacht, en ik begin me af te vragen of de echte Evelyn niet de vrouw is met wie ik de afgelopen twee weken heb zitten praten, maar degene die nu voor mijn neus zit. Ook al is ze bijna tachtig, toch straalt ze een bepaald gezag uit dat ik niet eerder heb gezien. Eens een ster, altijd een ster.

Evelyn is voor roem in de wieg gelegd. Haar lichaam heeft daar natuurlijk aan bijgedragen. Haar gezicht heeft er natuurlijk aan bijgedragen. Maar nu ik haar zo in actie zie, hoe ze zich voor de camera beweegt, krijg ik de indruk dat ze zichzelf in bepaald opzicht toch tekort heeft gedaan: zelfs als ze beduidend minder mooi was geweest, was ze waarschijnlijk toch wel beroemd geworden. Ze heeft het gewoon. Dat ondefinieerbare waardoor ze altijd de aandacht trekt.

Ze ziet me achter een van de lichttechnici staan en houdt meteen op met waar ze mee bezig was. Ze wenkt me.

'Lieve mensen, lieve mensen,' zegt ze. 'Kunt u ook een paar foto's maken van Monique en mij samen, alstublieft?'

'O, doe maar niet, hoor, Evelyn,' zeg ik. Ik wil liever niet te dicht bij haar in de buurt komen.

'Alsjeblieft,' zegt ze. 'Als aandenken.'

Een paar mensen grinniken, alsof Evelyn een grapje maakt. Want wie zou Evelyn Hugo ooit kunnen vergeten? Maar ik weet dat ze het meent.

Dus ga ik in mijn spijkerbroek en colbertje naast haar staan. Ik zet mijn bril af. Ik voel de warme lampen op mijn gezicht, het felle licht in mijn ogen en de wind die langs mijn wangen blaast.

'Evelyn, dit hoor je natuurlijk absoluut niet voor het eerst,' zegt de fotograaf, 'maar wat ben je ongelooflijk fotogeniek.'

'Ach,' antwoordt Evelyn. 'Het is nooit vervelend om te horen.'

Haar jurk is laag uitgesneden, waardoor haar nog altijd flinke boezem goed zichtbaar is, en de gedachte komt bij me op dat hetgene wat haar succes heeft gebracht uiteindelijk haar dood zal worden.

Evelyn vangt mijn blik op en glimlacht. Het is een oprechte, vriendelijke glimlach. Hij heeft bijna iets zorgzaams, alsof ze probeert te peilen hoe het met me gaat, alsof dat haar wat kan schelen.

En dan dringt plots tot me door dat dat ook zo is.

Evelyn Hugo vindt het belangrijk dat het goed met me gaat, dat ik ondanks alles wat er gebeurd is weer op mijn pootjes terechtkom.

In een moment van zwakte sla ik onwillekeurig een arm om haar heen. Een tel later besef ik alweer dat ik hem terug wil trekken, dat ik er eigenlijk helemaal niet aan toe ben om zo dicht tegen haar aan te staan.

'Geweldig!' roept de fotograaf. 'Zo ja.'

Nu kan ik mijn arm moeilijk terugtrekken. Dus doe ik alsof. Ik doe heel even voor de foto alsof ik niet één brok spanning ben. Ik doe alsof ik me niet woest, in de war, ontroostbaar, verscheurd, teleurgesteld, geschokt en ongemakkelijk voel.

Ik doe alsof ik gewoon volledig in de ban ben van Evelyn Hugo.

Want ondanks alles is dat ook nog steeds het geval.

Als de fotograaf is vertrokken, iedereen zijn spullen heeft opgeruimd en Frankie terug is gegaan naar kantoor – zo in de wolken dat ze wel had kunnen vliegen – maak ik ook aanstalten om te gaan.

Evelyn is zich boven aan het omkleden.

'Ha, Grace,' zeg ik als ik haar in de keuken aantref, waar ze wegwerp-bordjes en -bekers aan het verzamelen is. 'Ik wilde even afscheid van je komen nemen, aangezien Evelyn en ik klaar zijn.'

'O ja?' vraagt Grace.

Ik knik. 'We hebben het verhaal gisteren afgerond. Vandaag dus de fotoshoot. En nu kan ik aan de slag om het verder uit te werken,' zeg ik, al heb ik geen flauw idee hoe ik dat ga aanpakken of wat precies de vol-gende stap is.

'O, dan heb ik het vast verkeerd begrepen. Ik dacht dat jij tijdens mijn vakantie nog bij Evelyn zou zijn. Maar ik was eerlijk gezegd ook nogal afgeleid door de twee vliegtickets naar Costa Rica die me plots in de han-den werden geduwd.'

'Wat leuk. Wanneer ga je weg?'

'Vanavond nog, met de nachtvlucht,' antwoordt Grace. 'Ik kreeg ze gisteravond van Evelyn. Voor mij en mijn man. Een volledig verzorgde reis van een week. We hebben een hotel in de buurt van Monteverde. Zodra ze over een tokkelbaan in het nevelwoud begon, was ik helemaal verkocht.'

'Je hebt het verdiend,' zegt Evelyn, die bovenaan de trap verschijnt en naar beneden komt. Ze heeft een spijkerbroek en T-shirt aangetrokken, maar heeft haar make-up laten zitten. Ze ziet er betoverend én eenvou-dig uit, twee dingen die alleen Evelyn Hugo weet te combineren.

'Weet je zeker dat ik niet hoef te blijven? Ik dacht dat Monique hier zou zijn om je gezelschap te houden,' zegt Grace.

Evelyn schudt haar hoofd. 'Nee hoor, ga maar. Je hebt de laatste tijd zoveel voor me gedaan. Je hebt wat tijd voor jezelf nodig. Als er iets is, kan ik altijd de portier bellen.'

'Maar ik hoef niet...'

Evelyn onderbreekt haar. 'Jawel. Je moet weten hoezeer ik waardeer wat je allemaal voor me hebt gedaan. Dus laat me je op deze manier bedanken.'

Grace glimlacht bescheiden. 'Goed dan,' zegt ze. 'Als je dat echt graag wilt.'

'Zeker. Sterker nog, je kunt wel alvast gaan. Je bent de hele dag aan het poetsen geweest, en je hebt vast nog tijd nodig om je spullen te pakken. Dus hup, ga maar gauw.'

Verrassend genoeg protesteert Grace niet. Ze zegt alleen maar dank je wel en pakt haar tas. Alles verloopt vlotjes, tot Evelyn Grace bij de deur tegenhoudt en haar een knuffel geeft.

Grace kijkt enigszins verbaasd, maar ook blij.

'Je weet toch dat ik de afgelopen jaren nooit was doorgekomen zonder jou, hè?' zegt Evelyn als ze haar weer loslaat.

Grace moet blozen. 'Dank je wel.'

'Veel plezier in Costa Rica,' zegt Evelyn. 'Maak er maar een onvergetelijke reis van.'

En zodra Grace weg is, begint me te dagen wat er aan de hand is.

Evelyn is geen moment van plan geweest om zich klein te laten krijgen door dat wat haar groot heeft gemaakt. Ze is geen moment van plan geweest om iets of iemand zoveel macht te geven – zelfs haar eigen lichaam niet.

Evelyn kiest zelf wanneer ze doodgaat.

En ze wil het nu.

'Evelyn,' zeg ik. 'Wat ben je...'

Ik durf het niet eens hardop te zeggen. Het idee alleen al klinkt te bizar voor woorden. Dat Evelyn Hugo zelfmoord zou willen plegen.

Ik stel me voor dat ik mijn vermoeden uitspreek en vervolgens vierkant door Evelyn word uitgelachen om mijn al te levendige fantasie en mijn malle ideeën.

Anderzijds stel ik me voor dat ik het vraag en Evelyn het vervolgens eerlijk toegeeft.

Ik geloof dat ik geen van beide scenario's aankan.

'Hm?' vraagt Evelyn en ze kijkt me aan. Ze maakt geen bezorgde of onrustige indruk. Ze ziet eruit alsof het een doodnormale dag is.

'Niks,' zeg ik.

'Dank je wel dat je bent gekomen vandaag,' zegt ze. 'Ik weet dat je twijfelde of het wel ging lukken, en ik... ik ben blij dat het toch is gelukt.'

Ik haat Evelyn, maar ik geloof dat ik haar ook erg graag mag.

Ik wou dat ze nooit had bestaan, maar ik heb ook enorm veel bewondering voor haar.

Ik weet niet zo goed wat ik met mijn tweestrijd aan moet. Ik weet niet zo goed wat hij te betekenen heeft.

Ik duw de deurklink naar beneden. Het enige wat ik eruit weet te persen is de absolute kern van wat ik wil zeggen: 'Pas alsjeblieft goed op jezelf, Evelyn.'

Ze reikt naar mijn hand en geeft er kort een kneepje in. Dan laat ze me weer los. 'Jij ook, Monique. Er staat jou een bijzondere toekomst te wachten. Je gaat alles uit het leven halen wat erin zit. Dat weet ik wel zeker.'

Evelyn kijkt me aan en in een flits weet ik wat ze met haar blik wil zeggen. Het is subtiel en duurt maar heel even, maar het is er wel. En dan weet ik dat mijn vermoeden klopt.

Evelyn Hugo neemt voorgoed afscheid.

TERWIJL IK DE TUNNEL VAN DE METRO IN LOOP EN DOOR DE POORT-jes ga, twijfel ik voortdurend of ik niet om moet keren.

Moet ik bij haar aankloppen?

Moet ik de hulpdiensten bellen?

Moet ik haar tegenhouden?

Ik hoef alleen maar de trap weer op te lopen, het metrostation uit, en de ene voet voor de andere te zetten. En als ik terug ben bij Evelyns appartement, hoef ik alleen maar te zeggen: 'Doe het niet.'

Daar ben ik best toe in staat.

Ik moet alleen bedenken of ik het wil of niet. Of ik het moet doen. Of ik er goed aan doe.

Ze koos me niet alleen maar omdat ze het gevoel had dat ze me iets verschuldigd was. Ze koos mij ook vanwege mijn stuk over euthanasie.

Ze koos mij omdat daaruit bleek dat ik uitzonderlijk veel begrip heb voor het belang van een waardige dood.

Ze koos mij omdat ze denkt dat ik begrijp hoe belangrijk barmhartigheid is, zelfs als die een vorm aanneemt die veel mensen moeilijk te verteren vinden.

Ze koos mij omdat ze me vertrouwt.

En ik heb het idee dat ze me ook in deze situatie vertrouwt.

De metro komt denderend aanrijden. Om op tijd op het vliegveld te zijn om mijn moeder op te halen moet ik deze nemen.

De deuren gaan open. Drommen mensen stappen uit. Drommen mensen stappen in. Een tienerjongen met een rugzak duwt me ruw opzij. Ik zet geen stap in de richting van de wagon.

De metro klingelt. De deuren gaan dicht. Het perron stroomt leeg.

En ik sta daar maar. Als aan de grond genageld.

Als je denkt dat iemand op het punt staat om zelfmoord te plegen, moet je dan niet ingrijpen?

Moet je niet de politie bellen? Moet je niet alles op alles zetten om haar te redden?

Langzaam wordt het weer drukker op het perron. Een moeder met een klein kind. Een man met zijn boodschappen. Drie hipsters met baarden en flanellen overhemden. Dan stromen de mensen zo snel toe dat ik ze niet meer allemaal registreer.

Ik moet de eerstvolgende metro nemen om mijn moeder op te halen en Evelyn loslaten.

Ik moet rechtsomkeert maken en Evelyn tegen zichzelf beschermen.

Ik zie de doffe banen licht op het spoor die de komst van de metro aankondigen. Ik hoor het geraas.

Mijn moeder kan mijn huis best op eigen houtje vinden.

Evelyn heeft nooit iemand nodig gehad om haar te redden.

De metro komt aangereden. De deuren gaan open. Drommen mensen stappen uit. En pas als de deuren weer dichtgaan, besef ik dat ik ben ingestapt.

Evelyn heeft mij haar levensverhaal toevertrouwd.

Evelyn vertrouwt me ook haar dood toe.

En diep vanbinnen voel ik dat ik dat vertrouwen zou beschamen als ik haar zou tegenhouden.

Wat ik ook van Evelyn vind, ik weet dat ze alles nog prima op een rijtje heeft. Ze is geestelijk in orde. Ik weet dat ze het recht heeft om haar leven te beëindigen zoals ze het ook geleefd heeft – onder haar eigen voorwaarden, zonder iets aan het toeval over te laten, met de teugels stevig in handen.

Ik hou me vast aan de koude stalen paal voor me. Ik wieg met de voortdenderende metro mee. Ik stap over op de AirTrain. Pas als ik in de aankomsthal sta en mijn moeder zie zwaaien, dringt tot me door dat ik al bijna een uur als een zombie rondloop.

Het is gewoon te veel. Mijn vader, David, het boek, Evelyn.

En zodra mijn moeder binnen handbereik is, sla ik mijn armen om haar heen en laat ik mijn hoofd op haar schouder zakken. Ik barst in huilen uit.

Het voelt alsof de tranen die over mijn wangen stromen tientallen jaren op zich hebben laten wachten. Het voelt alsof er een oude versie van me loskomt en naar buiten vloeit om ruimte te maken voor een nieuwe ik. Een sterkere ik die enerzijds cynischer tegenover anderen staat, maar ook optimistischer is over mijn eigen plaats in de wereld.

'Ach, lieverd toch,' zegt mijn moeder terwijl ze haar tas van haar schouder op de grond laat vallen, zonder acht te slaan op de mensen die om ons heen moeten lopen. Ze houdt me stevig vast en wrijft met beide handen over mijn rug.

Ik voel me niet geroepen om op te houden met huilen. Ik voel me niet geroepen om me te verantwoorden. Voor een goede moeder hoef je je niet groot te houden; een goede moeder zorgt dat zij groot genoeg is voor jou. En mijn moeder is altijd een heel goede geweest – een fantastische zelfs.

Als ik uitgehuild ben, laat ik haar los. Ik droog mijn tranen. Mensen lopen ons aan beide kanten voorbij, zakenvrouwen met aktetassen, gezinnen met rugzakken. Sommigen van hen staren naar ons, maar ik ben het wel gewend dat mensen naar mij en mijn moeder staren. Zelfs in een multiculturele stad als New York zijn veel mensen nog steeds verbaasd dat een moeder en dochter er zo verschillend uit kunnen zien.

'Wat is er aan de hand, lieverd?' vraagt mijn moeder.

'Het is bijna te veel om op te noemen,' zeg ik.

Ze pakt mijn hand vast. 'Wat zeg je ervan als ik een andere keer bewijs dat ik het openbaar vervoer begrijp en we gewoon lekker een taxi nemen?'

Ik moet lachen en knik terwijl ik langs mijn ooghoeken veeg.

Als we eenmaal achter in een muffe taxi zitten, met op het schermpje voor ons een eindeloze herhaling van stukjes uit het journaal van die ochtend, kan ik weer rustig ademhalen.

'Zo, vertel nou maar eens wat je dwarszit.'

Moet ik haar vertellen wat ik weet?

Moet ik haar vertellen dat het drama waarin we altijd geloofd hebben – dat mijn vader is verongelukt toen hij dronken achter het stuur zat – niet waar is? Moet ik de ene misstap voor een andere verruilen? Namelijk dat hij een affaire had met een andere man toen hij overleed?

'David en ik gaan officieel scheiden,' zeg ik.

'Ach, wat vervelend, schat,' zegt ze. 'Dat moet een moeilijke beslissing voor je zijn geweest.'

Ik kan haar niet opzadelen met mijn vermoedens over Evelyn. Ik kan het niet over mijn hart verkrijgen.

'En ik mis papa,' zeg ik. 'Mis jij hem ook weleens?'

'Ach, jeetje,' antwoordt ze. 'Nog elke dag.'

'Was hij een fijne man om mee getrouwd te zijn?'

Ze lijkt even van haar stuk gebracht. 'Een geweldige man, ja,' antwoordt ze. 'Waarom vraag je dat?'

'Weet ik niet. Misschien omdat ik me realiseerde dat ik niet zo heel veel weet over jullie relatie. Hoe was hij? Als echtgenoot?'

Ze probeert een glimlach te onderdrukken, maar het lukt maar half.

'Ach, hij was ontzettend romantisch. Hij kocht elk jaar een doos bonbons voor me op 3 mei.'

'Ik dacht dat jullie huwelijksdag in september was.'

'Klopt,' zegt ze grinnikend. 'Om de een of andere reden verwende hij me altijd op 3 mei. Hij zei dat er niet genoeg officiële feestdagen waren om me in het zonnetje te zetten. Hij zei dat hij er daarom zelf maar een moest verzinnen.'

'Wat schattig,' zeg ik.

Onze chauffeur rijdt de snelweg op.

'En hij schreef me altijd prachtige liefdesbrieven,' zegt ze. 'Ontzettend mooi. Met gedichten erin over hoe mooi ik in zijn ogen was, wat ik maar onzin vond, want ik bent nooit mooi geweest.'

'Natuurlijk wel,' protesteer ik.

'Nee,' zegt ze nuchter. 'Niet echt. Maar hij gaf me het gevoel dat ik Miss America was, joh.'

Ik giechel. 'Het klinkt als een huwelijk vol passie,' zeg ik.

Mijn moeder zwijgt even. Dan aait ze me over mijn hand en antwoordt ze: 'Nee, passie is geloof ik niet het goeie woord. We mochten elkaar gewoon erg graag. Het was net alsof ik toen ik hem ontmoette een andere kant van mezelf leerde kennen. Iemand die me door en door begreep en bij wie ik me geborgen voelde. Het was niet echt een hartstochtelijk soort liefde. We hebben elkaar nooit de kleren van het lijf gescheurd, zal ik maar zeggen. We wisten gewoon dat we samen gelukkig konden worden. We wisten dat we samen een kind wilden opvoeden. We wisten ook dat het niet makkelijk zou worden en dat onze ouders er niet blij mee zouden zijn, maar in heel veel opzichten bracht ons dat alleen maar dichter bij elkaar. Wij samen tegen de rest van de wereld, zeg maar.

Ik weet dat jouw generatie er heel anders tegen aankijkt. Ik weet dat iedereen tegenwoordig op zoek is naar een relatie waar de vonken vanaf springen. Maar ik was heel gelukkig met je vader. Ik vond het ontzettend fijn om iemand te hebben die voor me zorgde en om zelf ook voor iemand te kunnen zorgen. Om mijn leven met iemand te delen. Ik vond het altijd zo'n boeiende man. Hij had overal een mening over en beschikte over zoveel talenten. We konden over bijna alles praten. Urenlang. We bleven vaak tot diep in de nacht zitten kletsen, zelfs toen jij nog klein was. Hij was mijn beste vriend.'

'Ben je daarom nooit hertrouwd?'

Daar denkt mijn moeder even over na. 'Weet je, het is grappig dat we het over passie hebben. Sinds de dood van je vader heb ik met andere mannen af en toe wel passie ervaren. Maar die zou ik met alle liefde teruggeven voor nog een paar dagen met hem. Voor nog één zo'n gesprek tot diep in de nacht. Ik heb nooit zoveel om passie gegeven. Maar zo'n intieme band als wij hadden? Die was me ontzettend veel waard.'

Misschien vertel ik haar ooit wel wat ik te weten ben gekomen. Misschien ook niet.

Misschien zet ik het in Evelyns biografie, of misschien vertel ik het alleen vanuit haar perspectief zonder te onthullen wie er naast Harry Cameron in de auto zat.

Misschien laat ik dat deel van het verhaal wel helemaal weg. Ik geloof dat ik best bereid ben om over Evelyns leven te liegen om mijn moeder in bescherming te nemen. Ik geloof dat ik best bereid ben om iets voor het grote publiek achter te houden als ik daarmee de gemoedsrust bewaak van iemand van wie ik zielsveel hou.

Ik ben er nog niet over uit. Ik weet alleen dat ik ga doen wat in mijn ogen het beste is voor mijn moeder. En als dat ten koste gaat van de waarheid, als dat betekent dat ik net iets minder eerlijk moet zijn, dan heb ik daar vrede mee. Hemelse vrede.

'Volgens mij heb ik gewoon ontzettend veel geluk gehad dat ik iemand vond zoals je vader,' zegt mijn moeder. 'Dat ik iemand vond die echt mijn maatje en mijn zielsverwant was.'

Als je een klein stukje voorbij de oppervlakte graaft, blijkt dat iedereen een uniek, interessant liefdesleven heeft en dat het zich nooit makkelijk laat definiëren.

Misschien vind ik ooit wel iemand van wie ik net zo zal houden als Evelyn van Celia. Of misschien vind ik wel een liefde zoals die tussen mijn ouders. Het feit dat ik nu weet dat er allerlei verschillende soorten liefde zijn die allemaal even waardevol zijn, vind ik voorlopig al heel wat.

Er is nog van alles wat ik niet weet over mijn vader. Misschien was hij homo. Misschien beschouwde hij zichzelf als hetero, maar werd hij toevallig één keer verliefd op een man. Misschien was hij biseksueel. Of een hele waslijst aan andere termen. Maar het punt is dat het er eigenlijk niet toe doet.

Hij hield van mij.

En hij hield van mijn moeder.

En wat ik ook over hem te weten kom, dat gegeven blijft staan.

De chauffeur zet ons voor mijn huis af en ik pak mijn moeders tas. We lopen samen naar binnen.

Mijn moeder biedt aan om haar befaamde maïssoep te maken voor het avondeten, maar als ze ziet dat ik bijna niks in de koelkast heb staan, geeft ze toe dat het misschien beter is om een pizza te bestellen.

Als die er is, vraagt ze of ik een film met Evelyn Hugo wil kijken, en ik barst bijna in lachen uit, maar merk dan dat ze het meent.

'Ik heb al sinds je vertelde dat je haar ging interviewen ontzettend veel zin om *All for Us* weer eens te zien,' zegt mijn moeder.

'Ik weet het niet zo goed,' zeg ik, aangezien ik eigenlijk niks meer met Evelyn te maken wil hebben. Aan de andere kant hoop ik dat mijn moeder me overhaalt, omdat ik er in een bepaald opzicht ook nog niet aan toe ben om voorgoed afscheid van haar te nemen.

'Toe nou,' zegt ze. 'Om mij een plezier te doen.'

De film begint en ik ben weer verbluft door Evelyns energie, die van het scherm spat waardoor je zodra ze in beeld komt je ogen niet van haar af kunt houden.

Na een paar minuten voel ik een enorme drang om op te staan, mijn schoenen aan te trekken en bij haar thuis de deur in te trappen om haar op andere gedachten te brengen.

Maar ik hou me in. Ik laat haar met rust. Ik respecteer haar wens.

Ik doe mijn ogen dicht en val in slaap met Evelyns stem op de achtergrond.

Ik weet niet precies wanneer het gebeurt – waarschijnlijk heb ik in mijn dromen wat dingen op een rijtje gezet – maar als ik de volgende ochtend wakker word, besef ik dat het nu weliswaar nog te vroeg is, maar dat ik het haar ooit zal vergeven.

NEW YORK TRIBUNE
26-3-2017

Door Priya Amrit

Godin van het witte doek
Evelyn Hugo overleden

Evelyn Hugo is op 79-jarige leeftijd overleden. In de eerste officiële be-
richtgeving is nog geen precieze doodsoorzaak bekendgemaakt, maar
verschillende bronnen melden dat er sprake zou zijn van een onbedoel-
de overdosis medicijnen, aangezien in Hugo's bloed meerdere middelen
werden aangetroffen die enkel op doktersvoorschrift te verkrijgen zijn.
Berichten dat de filmster in een vroeg stadium van borstkanker zou ver-
keren, zijn niet bevestigd.

De actrice wordt begraven op het Forest Lawn Cemetery in Los Angeles.

Het stijlicoon uit de jaren vijftig zou in de jaren zestig en zeventig uit-
groeien tot femme fatale en in de jaren tachtig een Oscar winnen. Hugo
werd vooral bekend door haar voluptueuze figuur, gewaagde rollen en

veelbewogen liefdesleven. Ze trouwde zeven keer en overleefde al haar echtgenoten.

Nadat ze een punt achter haar acteercarrière had gezet, doneerde Hugo veel geld en tijd aan onder andere blijf-van-mijn-lijfhuizen, de lhbt+-gemeenschap en kankeronderzoek. Kortgeleden werd aangekondigd dat Christie's twaalf van haar beroemdste galajurken zal veilen ten behoeve van de American Breast Cancer Foundation. Naar verwachting zal deze veiling miljoenen opleveren, en gezien de laatste ontwikkelingen zal er wellicht nog enthousiaster geboden worden.

Het mag geen verrassing heten dat Hugo het grootste deel van haar bezit aan het goede doel nalaat, op een aantal gulle giften aan haar personeel na. Voor zover bekend is de Gay & Lesbian Alliance Against Defamation de grootste begunstigde.

'Ik heb in mijn leven ontzettend veel mogen ontvangen, maar ik heb er ook uit alle macht voor moeten vechten,' aldus Hugo vorig jaar tijdens een speech voor de Human Rights Campaign. 'Als ik de wereld een klein beetje veiliger en een klein beetje makkelijker kan maken voor de generaties die na mij komen... ach, dan is het allemaal misschien wel de moeite waard geweest.'

VIVANT

Juni 2017

Door Monique Grant

Evelyn en ik

Toen Evelyn Hugo, de legendarische actrice, producente en filantrope, eerder dit jaar overleed, waren wij samen bezig met het uitwerken van haar memoires.

Het is wel erg zacht uitgedrukt en strookt ook niet helemaal met de waarheid om te zeggen dat het een eer was om Evelyns laatste weken met haar door te brengen.

Evelyn zat ingewikkeld in elkaar, en mijn contact met haar was al even gecompliceerd als haar imago, haar leven en haar nalatenschap. Tot op de dag van vandaag worstel ik met wie Evelyn was en met de impact die ze op me had. De ene dag ben ik ervan overtuigd dat ik nog nooit iemand zo bewonderd heb als haar en de andere dag beschouw ik haar als een leugenachtige bedriegster.

Volgens mij zou Evelyn dat eigenlijk wel best vinden. Ze was niet langer uit op pure aanbidding of op pikante seksschandalen. Ze richtte zich in deze fase van haar leven voornamelijk nog op de waarheid.

Nu ik onze gesprekken wel honderd keer heb teruggeluisterd en elk moment dat we samen doorbrachten tot in den treure heb herleefd, durf ik te stellen dat ik Evelyn misschien wel beter ken dan mezelf. En ik weet dat Evelyn, naast de schitterende foto's die slechts enkele uren voor haar dood zijn gemaakt, in dit stuk één verrassend maar prachtig feit over zichzelf zou willen openbaren, namelijk dat ze biseksueel was en het grootste deel van haar leven smoorverliefd was op haar collega-actrice Celia St. James.

Evelyn vond het belangrijk om dit met de wereld te delen omdat haar liefde voor Celia het ene moment adembenemend en het volgende moment hartverscheurend was.

Ze vond het belangrijk om dit te delen omdat haar liefde voor Celia St. James misschien wel haar belangrijkste politieke statement was.

Ze vond het belangrijk om dit te delen omdat ze gedurende haar leven steeds meer ging inzien dat ze het aan andere leden van de lhbt+-gemeenschap verplicht was om zichtbaar te zijn, om zich te laten zien.

Maar bovenal vond ze het belangrijk om dit te delen omdat het de kern van haar wezen was, het eerlijkste en meest ware aspect van wie ze was.

En aan het einde van haar leven durfde ze eindelijk uit te komen voor haar ware aard.

Nu is het dus aan mij om iedereen de echte Evelyn te laten zien.

Na dit stuk volgt een fragment uit mijn biografie *De zeven echtgenoten van Evelyn Hugo*, die volgend jaar zal verschijnen.

Ik heb voor deze titel gekozen omdat ik haar ooit vroeg of ze zich ervoor schaamde dat ze zo vaak was getrouwd.

Ik vroeg: 'Vind je het niet vervelend dat er zoveel ophef is over de vele mannen die je hebt versleten, dat die zo vaak genoemd worden dat het je acteerwerk en je persoonlijkheid bijna overschaduwt? Dat als het over jou gaat, het eigenlijk altijd alleen maar gaat over de zeven echtgenoten van Evelyn Hugo?'

Haar antwoord was typisch Evelyn.

'Nee,' zei ze. 'Want zij zijn slechts "de echtgenoten". Ik ben Evelyn

Hugo zelf. En bovendien vermoed ik dat als mensen eenmaal weten hoe de vork echt in de steel zat, ze vooral geïnteresseerd zullen zijn in mijn vrouw.'

Dankwoord

De reactie van mijn redacteur Sarah Cantin toen ik haar vertelde dat ik iets heel nieuws wilde proberen, waarbij het essentieel was dat de lezer zou geloven dat een vrouw zeven keer getrouwd was geweest, bewees maar weer eens hoe groot haar vertrouwen en lef is. 'Ga je gang,' zei ze, en dat was precies het duwtje in de rug dat ik nodig had om Evelyn Hugo te durven scheppen. Sarah, ik ben ontzettend dankbaar en blij dat jij mijn redacteur bent.

Mijn grote dank gaat ook uit naar Carly Watters voor alles wat ze voor mijn carrière betekend heeft. Ik prijs me gelukkig dat we samen al zoveel boeken hebben mogen uitgeven.

Ik wil ook mijn weergaloze agentschap bedanken: jullie zijn allemaal zo goed in je werk en zo gedreven dat ik altijd het gevoel heb dat ik optimaal beslagen ten ijs kom. Theresa Park: dank je wel dat je ons team bent komen versterken en meteen met een ongekende kracht en charme aan de slag bent gegaan. Met jou aan het roer weet ik zeker dat ik boven mezelf uit kan stijgen. Brad Mendelsohn: bedankt dat je de boel draaiende hebt gehouden met zoveel vertrouwen in mijn kunnen en dat je ondanks al mijn neurotische trekjes altijd zo hartelijk blijft. Sylvie Rabineau: misschien wel het enige wat jouw intelligentie en vakkundigheid kan evenaren is hoe begaan je altijd met me bent.

Jill Gillett, Ashley Kruythoff, Krista Shipp, Abigail Koons, Andrea Mai,

Emily Sweet, Alex Greene, Blair Wilson, Vanessa Martinez en alle anderen bij WME, Circle of Confusion en Park Literary & Media, ik blijf me oprecht verbazen over het uitstekende werk dat jullie consequent afleveren. Vanessa: nog extra bedankt *para el español. Me salvaste la vida.*

Dan wil ik ook Judith, Peter, Tory, Arielle, Alfred en alle andere medewerkers van Atria bedanken die hebben geholpen om mijn boeken op de markt te brengen.

Crystal, Janay, Robert en de rest van het BookSparks-team: jullie zijn gigantische doorzetters, geniale publiciteitsmachines en stuk voor stuk prachtmensen. Duizend biddende handjes voor jullie en jullie werk.

Ik ben al mijn vrienden die keer op keer naar mijn voordrachten zijn komen luisteren, mijn boeken hebben gekocht, mijn werk aan anderen hebben aangeraden en stiekem mijn boeken vooraan hebben gelegd in de winkel eeuwig dankbaar. Kate, Courtney, Julia en Monique, bedankt dat jullie me hebben geholpen om over mensen te schrijven die niet op mij lijken. Dat is een pittige taak die ik nederig op me neem, en jullie zijn daarbij een enorme steun.

Dank voor alle boekbloggers en instagrammers die recensies en foto's van mijn boeken plaatsen om anderen er kennis mee te laten maken; door jullie kan ik mijn werk blijven doen. Ik wil in het bijzonder Natasha Minoso en Vilma Gonzalez complimenteren met hun supertoffe blogs.

Graag bedank ik al mijn familieleden voor hun steun; jullie juichen me altijd het hardst toe en zijn er altijd als ik jullie nodig heb. Ik wil specifiek mijn moeder Mindy bedanken omdat ze zo trots is op dit boek en altijd alles wil lezen wat ik schrijf, en mijn broer Jake omdat hij me ziet zoals ik het liefste gezien wil worden, omdat hij zo door en door begrijpt wat ik probeer te bereiken en omdat hij me in evenwicht houdt.

De enige echte Alex Jenkins Reid: dank je wel dat je snapte waarom het zo belangrijk voor me was om dit boek te schrijven en dat je zo meeleefde met het proces. Maar belangrijker nog: dank je wel dat je het soort man bent dat me aanmoedigt om mijn mond open te trekken, groter te dromen en minder te pikken. Dank je wel dat je me nooit het gevoel geeft dat ik mezelf moet beperken ten behoeve van een ander. Ik ben weergaloos trots en blij dat onze dochter opgroeit met een vader die altijd voor haar klaarstaat en haar laat zien wat ze van een ander mag verwachten door het goede voorbeeld te geven. Dat was Evelyn niet gegund. Het was mij niet gegund. Maar haar wel. En dat is aan jou te danken.

Ten slotte wil ik mijn lieve dochtertje bedanken. Je was nog piep-, piep-, piepklein, ongeveer zo groot als de punt aan het eind van deze zin geloof ik, toen ik aan dit boek begon. En toen ik het afrondde, duurde het nog maar een paar dagen voor je ter wereld kwam. Je was er van begin tot eind bij. Ik vermoed dat ik de kracht om dit boek te schrijven grotendeels uit jou heb geput.

Ik beloof dat ik in ruil daarvoor onvoorwaardelijk van je zal houden en je altijd zal accepteren zoals je bent, zodat je je sterk en veilig genoeg voelt om al je dromen na te jagen. Dat zou Evelyn je hebben toegewenst. Zij zou hebben gezegd: 'Trek de wijde wereld in, Lilah, blijf altijd vriendelijk en haal alles uit het leven wat je eruit kunt halen.' Nou ja, zij had misschien niet zo de nadruk gelegd op vriendelijk blijven. Maar als je moeder wil ik je dat toch op het hart drukken.

Lees ook de andere boeken uit
de California Dream-reeks

'Ik viel als een blok voor Daisy en
verslond deze roman in één dag!'
- Reese Witherspoon

'De auteur overtuigt zó dat ik
toch even googelde: bestaat
de band niet stiekem echt?'
- Flow

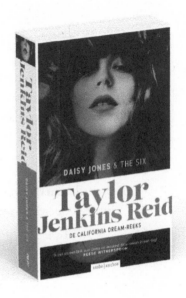

'Als de zomer in een boek zou passen, dan zou deze roman het zijn.'
- Oprah Daily

'Een van de boeken waarnaar het
meest werd uitgekeken dit jaar,
en terecht: een must-read!'
- Parade

'Een episch verhaal over een atlete
die over haar hoogtepunt heen is,
maar teruggaat naar de tennisbaan
voor een laatste grand slam.'
– Elle

'Een wereld van rivaliteit en
intriges, doordrenkt met
de nagelbijtende spanning van
een bloedstollende tenniswedstrijd.'
– People